BIBLIOTHÈQUE DU VOYAGEUR

# LE GRAND GUIDE DE DELHI, JAIPUR ET AGRA

Traduit de l'anglais et adapté par
Anne-Judith Descombey et Nathalie Fève

GALLIMARD

B. Grewal

# CEUX QUI ONT FAIT CE GUIDE

Dubey

Le succès du *Grand Guide de l'Inde*, paru en 1986, a incité ses éditeurs à publier des guides plus détaillés sur les diverses régions de l'Inde.

Le circuit touristique le plus fréquenté de l'Inde s'inscrit dans le triangle formé par trois villes : Delhi, Jaipur et Agra. Lorsque les éditeurs indiens **Bikram Grewal** (qui avait édité le *Grand Guide de l'Inde*) et **Manjulika Dubey** ont constaté qu'il n'existait pas encore de guide exhaustif sur cette région, ils ont réuni une équipe de rédacteurs et de photographes et se sont associés avec **Toby Sinclair**, qui avait également édité le *Grand Guide de l'Inde*. Il a coordonné la réalisation du *Grand Guide de Delhi, Jaipur et Agra*, participé à la recherche iconographique et préparé lui-même les cartes de ce guide.

Les rédacteurs sont des universitaires et des journalistes spécialisés dans cette région de l'Inde. Ils possèdent une connaissance intime des trois villes dans lesquelles ils vivent ou ont vécu plusieurs années. Professeur d'histoire à l'université Jamia Millia Islamia et membre fondateur de la *Conservation Society de Delhi*, **Narayani Gupta** retrace l'histoire et la civilisation de Delhi, Agra et Jaipur. Elle est l'auteur de *Delhi Between Two Empires*, publié par Oxford University Press.

**Shobita Punja**, qui a collaboré à plusieurs titres de la « Bibliothèque du Voyageur », a étudié l'histoire de l'art à l'université de Stanford et rédigé deux ouvrages sur les musées indiens et sur les temples de Khajurao. Elle a écrit les chapitres consacrés à l'art et à l'architecture.

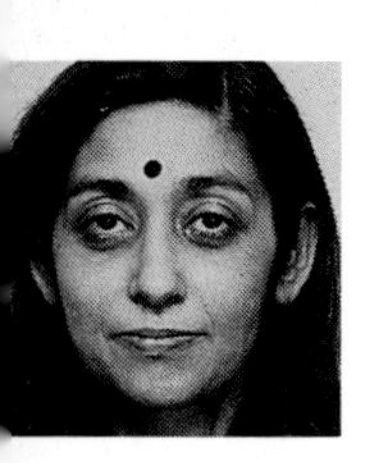
Mehta

Le journaliste **Sardar Khushwant Singh** est célèbre à Delhi pour des articles qui dénotent une connaissance approfondie de cette ville. Il a également publié des ouvrages de fiction, des essais historiques et sociologiques et des écrits sur l'environnement.

**Nandini Mehta** vit depuis son enfance à Delhi, où elle travaille comme journaliste dans un grand quotidien. Elle connaît bien la vie culturelle de la capitale, qu'elle fait découvrir au lecteur de ce guide.

**Reena Nanda** est spécialiste en histoire, en art et en architecture. Elle a organisé des circuits touristiques dans les quartiers historiques de Delhi et publié de nombreux articles sur la protection de ces sites. Dans le chapitre consacré au Fort Rouge, elle s'intéresse moins à l'histoire de l'architecture qu'à la vie quotidienne des habitants de Delhi sous le règne des Moghols.

**Nigel Hankin**, l'un des rares Britanniques qui ont choisi de rester en Inde après l'Indépendance, était l'auteur idéal du chapitre sur le Northern Ridge, où se trouvent les grands monuments du Raj.

Sharma

Après un premier voyage en Inde en 1977, **Gillian Wright** a étudié l'hindi à l'université. Elle a par la suite contribué à la rédaction de nombreux guides de voyage et collaboré avec Mark Tully, de la BBC, à trois ouvrages sur la politique, l'histoire et la culture indiennes. Elle vit à Nizamuddin, dont elle dévoile les mystères au lecteur.

Auteur de publications sur l'environnement, **Bulbul Sharma** est connue des habitants de Delhi pour son engagement écologiste. Elle combine ses deux passions pour l'art et la nature en organisant régulièrement des camps de vacances et des ateliers pour enfants. Elle décrit dans ce guide la faune et la flore de Delhi, où elle vit depuis de longues années.

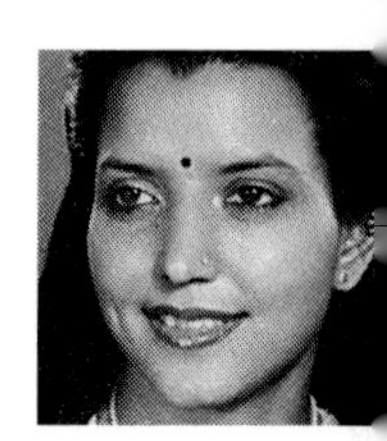
Pandey

Spécialiste en peinture et en arts décoratifs de la période moghole, **Asok Das** a publié des ouvrages sur l'art moghol et l'art du Rajasthan. Il a travaillé pendant seize ans à la direction du musée de Sawai Man Singh, au palais de Jaipur. Les expositions qu'il a organisées ont apporté un éclairage nouveau sur l'histoire de la ville et sa situation unique dans la culture du Rajasthan.

**Tripti Pandey** enrichit ce guide de sa connaissance des sites, de l'artisanat et des traditions culinaires de Jaipur. Elle travaille actuellement au ministère du Tourisme, de l'Art et de la Culture du Rajasthan et est l'auteur de nombreux articles et d'un livre sur la culture du Rajasthan.

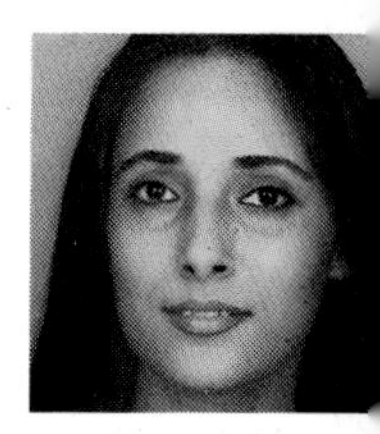
Tayebbhai

**John Lall** est un passionné d'histoire. A l'époque où il était en poste à Agra, il s'est intéressé aux monuments de cette ville. Il a publié deux livres, *Taj Mahal* et *The Glory of Mughal Agra*.

**Yasmeen Tayebbhai** est architecte à New Delhi. Ses recherches universitaires ont porté sur le plan de Fatehpur Sikri, la ville de l'empereur Akbar.

Menon

**A. G. Krishna Menon**, également architecte à Delhi, a rédigé l'article sur Mathura ; il a acquis une connaissance approfondie de cette région au cours de son étude sur la protection et la restauration des villes historiques indiennes.

Enfin, **Jug Suraiya**, dont l'esprit satirique et caustique enchante les lecteurs de journaux indiens depuis de nombreuses années, a également participé à l'élaboration de cet ouvrage

On doit les « Informations pratiques » à trois étudiants, Amitabh Dubey, Radhika Tandon et Shekhar Aiyar (Amitabh Dubey a également écrit le chapitre sur les environs de Jaipur).

Les éditions APA tiennent à remercier Yasmeen Tayebbhai et Mandakini Dubey, dont l'assistance a été précieuse pour la réalisation de ce guide.

Pour l'édition française, la traduction et l'adaptation de cet ouvrage ont été menées à bien par **Anne-Judith Descombey** et **Nathalie Fève**. Les adaptateurs français remercient de leur concours **Mme Ruby Dhutta**, de l'**office du tourisme de l'Inde** à Paris, et **Jan Meer**, représentant en France de l'agence indienne **Tushita**.

# TABLE

## Histoire et Société

## Itinéraires

# TABLE

# TABLE

## INFORMATIONS PRATIQUES

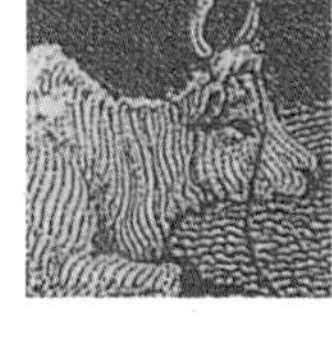

## CARTES

*Williamson & Howitt.*

*Published by Edw.d Orm*

No. 1.

J. Clark Etched.

d Street Sept.r 1st 1807 & by B. Crosby & Co Stationers Court.

VIEW OF DELHI FROM THE RIV

SHEWING THE KING'S PALACE.

Drawn by W. Purser.

FORTRESS OF SHUHUR

Engraved by Percy Heath.

EYPORE, RAJPOOTANA.

VIEW OF THE PALACE O

This palace was built by the Emperor A

AGRA, FROM THE RIVER.

in the middle of the sixteenth century.

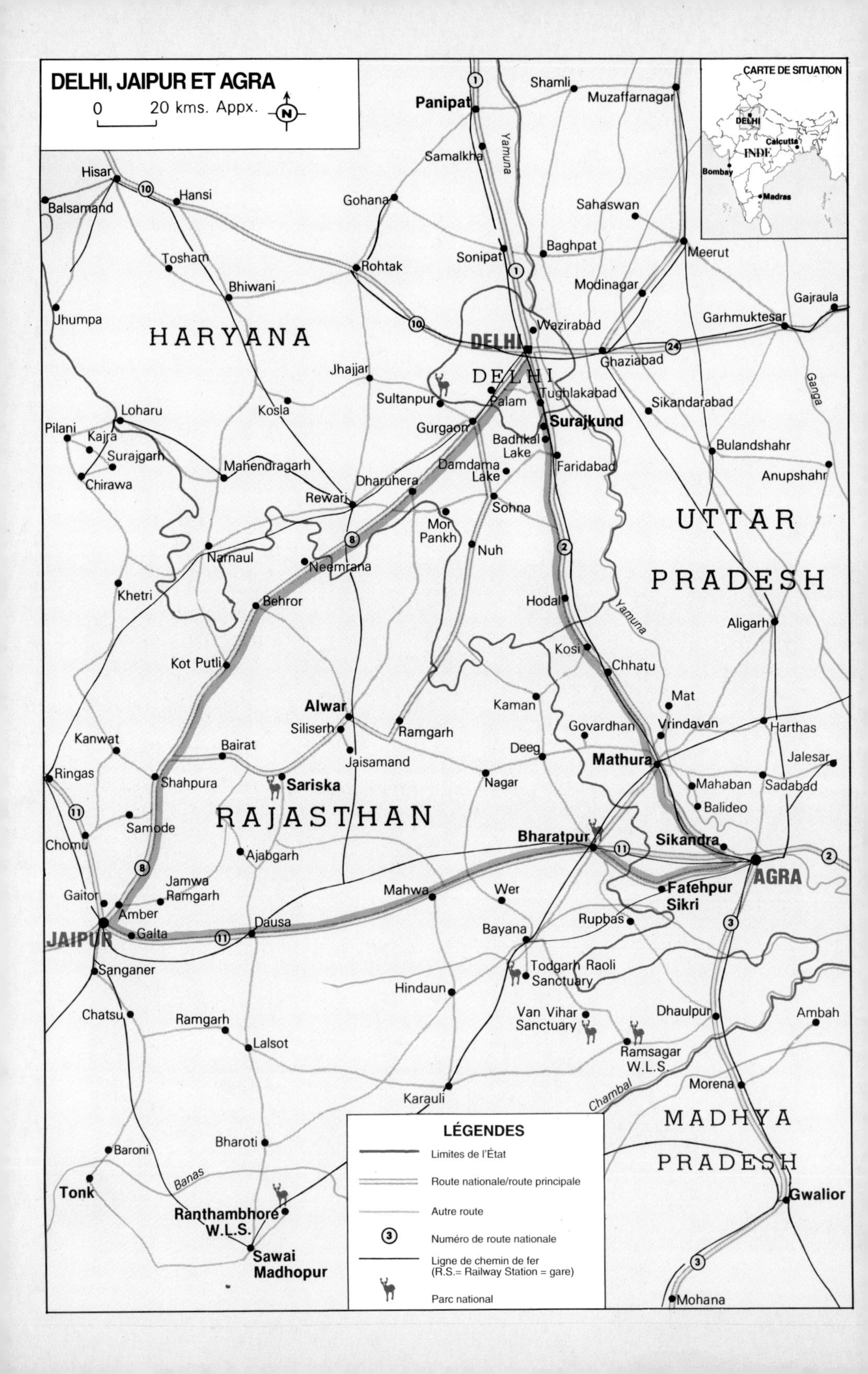

DELHI, JAIPUR ET AGRA
0 20 kms. Appx.
N
CARTE DE SITUATION
DELHI
Calcutta
INDE
Bombay
Madras
HARYANA
UTTAR PRADESH
RAJASTHAN
MADHYA PRADESH
DELHI
Panipat
Shamli
Muzaffarnagar
Yamuna
Samalkha
Hisar
Hansi
Balsamand
Gohana
Sahaswan
Baghpat
Meerut
Tosham
Sonipat
Rohtak
Modinagar
Bhiwani
Gajraula
Jhumpa
Garhmuktesar
Wazirabad
Ghaziabad
Jhajjar
Sultanpur
Palam
Tughlakabad
Sikandarabad
Ganga
Loharu
Kosla
Surajkund
Pilani
Kajra
Gurgaon
Badhkal Lake
Bulandshahr
Surajgarh
Mahendragarh
Damdama Lake
Faridabad
Anupshahr
Chirawa
Dharuhera
Rewari
Sohna
Mor Pankh
Nuh
Narnaul
Neemrana
Khetri
Behror
Hodal
Aligarh
Kosi
Chhatu
Kot Putli
Mat
Kaman
Alwar
Siliserh
Ramgarh
Govardhan
Vrindavan
Harthas
Kanwat
Bairat
Jaisamand
Deeg
Mathura
Jalesar
Ringas
Shahpura
Sariska
Nagar
Mahaban
Sadabad
Balideo
Samode
Chomu
Ajabgarh
Bharatpur
Sikandra
AGRA
Jamwa Ramgarh
Gaitor
Mahwa
Wer
Fatehpur Sikri
Amber
JAIPUR
Galta
Dausa
Bayana
Rupbas
Sanganer
Todgarh Raoli Sanctuary
Hindaun
Chatsu
Ramgarh
Van Vihar Sanctuary
Dhaulpur
Ambah
Lalsot
Ramsagar W.L.S.
Karauli
Chambal
Morena
Bharoti
Baroni
Banas
Tonk
Ranthambhore W.L.S.
Gwalior
Sawai Madhopur
Mohana
1
10
24
8
2
11
3
LÉGENDES
Limites de l'État
Route nationale/route principale
Autre route
3 Numéro de route nationale
Ligne de chemin de fer (R.S.= Railway Station = gare)
Parc national

# UN TRIANGLE MAGIQUE

Entre la plaine du Gange et le désert du Rajasthan, le triangle formé par Delhi, Jaipur et Agra renferme les traces de plusieurs siècles d'histoire commune. Chacune de ces trois villes possède une personnalité propre, mais toutes sont les témoins d'un des âges d'or de la civilisation indienne. Peu d'itinéraires offrent, dans un espace géographique si réduit, un tel voyage dans le passé, depuis les temps reculés du *Mahabharata* jusqu'à l'époque médiévale et la première moitié du XXe siècle.

La visite des trois villes et de leurs environs demande au moins douze jours. On passera les deux premiers dans la capitale, Delhi, avant de partir pour le Rajasthan, en s'arrêtant en chemin à Alwar. Après une nuit à Sariska, deux journées permettent d'explorer Jaipur, d'où l'on peut facilement organiser des excursions vers les palais d'Amber, Sanganer et Samode. Une nuit à Bharatpur peut se combiner avec une visite à Deeg en milieu de journée, avant le départ pour Agra. Deux jours dans l'ancienne capitale des Moghols laissent le temps de visiter Fatehpur Sikri et Sikandara. Sur le trajet de retour vers Delhi, on fera étape à Mathura et à Vrindavan, villes de pèlerinages hindouistes.

Les voyageurs qui disposent de moins de temps peuvent visiter le nord et le sud de Delhi, sites des villes historiques, dans des circuits touristiques d'une demi-journée. Il vaut cependant la peine de consacrer plus de temps à chacune des villes de Delhi. Au sud s'élèvent les citadelles des cités médiévales, Tughlaqabad, Siri et Jahanpanah, ainsi que l'étonnant Qutb Minar. Le Fort-Rouge, au cœur des ruelles animées de Shahjahanabad (Old Delhi), est une oasis de paix et de raffinement. On flânera parmi les édifices victoriens et les parcs ombragés de New Delhi, l'ancienne capitale du Raj britannique.

Palais et forteresses dominent le désert et les montagnes du Rajasthan, une région de l'Inde qui a su cultiver la beauté comme nulle autre. Œuvre de Jai Singh II, un souverain qui a entretenu des liens étroits avec la culture moghole, Jaipur occupe une place à part dans la civilisation rajpoute. La forteresse voisine d'Amber rappelle que les Rajpoutes étaient, à l'origine, un peuple de guerriers. Aux environs de Jaipur, les palais de Samode et d'Alwar offrent un merveilleux exemple de fusion entre le paysage et l'architecture. Sur ces horizons de sables et de rochers se détachent les couleurs éclatantes des étoffes et de la céramique bleue. Dans le village de Sanganer, tisserands et potiers travaillent comme leurs ancêtres.

Les amoureux de la nature visiteront les anciens domaines seigneuriaux, transformés en parcs naturels. Il vaut la peine de passer la nuit à Keoladeo Ghana ou à Siliserth, des sanctuaires d'oiseaux, et d'aller observer les animaux à Sariska et Ranthambhore. La forteresse de Bharatpur, voisine d'une réserve d'oiseaux, possède la simplicité fruste des Jats, un clan d'agriculteurs dont elle était autrefois la capitale. Sa voisine, Deeg, porte l'empreinte raffinée des empereurs moghols.

Sous leur règne, Agra devint, au XVIe siècle, l'une des villes les plus prestigieuses du nord de l'Inde. Le dôme du Taj Mahal se détache, lumineux et aérien, à l'horizon de la ville. Agra est également le site du tombeau d'Itimad-ud-Daulah, chef-d'œuvre injustement oublié dans les circuits traditionnels. Sur les terrasses à étages de Fatehpur Sikri, rêve éclectique de l'empereur Akbar, tous les styles architecturaux de l'Inde sont au rendez-vous. A deux pas de cette ancienne cité, les pèlerins affluent dans les temples de Mathura et Vrindavan, où règne la ferveur religieuse de l'Inde millénaire.

*Pages précédentes : aquarelles du XIXe siècle représentant Delhi, Jaipur et Agra.*

# TROIS CITÉS PRESTIGIEUSES

Pour les voyageurs du siècle dernier, l'arrivée à Delhi, Agra ou Jaipur était sûrement plus dépaysante que maintenant. On pouvait alors naviguer sur la Yamuna, un des principaux affluents du Gange, pour aller de Delhi à Agra. C'est donc au fil de l'eau qu'on découvrait les dômes de Jama Masjid et les remparts du Fort-Rouge de Delhi et qu'on s'approchait du Taj Mahal d'Agra, étincelant de lumière.

La Yamuna était l'une des plus grandes voies commerçantes de l'Inde. Les caravanes qui reliaient la côte ouest à l'Himalaya et l'Afghanistan à la baie du Bengale se croisaient sur ses rives. Les files de bêtes de somme chargées de sel marin côtoyaient celles qui acheminaient le blé du Pendjab. On échangeait les bijoux du Rajasthan et l'ivoire de Delhi contre la soie du Gujarat et le coton du Bengale. Les villes proches du fleuve étaient le centre de royaumes prospères, dont les familles régnantes manifestaient une prédilection pour l'art. Tisserands, sculpteurs et peintres rivalisaient d'habileté pour satisfaire leurs riches protecteurs. En revanche, la Yamuna était aussi le chemin emprunté par tous les envahisseurs.

L'approche du Rajasthan était toute différente. C'est à dos de chameau qu'on voyait apparaître la forteresse d'Amber et la cité de Jaipur à l'horizon du désert. « La terre sépare et l'eau unit », dit un proverbe indien. Protégée par les étendues de sable du Thar, la ville était moins vulnérable que Delhi ou Agra. Le nom de Rajasthan (pays des princes) évoque l'histoire singulière de cette région, où de petits royaumes guerriers ont vécu isolés du reste de la péninsule indienne par les montagnes les plus anciennes de l'Inde, les monts Aravalli. Les Rajpoutes seraient les descendants des Huns qui se mêlèrent aux populations autochtones au VIIe siècle de l'ère chrétienne. Assimilés, après un rituel de purification par le feu, à la seconde caste, celle des kshatriyas (combattants), ils étaient célèbres pour leur bravoure, leur sens de l'honneur et leur esprit de chevalerie.

*Pages précédentes : le Sultan Mahal, Samode. A gauche, fillette d'un village près de Delhi ; à droite, jeune fille musulmane près de Jaipur.*

Malgré leurs différences géographiques, le Rajasthan et les vallées du Gange et de la Yamuna sont unis par la mythologie : c'est dans ce triangle qu'on situe Brajbhumi, la région d'origine du dieu Krishna. Mathura, sa ville natale, et Vrindavan, où il venait danser avec les bergères, sont toujours des lieux de pèlerinage très fréquentés.

## Les sultanats de Delhi

Cependant c'est l'histoire des hommes qui a tissé des liens entre ces trois villes. En effet, des souverains rajpoutes ont régné sur Delhi et Agra du VIIIe au XIIe siècle. Le dernier,

Prithviraj Chauhan, fut vaincu par les armées turques de Muhammad de Ghor en 1192. A partir de l'invasion musulmane, le nord du Rajasthan et les vallées du Gange et de la Yamuna ont connu le même destin. Delhi, Jaipur et Agra sont imprégnées de souvenirs de gloire et de conquête et témoignent d'un même sens esthétique raffiné, issu de la synthèse culturelle indo-musulmane.

Delhi, porte d'entrée naturelle de l'Inde, abrite les vestiges enchevêtrés d'au moins sept villes anciennes. La plus légendaire est Indraprastha, mentionnée dans l'épopée du *Mahabharata*, qui retrace des épisodes de la conquête aryenne en Inde vers 1500 av. J.-C. On a retrouvé près du fort de Purana Qila les vestiges d'une ville importante datant de cette époque. C'est une autre ville du IXe siècle, Dhilika, qui aurait donné son nom à Delhi. La période des sultanats (1206-1526) est marquée par une frénésie de construction, comme en témoignent les vestiges de Siri (XIIIe siècle), Tughlaqabad et Firozabad (XIVe siècle). Mille fois pillée et ravagée, Delhi fut détrônée par Agra lorsque le sultan afghan Sikandar Lodi s'y établit, en 1492.

## Les dynasties mogholes

Agra fut prise en 1526 par Babur, un nouveau conquérant venu d'Afghanistan qui descendait

à la fois de Tamerlan et de Gengis Khan. Il triompha également de la coalition formée par les princes rajpoutes en 1527. Agra devint alors la capitale de l'empire moghol et connut un siècle de gloire. Le petit-fils de Babur, Akbar (1556-1605), en fit une ville de renommée internationale : il fit bâtir le fort et la cité voisine de Fatehpur Sikri, sa seconde capitale. Agra vécut également une époque de splendeur et de raffinement sans précédent sous le règne de son fils Jahangir (1605-1627), qui édifia le mausolée d'Itimad-ud-Daulah, et de son petit-fils Shah Jahan (1627-1658), le constructeur du Taj Mahal et de la mosquée des Perles. Ce dernier abandonna Agra pour revenir à Delhi en 1648 et y fonder une autre cité, Shahjahanabad (Old Delhi), qui est demeurée le cœur vivant de la capitale.

Sous le règne d'Akbar, les princes rajpoutes d'Amber, dont le clan, celui des Kachwahas, régnait depuis le XIIe siècle, s'étaient ralliés aux Moghols. Jaipur – fondée en 1727 par Jai Singh II, souverain ambitieux et cultivé – devint à son tour la ville la plus prestigieuse du nord de l'Inde, comme l'avaient été Agra au XVIe siècle et Delhi au XVIIe siècle.

Le règne des empereurs moghols a été un âge d'or pour les trois villes. Leur architecture et leur décoration témoignent de cette parenté esthétique. Le rose des palais de Jaipur rappelle la couleur du grès qui domine à Delhi et à Agra. Les motifs floraux stylisés, importés de Perse, ornent aussi bien les tissus du Rajasthan que les incrustations en pierres précieuses du Taj Mahal et les bas-reliefs en grès du fort de Delhi. L'art de la miniature atteignit partout le même degré de raffinement. Les palais fortifiés merveilleusement décorés, les mosquées et les mausolées fleurirent dans les trois villes. Les artisans de Jaipur s'inspiraient du style moghol, tout en laissant libre cours à leur exubérance propre. Dans les périodes de crise, les poètes et les artistes émigraient de Delhi et d'Agra à Jaipur ou à Amber pour y retrouver des mécènes et la cour de Jai Singh fut aussi prestigieuse que celle d'Akbar à Fatehpur Sikri.

Les voyageurs européens du XVIIe siècle découvrirent le nord de l'Inde durant cette période faste et firent des récits émerveillés sur les splendeurs de Delhi et d'Agra. En revanche, Jaipur ne devait sortir de son isolement paisible que dans les années 1830, lorsque le colonel Todd explora le royaume du Rajasthan.

Les beaux jours de la dynastie moghole prirent fin au début du XVIIIe siècle, à la mort de l'empereur Aurangzeb, dont l'intolérance religieuse fut à l'origine de bien des divisions. Cette date marque la fin de la fusion indo-musulmane et le début du morcellement de l'empire. En 1739, l'armée du Perse Nadir Shah mit Delhi à sac et ramena à Téhéran un énorme butin, qui comprenait le célèbre trône du Paon et le diamant Koh-i-Nor, le plus gros du monde. Jaipur déclina peu à peu sous les successeurs de Jai Singh. A partir de 1780, les trois villes furent bouleversées par les incursions des guerriers marathes, venus du sud-ouest de l'Inde. Ils édifièrent un royaume, le Maharashtra, qui s'étendait du Gujarat au Bengale, et on pensa quelque temps qu'ils allaient remplacer les Moghols.

*Page de gauche : à gauche, journalière agricole du Rajasthan ; à droite, vieillard dans la région d'Agra. Ci-dessus, deux jeunes sœurs parées pour la fête de l'Aïd, Nizamuddin.*

## L'intrusion des Britanniques

C'était compter sans les Britanniques, implantés en Inde depuis le XVIIe siècle par le biais de la Compagnie des Indes orientales, qui avait établi des comptoirs florissants à Madras, Bombay et Calcutta. De leur côté, les Français s'étaient installés à Pondichéry et dans le sud de l'Inde. En 1615, le premier ambassadeur envoyé par la Grande-Bretagne signa avec l'empereur Jahangir des accords d'exclusivité commerciale, triomphant ainsi de la concurrence française et indienne. En raison des divisions entre les différents États, l'influence britannique s'étendit très rapidement. Les commerçants furent rejoints par des militaires et des administrateurs. En 1774, le comptoir de Calcutta devenait la capitale des Indes britanniques. Les Marathes, soutenus par les Français, entreprirent, dès 1775, une guerre de harcèlement qui devait durer plus de vingt ans. L'Angleterre en tira habilement parti : elle offrit son aide aux royaumes rajpoutes constamment menacés. Le souverain de Jaipur, puis celui d'Agra se mirent sous sa protection, ce qui leur permettait de garder leur titre et leur trône. C'est de cette époque que date le quartier du *Cantonment* à Agra.

Les Marathes furent vaincus en 1803 par les troupes anglaises qui remontaient la vallée du Gange depuis Calcutta. Les Britanniques établirent une ligne de contrôle solide et conquirent un territoire qui comprenait Agra et Delhi.

En 1857, la révolte des Cipayes leur fournit l'occasion de s'installer définitivement en Inde. Les Cipayes étaient les soldats indiens enrôlés dans l'armée britannique. Une rumeur d'origine inconnue se répandit dans les régiments : on prétendait que les cartouches, qu'ils devaient ouvrir avec les dents, étaient enduites de graisse de porc et de bœuf, ce qui eut le don de susciter la haine religieuse aussi bien des hindous que des musulmans. La mutinerie commença à Meerut, à 60 km au nord-ouest de Delhi : les soldats révoltés

assassinèrent sans distinction hommes, femmes et enfants de la garnison britannique et réussirent à occuper Delhi de mai à septembre. Les Anglais, après avoir repris la ville, déposèrent le dernier souverain moghol, Bahadur Shah II, qui ne régnait plus que sur le Fort-Rouge, et firent de l'Inde une vice-royauté rattachée à la Couronne britannique. En 1876, la reine Victoria devint officiellement impératrice des Indes, dont la capitale était alors Calcutta.

Le Rajasthan sut préserver son autonomie en s'alliant avec les Britanniques contre les Marathes. Lors de la mutinerie des Cipayes, il demeura loyal à l'Angleterre tandis que Delhi et Agra étaient au contraire des foyers de révolte. Pour récompenser cette fidélité, les Anglais conclurent avec lui un pacte de non-agression. Lorsque la reine Victoria fut proclamée impératrice des Indes, les princes du Rajasthan furent officiellement désignés comme ses féaux. Lors de cette cérémonie, le maharadjah de Jaipur fut salué par un nombre respectable de salves. Les princes du Rajasthan suivaient ainsi une tradition séculaire de compromis. Jaipur demeura un royaume rajpoute jusqu'à l'indépendance de l'Inde, où elle devint capitale du nouvel État du Rajasthan. Vers 1890, la construction d'une ligne ferroviaire reliant Delhi à Agra et Calcutta et, plus tard, à la côte ouest, ouvrit cette région au tourisme.

Delhi et Agra subirent les représailles des Britanniques pour leur rôle dans la mutinerie de 1857. Delhi fut reléguée au rang de ville de province pendant près d'un demi-siècle. En 1911, le roi George V décidait de transférer la capitale du Raj à Delhi, qui retrouvait ainsi son ancien rang de capitale impériale. Une huitième ville, New Delhi, au sud de la vieille ville, dessinée par Edwin Lutyens, fut inaugurée en 1931. Seize ans plus tard, l'Inde devenait indépendante. Quant à Agra, autrefois centre de l'empire moghol, elle fut remplacée à la tête de l'État de l'Uttar Pradesh par Allahabad.

## Après l'indépendance

Au cours des décennies qui ont suivi l'indépendance, toutes les villes indiennes se sont considérablement accrues en surface et en population et leurs structures anciennes ont éclaté. Ce phénomène explique l'entassement, la foule et le chaos de la circulation qui déroutent souvent le visiteur étranger.

Aujourd'hui, Delhi (9 millions d'habitants), Jaipur (1 million) et Agra (750 000) sont des villes bruyantes et populeuses. Au milieu des immeubles modernes en béton, leurs palais et leurs mausolées, construits à une époque de faste et de loisir, brillent d'un éclat d'autant plus insolite. Jaipur est la seule qui ait conservé intégralement son extraordinaire décor d'origine ; c'est aussi la plus colorée et la plus gaie, grâce à ses habitants, dont le goût pour les vêtements et les turbans aux teintes éclatantes n'a jamais diminué.

*A gauche, mystique soufi ; à droite, sage hindouiste.*

श्री
आयुर्वेद मन्दिर

تقسیم نمودند تمام روز در منزل بابا خرم بخرمی و خوشحالی گذشت و اکثر پیشکشهای او پسندیده افتاد

# UNE SYNTHÈSE CULTURELLE

Dès le début de l'ère chrétienne, l'Inde a enflammé les imaginations. Sur les rivages les plus lointains d'Asie et d'Europe, des voyageurs et des marchands racontaient leurs pérégrinations dans ce pays puissant. Les pèlerins et les érudits venus d'Orient et d'Occident traversaient tout le subcontinent indien pour étudier la philosophie du Bouddha. Ils répandirent l'image d'un pays riche en bois, minéraux et pierres précieuses, travaillés par des artisans incomparablement habiles. La richesse culturelle de l'Inde semblait également illimitée, aussi bien dans le domaine spirituel que scientifique. Ce pays comptait un nombre considérable de gourous, de mathématiciens et d'érudits. Au VIIIe siècle, les musulmans empruntèrent les routes de l'Inde pour aller convertir les pays d'Extrême-Orient et les relations qui s'ensuivirent donnèrent naissance à de nombreuses innovations techniques et culturelles.

Issu de cette synthèse, l'art indo-musulman connut plusieurs périodes d'apogée au fil des siècles. S'il conserva certains éléments d'origine, que l'on peut retrouver dans l'ensemble du monde musulman, il acquit une saveur typiquement indienne grâce à l'habileté des artistes locaux. Bien avant l'avènement de l'islam en Inde, l'étendue de leur savoir-faire et de leur art était considérable. La civilisation de l'Indus (IIIe millénaire av. J.-C.), les empires Maurya (IIIe siècle av. J.-C.) et Gupta (IVe-VIe siècle) avaient produit des œuvres admirables, tant pour l'architecture que pour la sculpture et la peinture. Cependant, l'islam donna une nouvelle impulsion à l'art et à l'artisanat dans le nord de l'Inde.

## Un lieu pour la prière

Lorsqu'à la fin du XIIe siècle Qutb-ud-Din, un général de Muhammad de Ghor, s'empara de Delhi, il introduisit une religion nouvelle, dans laquelle la prière collective du vendredi et des jours de fête était un élément essentiel. Il fallait donc édifier des lieux adéquats. En revanche, les cinq prières quotidiennes se font en privé : il suffit de disposer un tapis de prière face à La Mecque et à la Kaa'ba, pivot de l'univers dans la cosmologie islamique. Le petit tapis de prière indispensable au rituel entraîna l'essor de l'art de la tapisserie en Inde, comme au Moyen-Orient, en Perse et en Afghanistan. Les tisserands fabriquèrent un large éventail de tapis ornés de sourates du Coran calligraphiées, en soie, en laine ou en coton.

*Pages précédentes : détail d'une miniature du XVIIe siècle représentant la procession nuptiale du prince Dara Shikoh, héritier de Shah Jahan. A gauche, cérémonie traditionnelle du pesage du prince pour son seizième anniversaire ; à droite, le prince et son épouse écoutant un concert.*

Les architectes indiens durent apprendre à construire les mosquées. Centré sur une cour

intérieure, le sanctuaire est en fait une vaste salle de prière. L'un des murs, le *qibla*, est orienté vers La Mecque pour indiquer la direction de la prière. Il est orné d'une niche sculptée, le *mihrâb*, dont les bords sont décorés de versets calligraphiés du Coran. Dans la cour, devant le *qibla*, une fontaine sert aux ablutions rituelles.

Bâtie en 1192 à Delhi, sur l'ordre de Qutb-ud-Din, **Quwwat-ul-Islam** (puissance de l'islam) est la première mosquée de l'Inde. Elle a été bâtie avec des piliers de grès sculpté pris dans des temples hindous et jaïns. En 1799, Qutb-ud-Din fit élever à côté une tour de 5 étages en grès sculpté de 72 m de haut, le **Qutb Minar**.

Le *minar* (minaret) est un autre élément important de la mosquée : c'est de là que le *muezzin* lance l'appel à la prière. Une mosquée peut avoir plusieurs minarets, afin d'obtenir un effet de symétrie. L'architecture varie de la simple tour carrée aux constructions circulaires élaborées, à plusieurs facettes. On n'a jamais construit en Inde de minaret aussi spectaculaire que le Qutb, aussi pense-t-on que cette tour était surtout un symbole de la victoire de l'islam sur les infidèles.

La première innovation apportée par les musulmans est l'utilisation de l'arc voûté. En Inde, les murs et les piliers des monuments étaient reliés par une poutre horizontale, limitée en longueur par l'usage d'un seul bloc de pierre ou d'un seul madrier. La technique de la voûte a permis de faire des portails et des fenêtres plus hauts et plus larges, une donnée nouvelle qui devait modifier profondément l'architecture indienne traditionnelle.

Au début, les artisans indiens furent réticents à utiliser cette technique : ils préféraient remplir les arches ou du moins les étayer avec des poutres et des taquets, créant un style architectural hybride, mi-hindou, mi-islamique. Par la suite, les arcs et les dômes atteignirent des dimensions majestueuses et on édifia des édifices aériens et lumineux, qui devinrent la marque de l'architecture indo-musulmane. L'assurance croissante des architectes se reflète en particulier dans les édifices moghols les plus tardifs comme **Fatehpur Sikri**, la ville d'Akbar près d'Agra, et **Moti Masjid**, une mosquée élevée dans le Fort-Rouge de Delhi par l'empereur Aurangzeb. L'œuvre la plus aboutie de cette période, fruit de plusieurs siècles de recherche artistique, est probablement **Jama Masjid**, la grande mosquée de Delhi, bâtie par Shah Jahan. Sa perfection architecturale, sa décoration sobre, la présence conjointe du motif hindou du lotus et de la calligraphie islamique, ainsi que la symétrie parfaite de ses dômes de marbre blanc et noir en font un des plus beaux exemples de l'art indo-musulman.

## Les tombeaux-jardins

A l'instar de la Bible, le Coran évoque le jour du Jugement dernier, lorsque les âmes des défunts sont jugées d'après leurs actes sur terre et envoyées au paradis ou en enfer. Dans les pays musulmans, les morts sont ensevelis dans des tombeaux orientés face à La Mecque. Parfois surélevée, la pierre tombale reposait à l'origine directement sous le «dais du ciel». Par la suite, sur les tombes illustres, cette métaphore s'incarna dans de véritables dais en tissu et des dômes de pierre. Les tombes des saints et des poètes sont souvent intégrées à l'enceinte de la mosquée en tant que lieux de pèlerinage.

Ces tombeaux, ou *dargahs*, attirent toujours des milliers de pèlerins de toutes religions. Les jours de pèlerinage, leurs voûtes résonnent des échos de chants religieux (*qawwali*), de prières et de la rumeur de la foule. Des fêtes se déroulent autour des tombeaux des saints. La tombe de Hazrat Nizamuddin à Delhi, celle de Shaikh Salim Chisti à Fatehpur Sikri et celle de Khwaja Moinuddin Chisti à Ajmer sont les plus grands lieux de pèlerinage du nord de l'Inde.

L'architecture des tombes royales évolua sous la domination moghole. Les tombes sobres et carrées, surmontées de dômes, cédèrent peu à peu la place à des constructions aux dimensions monumentales. Le souverain faisait souvent bâtir de son vivant sa tombe, monument à sa vie et à ses actes. Le tombeau était placé dans une pièce vide où l'on venait jouer de la musique religieuse et réciter des vers du Coran. C'est le plus souvent un cénotaphe, car le corps est enterré dans une chambre souterraine, à l'abri de toute profanation. Le mausolée, entouré d'un jardin et souvent d'un mur d'enceinte, était à l'origine réservé à la famille et aux amis.

Le mur occidental était souvent flanqué d'une mosquée, à laquelle une réplique ornementale faisait pendant près du mur oriental, pour respecter la symétrie. Métaphore du paradis, le jardin qui entourait la tombe était rempli de fleurs parfumées, d'arbres persistants comme le cyprès, et animé par le chant des oiseaux et le murmure d'une fontaine, symbole et source de vie.

Parallèlement, le plan du tombeau évolua : carré à l'origine, il devint ensuite octogonal. Ces deux structures se combinent dans les plans en forme d'octogone irrégulier du **Taj Mahal** d'Agra (XVIIe siècle) et du **tombeau de Humayun** à Delhi (XVIe siècle). Le toit du tombeau est généralement un dôme, sauf dans le **tombeau d'Akbar** à Sikandra (XVIe siècle) et celui d'**Itimad-ud-Daulah** (XVIIe siècle) à Agra. Construits sur le modèle architectural hindou, ces monuments ont un toit plat surmonté d'un pavillon en forme de dais, soutenu par des piliers sculptés. Leurs poutres en pierre, leurs taquets et leurs avant-toits sont également des éléments de l'architecture hindoue. Le **Panch Mahal** de Fatehpur Sikri relève aussi de cette tradition.

*Page de gauche : intérieur du fort d'Agra ; entrée de la mosquée Qal'a-i-Kuhna, dans l'enceinte du Vieux Fort (New Delhi). Ci-dessus, prière collective à Jama Masjid, Delhi.*

## Un art de la décoration

Les tombeaux comme les palais étaient faits en moellons recouverts de plâtre lisse et ornés de stuc peint ou incrusté de céramique. Dans les constructions indo-musulmanes de Delhi, du XIIIe au XVe siècle, les artistes ornaient les bordures et les panneaux des portes et des arcs de carreaux de céramique, selon la tradition artistique du Moyen-Orient. Les motifs décoratifs géométriques (carrés, cercles et entrelacs) côtoyaient des motifs floraux, arabesques de plantes grimpantes, de fleurs et d'arbres.

On les remplaça ensuite par le grès rose et le marbre blanc, qui alternaient agréablement sur les façades. Cette juxtaposition est devenue un élément spécifique de l'architecture indo-musulmane. Les tombes de **Tughlaq** et de **Humayun** sont revêtues de grès rose et leur dôme est en marbre blanc. Les édifices les plus fastueux, comme le tombeau d'**Itimad-ud-Daulah** et le **Taj Mahal**, sont entièrement couverts de marbre blanc qui leur donne un aspect aérien et lumineux.

La décoration intérieure des tombeaux devait également connaître des changements sous le règne des empereurs moghols. A l'origine, les incrustations murales aux motifs géométriques complexes étaient en marbre coloré et en grès. Jahangir, le fils d'Akbar, fit remplacer pour la première fois ces matériaux par des pierres semi-précieuses incrustées dans le marbre, selon la technique florentine de la *pietra dura*.

Ces incrustations de motifs floraux atteignent leur suprême raffinement dans le mausolée du **Taj Mahal**, construit sur l'ordre de l'empereur Shah Jahan. Une seule fleur du Taj Mahal se compose de plus de soixante morceaux de pierre taillée. Leurs nuances subtiles restituent, comme dans une peinture, la forme d'un pétale, l'inclinaison d'une feuille et la teinte d'une étamine chargée de pollen.

Le Rajasthan a été probablement le royaume hindou du nord de l'Inde le plus influencé par la culture moghole, pour des raisons à la fois historiques et politiques. L'empereur Akbar avait en effet conclu de nombreuses alliances politiques avec les princes rajpoutes.

Contrairement aux musulmans, les hindous, qui croient en la réincarnation, nient la nécessité du tombeau. Néanmoins, selon un usage ancien, le lieu où un guerrier mourait ou le site de son incinération devaient être marqué. Les Rajpoutes y construisirent donc des *chatri*, petits kiosques à dôme, ou des pavillons ouverts hypostiles, également surmontés de dômes.

## Un nouvel art de vivre

Les forteresses et les palais de Delhi, Agra et Jaipur permettent d'imaginer le mode de vie de leurs anciens souverains. L'architecture musulmane domestique établit une séparation nette entre le public et le privé. Les appartements sont les plus éloignés de l'entrée, à l'abri des regards. Comme le voile protecteur que portent les femmes musulmanes, des murs et des tentures séparaient les appartements des salles ouvertes au public. Sommairement meublés, ils contenaient des objets domestiques de taille réduite, que l'on pouvait facilement déplacer. Sur les murs s'alignaient des étagères chargées de corans et de manuscrits enluminés. Les pièces étaient ornées d'étoffes, de tapisseries et de coussins.

Les Moghols aimaient les couleurs et l'éclat de la lumière. Dans les chambres, le verre et les miroirs reflétaient les lumières multiples des bougies et des lampes. Le Fort-Rouge de Delhi, les forts d'Agra, d'Amber et de nombreux autres palais abritaient des *Sheesh Mahal* (salles des miroirs) incrustées de minuscules morceaux de miroirs et de verre coloré.

Ils déployaient la même magnificence dans leurs vêtements, qu'ils ornaient de sequins d'or, d'argent et de pierres précieuses. Les tissus peints et incrustés de miroirs du Rajasthan témoignent de ce goût pour le faste. Aujourd'hui, les palais de Delhi, d'Agra et de Jaipur sont vides et seul un examen attentif des miniatures de l'époque permet d'imaginer leur ameublement dans toute sa beauté.

Les architectes tenaient compte du climat local et concevaient leurs édifices de manière à garantir aux habitants le plus grand confort possible en toute saison. Delhi, Agra et Jaipur ont en commun un climat torride et poussiéreux en été. Les murs épais des demeures protégeaient les habitants de la chaleur tandis que de larges ouvertures entretenaient une aération constante. Des écrans de marbre (*jali*) filtraient et atténuaient l'intense lumière solaire. On vaporisait de l'eau parfumée sur les étoffes et des nattes de paille suspendues devant les entrées maintenaient une fraîcheur agréable à l'intérieur des maisons. Tous les palais avaient de nombreuses cours intérieures et des jardins fleuris où des fontaines rafraîchissaient encore l'atmosphère.

Les forteresses de cette époque renferment peu d'édifices car les Moghols, d'origine turque et afghane, étaient habitués à une vie nomade en plein air. Aux constructions permanentes, ils préféraient donc les tentes et les pavillons colorés qu'ils dressaient dans les jardins et sous lesquels ils savouraient la fraîcheur des soirs d'été et la chaleur douce des journées d'hiver.

*Page de gauche, la grande mosquée voisine de Mumtaz Mahal, Taj Mahal. Ci-dessus, à gauche, le palais fortifié d'Agra ; à droite, Qubt-ud-Din Minar, qui fut pendant des siècles la tour la plus haute du monde.*

Comme en témoignent leurs miniatures, les Moghols cultivaient des jardins de roses, de narcisses et d'iris irrigués de canaux artificiels dont l'eau reflétait les aspects changeants du ciel. Toute la conception de leur palais reposait sur la création d'une atmosphère apaisante et luxueuse.

Au-delà des murailles, des douves et des portails de la forteresse s'élevaient les maisons des nobles et du peuple ainsi que les marchés. Delhi, Agra et Jaipur, grandes étapes sur les routes marchandes, doivent leur longue prospérité au commerce. Ces villes ont conservé l'atmosphère des anciens caravansérails et des marchés arabes. Comme dans les souks, chaque emplacement était réservé à la vente d'une marchandise donnée, afin de permettre aux marchands de s'installer immédiatement avant d'aller se reposer de leur voyage. Aujourd'hui encore, les rues des marchés (*bazaars*) fourmillent d'activité et une promenade dans ces quartiers est un voyage dans le temps.

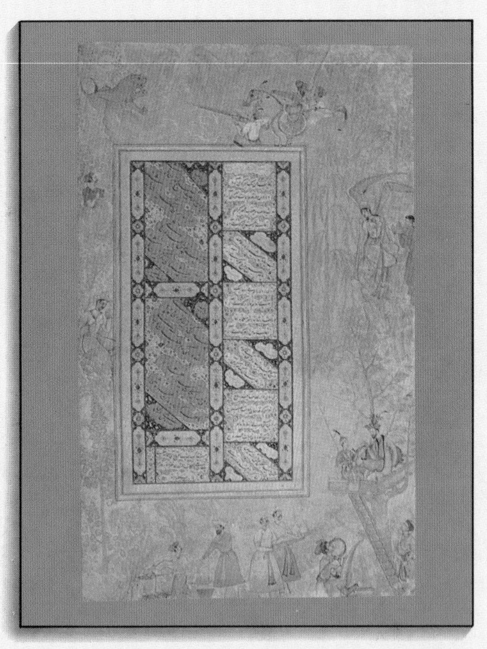

## Miniatures et calligraphie

Sous l'égide des souverains de Delhi, Agra et Jaipur, dont les cours accueillaient les artistes et les érudits, l'art connut plusieurs périodes d'apogée à partir du XIIIe siècle. La peinture et la calligraphie, synthèses des cultures persane et hindoue, y étaient particulièrement prisées : elles ont connu leur plein épanouissement sous le règne des empereurs moghols.

Avant l'arrivée de l'islam en Inde, on recopiait les manuscrits et les textes sacrés sur des feuilles de palmier séchées que l'on cousait ensemble. L'artiste illustrait ces textes de dessins minutieux de silhouettes humaines, d'animaux et d'arbres. Les Indiens travaillaient déjà à l'échelle de la miniature lorsque le papier, une invention chinoise, apparut à l'époque médiévale.

Ils utilisaient une large palette de pinceaux : certains étaient en poils de chameau ou d'écureuil, d'autres se composaient même de cheveux de femme, encore plus fins. Dans les textes hindous, bouddhiques et jaïns les plus anciens, les dessins sont stylisés, abstraits et très symboliques. L'artiste n'employait que les couleurs primaires (rouge, bleu et jaune), le doré, le blanc et le noir. Fabriquées à partir de plantes et de minéraux, elles étaient mélangées avec un liant avant d'être appliquées sur un papier absorbant. Une fois la peinture terminée, on ponçait le papier avec une pierre lisse.

Dans le monde musulman, le manuscrit, et en particulier le Coran, était un objet très prisé. Dans les collèges (*madrasas*), les copistes reproduisaient les manuscrits qu'ils ornaient en marge d'arabesques et de motifs géométriques, l'islam interdisant toute représentation humaine. L'art de la calligraphie s'épanouit et les styles les plus divers virent le jour.

La représentation humaine et les sujets profanes existaient cependant dans la miniature persane, fruit d'une longue synthèse culturelle. La nature occupe le premier plan dans ces peintures empreintes de lyrisme, caractéristiques par l'extrême complexité du détail et par la présence de nuages, d'oiseaux et d'autres animaux. L'artiste persan s'attachait à nuancer les couleurs, qu'il mélangeait pour créer des tons subtils de rose, de lilas, de vert, de brun et de bleu tendre.

Dans la peinture hindoue traditionnelle, au contraire, le paysage n'apparaît que comme arrière-plan d'une action, mais la spontanéité et l'imagination sont privilégiées. La rencontre des deux traditions picturales dans l'Inde moghole donna naissance à un art d'une richesse incroyable. La peinture indo-musulmane, encore nettement influencée par la tradition persane à l'époque des empereurs Babur et Humayun, acquit un style personnel, à la fois varié et lumineux, au début du règne d'Akbar.

Les empereurs moghols entretenaient de grands ateliers où travaillaient peintres et enlumineurs. Chaque souverain tenait un journal (*nama*) que ses héritiers recopiaient. Ils faisaient partie du trésor royal et leur création requérait plusieurs années de travail. Dans un manuscrit comme l'*Akbarnama* (le journal d'Akbar), les illustrations fourmillent de personnages se livrant à de multiples activités. Les couleurs sont éclatantes et chaque centimètre carré recèle des détails minutieux d'étoffes, de décorations murales, de bijoux, d'animaux, d'oiseaux et d'arbres.

La peinture moghole représentait les sujets les plus variés, des scènes de la vie quotidienne aux épisodes de la vie des empereurs. Passionné de zoologie et de botanique, l'empereur Babur fit dessiner tous les animaux et les plantes qu'il avait découverts en Inde : bananiers, éléphants, rhinocéros et oiseaux. Les plus belles collections de ces manuscrits appartiennent à des musées des États-Unis et d'Europe, notamment au British Museum de Londres.

Au Rajasthan et dans les États du Pendjab et de l'Himachal Pradesh, l'art pictural doit beaucoup à la miniature moghole. Ces régions ont cependant conservé le symbolisme et les couleurs primaires de l'art hindou et élaboré leur style propre dans l'art du portrait et du paysage. Les artistes y ont également introduit

*A gauche, pages calligraphiées d'un ouvrage enluminé de Jahangir ; ci-dessus, détail scriptural du cénotaphe d'Akbar, Sikandra.*

des scènes de la mythologie, très souvent par exemple la geste du dieu Krishna.

Les souverains de Delhi, Agra et Jaipur protégeaient aussi les artisans, qui travaillaient dans leurs ateliers à la fabrication d'objets luxueux. Jaipur est demeurée un centre de joaillerie, notamment pour la taille des pierres et la peinture d'or et d'argent sur émail. Les marchés des trois villes regorgeaient d'étoffes, de métaux et de pierres précieuses venant des quatre coins de l'empire moghol et d'autres pays de l'Orient. Les artisans sculptaient le jade importé de Chine et d'Asie centrale en poignées de dagues, coupes à vin, pieds de *hookah*, l'équivalent indien du narguileh, et

autres objets précieux. Les étoffes les plus diverses ornaient les appartements des souverains et de la noblesse. La mousseline et le coton du Bengale côtoyaient le brocart tissé à la main de Bénarès, les tapis et châles du Cachemire, les tissus imprimés et peints du Rajasthan et les soies brodées d'or et d'argent de Delhi, de l'Uttar Pradesh et des États de l'Ouest.

## Le style anglo-indien

L'empire moghol déclina vers le milieu du XVIIIe siècle. En 1739, la désolation régnait à Delhi et Agra, après les incursions dévastatrices du Perse Nadir Shah. Les pillards avaient emporté des bijoux splendides, des objets précieux et une quantité considérable d'or. Ils avaient également détruit de nombreux palais et demeures.

Vers la même époque, les Français, les Portugais et les Britanniques colonisaient Bombay, Goa, Madras, Pondichéry et Calcutta. Delhi et Agra perdirent leur statut de villes impériales. Cependant, en 1911, les Anglais décidèrent de construire la nouvelle capitale du Raj, New Delhi.

Les constructions britanniques de Delhi diffèrent entièrement de celles de Bombay, de Calcutta ou Madras. En effet, en ce début du XXe siècle, le Raj paraissait éternel. Dans ce climat d'optimisme, les architectes Lutyens et Baker ont élaboré le style impérial anglo-indien qui devait être, selon Lutyens, « comme un Anglais habillé en fonction du climat ». Rashtrapati Bhavan, la résidence du vice-roi à New Delhi, combine des motifs architecturaux classiques (colonnes doriques, dômes, arches et colonnades) avec des éléments décoratifs indiens comme le lotus ou l'éléphant. Les architectes ont réutilisé la pierre locale, le grès rouge.

La plupart des édifices britanniques de Delhi, Agra et Jaipur étaient des bâtiments administratifs : gares, hôtels de ville, palais de justice, bureaux de poste, casernes et prisons. Tout a été construit à grande échelle, comme si ces insulaires découvraient enfin un espace à la mesure de leurs rêves. Les belles résidences coloniales aux toits plats possèdent de hauts plafonds, de larges portes et des vérandas protégeant les murs de l'intense lumière solaire.

Les demeures étaient entourées de jardins et de pelouses où les Britanniques donnaient libre cours à leur goût bien connu pour les fleurs et la verdure. Les concours du « plus beau jardin » étaient à la mode et déclenchaient de véritables passions.

Lutyens avait fait boiser toute la plaine où s'élevait la nouvelle cité et importé des arbres et des fleurs de son pays d'origine. Grâce à lui, et surtout à la générosité du climat, New Delhi est devenue avec les années une ville très agréable, aux larges avenues bordées de végétation luxuriante et parfumée, totalement différente du vieux Delhi surpeuplé.

*A gauche, une étape de la teinture traditionnelle ; à droite, étoffe imprimée au tampon de bois, palais de Sanganer.*

# UNE VOCATION DE CAPITALE

La région de Delhi est un site stratégique et la seule porte d'entrée en Inde du Nord. Lorsqu'on vient de la passe de Khyber, unique faille dans la barrière infranchissable des Himalayas, elle constitue le premier point d'eau important et l'ouverture sur la riche plaine gangétique. Bordée à l'ouest et au sud par les monts Aravalli et Vindhiya, elle est en quelque sorte séparée du sud du pays. On comprend que, pour des conquérants venus de pays en grande partie désertiques, elle ait constitué une tentation irrésistible depuis des millénaires.

## Des civilisations très anciennes

Cette situation privilégiée, malgré ses dangers, explique le peuplement très ancien de la région : on pense qu'une ville s'élevait sur le site de Delhi, il y a 3000 ans au moins. On a retrouvé des outils de l'époque paléolithique dans les collines de la ville et, plus au nord, des poteries harappas de la période tardive. Au IIIe millénaire avant J.-C., Harappa était, avec Mohenjodaro, le plus grand centre de la civilisation de l'Indus, qui rayonnait sur tout le nord-ouest et l'est de l'Inde et, vers le sud, jusqu'au Gujarat. La civilisation de l'Indus était particulièrement avancée sur le plan de l'urbanisation : canalisations et égouts, bains publics, rues à angle droit. Les innombrables sceaux gravés qu'on y a retrouvé ont permis de savoir que cette société était dirigée par des prêtres qui honoraient une déesse mère et un dieu à trois visages. Malheureusement, leur écriture n'a pas encore été déchiffrée et on ignore les raisons de la disparition de cette civilisation.

Il est admis cependant qu'elle a été assimilée, vers 1500 av. J.-C., par les Aryens, peuple de guerriers et de bergers venu du nord-est de l'Iran, qui repoussèrent vers le sud les populations dravidiennes. De ce brassage est né l'hindouisme dont les textes sacrés sont écrits en sanscrit dans les Védas, et l'établissement des quatre castes principales : les brahmanes (prêtres), les kshatriyas (guerriers), les vaishiyas (agriculteurs) et les shudras (serviteurs). L'épopée du *Mahabharata* relate comment, sur le conseil du dieu Krishna, Arjuna, un des frères Pallava, refusa de mener une guerre fratricide. Elle mentionne plusieurs villages construits sur le site de Delhi, notamment Indraprastha, que l'on considère comme l'agglomération la plus ancienne de Delhi et qui est un simple village dans les registres du fisc de l'Union indienne.

Delhi se compose en réalité d'une multitude de villes anciennes dont certaines n'existent plus aujourd'hui qu'à l'état de ruines. Dans cette capitale continuellement habitée et reconstruite au cours des siècles, il est impossible d'isoler les sites archéologiques des quartiers modernes de la ville. On rencontre ainsi fréquemment des traces d'habitations très anciennes. Les pioches et les socs de charrue ont exhumé des arches, des colonnes et des pièces de monnaie de la période médiévale. Au siècle dernier, des fonctionnaires du recensement découvrirent que toute une partie de la population de Delhi vivait en ramassant des pièces de monnaie dans les ruines de la forteresse de Tughlaqabad. Les dynasties qui dominèrent le nord de l'Inde et parfois certaines régions du sud ont imprimé leur sceau dans le paysage de Delhi. Ainsi, au IIIe siècle av. J.-C., l'empereur le plus célèbre de la dynastie Maurya, Ashoka, fit graver un édit sur un rocher dans le quartier sud de l'actuelle Delhi (Srinivaspuri), afin d'annoncer à ses sujets sa conversion au bouddhisme. Dans le complexe du Qutb Minar, du XIIe siècle, se dresse une colonne de fer mystérieusement inoxydable : il s'agit d'un porte-étendard des prêtres de Vishnou, datant de l'empire Gupta, qui régna au IVe siècle dans le nord de l'Inde. C'est pourquoi, dans l'imaginaire des Indiens, Delhi est la capitale éternelle, tout comme Bénarès est la ville sacrée.

La dynastie rajpoute des Tomar, qui a régné sur Delhi aux VIIIe et IXe siècles, est à l'origine du premier développement attesté de la capitale. Le nom de Delhi s'est vraisemblablement formé à partir de Dhilika, la ville fortifiée qu'ils firent construire sur le site de Mehrauli, au sud-est de la capitale actuelle. On peut encore y voir les remparts de **Lal Kot**, dernier vestige de cette première cité médiévale.

*Pages précédentes : le lion, emblème d'Ashoka, devenu celui de l'Inde, Rashtrapati Bhavan ; défilé du Bikaner Camel Corps à l'occasion de la fête de la République ; Jama Masjid, la plus grande mosquée de Delhi. Ci-dessus, inauguration des quatre colonnes des dominions à New Delhi, le 10 février 1931.*

## La période du sultanat

Les vastes empires médiévaux de l'Inde ne s'arrêtaient pas nécessairement à des frontières naturelles. Du Xe au XIIe siècle, le puissant Empire chola contrôlait tout le sud de l'Inde et certaines parties de l'Asie du Sud-Est. Plusieurs empires du Nord, également très étendus, englobaient l'Afghanistan.

Peu à peu, la diaspora musulmane évinça les cultures bouddhiste et hindouiste dans le Nord, à mesure que Muhammad de Ghor, originaire de l'Afghanistan, étendait son royaume vers l'est. A la fin du XIIe siècle, ses armées vainquirent la dynastie rajpoute Chauhan, qui régnait à cette époque sur Delhi. Le conquérant retourna en Afghanistan après avoir nommé son homme de confiance, Qutb-ud-Din, gouverneur de l'Inde. C'est à cette époque que fut érigé le Qutb Minar.

Le règne de Qutb-ud-Din marque le début des sultanats de Delhi, qui se sont succédé du XIIe au début du XVIe siècle : les Il-baris, connus sous le nom de « dynastie des esclaves », les Khaljis, les Tughlaqs, les Sayyids et les Lodis. Les frontières du sultanat étaient mouvantes et imprécises, comme celles de nombreux autres États indiens. A leur extension maximale, elles atteignirent le Bengale à l'est et le pays tamoul au sud. Au XIVe siècle, néanmoins, l'avènement du puissant royaume de Vijayanagar, à Hampi, dans le sud de l'Inde, devait faire obstacle à cette expansion.

C'est au cours de cette période que l'identité culturelle de Delhi s'est forgée. L'arrivée des musulmans dans le nord de l'Inde donna naissance à une synthèse sans précédent. Issus de diverses régions de l'Inde, d'Asie centrale et de l'ouest de l'Asie, ses habitants élaborèrent une culture cosmopolite. Les érudits pratiquaient plusieurs langues avec aisance : l'un des premiers poètes persans de Delhi, Amir Khusrau (1253-1325), écrivait avec autant de facilité en hindi ancien (*hindawi*) qu'en persan.

La période des sultanats s'est également illustrée par son architecture. Peut-être pour conjurer la précarité de leur règne, de nombreux souverains firent construire des édifices somptueux. Ainsi s'accomplit la fusion de l'art indien le plus raffiné avec les conceptions et les techniques architecturales venues de Perse. Remparts et citadelles, canaux, mosquées et mausolées allièrent l'élégance des dômes et des arcs brisés à la fantaisie de la décoration hindoue. Chaque dynastie régnante délimita son territoire.

Au XIIe siècle, les Khaljis construisirent une seconde ville, **Siri**, dans les plaines au nord de Pithora. Les Tughlaqs furent les plus grands bâtisseurs du XIVe siècle, comme en témoignent les anciennes cités de **Jahanpanah**, près de Siri, et de **Firozabad**, aujourd'hui Firoze Shah Kotla, sur les rives de la Yamuna. Leur œuvre majeure est cependant la forteresse de Tughlaqabad, un avant-poste monumental à l'est de Delhi. Les Sayyids et les Lodis ne laissèrent pas de forteresses mais ils s'illustrèrent par un grand nombre de mausolées et de mosquées superbes. Ils sont à l'ori-

*L'église Saint-James (1824), près de Kashmiri Gate, Delhi.*

gine des tombes hexagonales, couronnées de kiosques, et ils ont introduit en Inde l'art des jardins persans.

Quelques mausolées étaient destinés à des saints soufis, comme ceux de Roshan Chiragh-e-Delhi et de Hazrat Nizamuddin, hommes pieux célèbres du XIVe siècle. Aujourd'hui encore, ces tombeaux attirent de nombreux fidèles hindous et musulmans. La philosophie du soufisme, branche mystique de l'islam que les poètes persans avaient fait connaître en Inde, était en effet d'une remarquable tolérance.

En 1398, les hordes du Moghol Tamerlan pillèrent Delhi de ses richesses et surtout de ses artisans. « J'avais décidé de faire construire à Samarcande une mosquée sans rivale, raconta Tamerlan. Je donnai donc l'ordre d'affecter tous les architectes et les maçons de Delhi à mon service.» S'il avait été impressionné par les dimensions de la capitale, son descendant, Babur, qui devint au XVIe siècle le premier empereur moghol d'Inde, était loin de partager cet enthousiasme. « La campagne et les villes d'Inde sont extrêmement laides », écrivait-il.

## La première capitale impériale

Le sultanat de Delhi prit fin en 1526 avec la victoire de Babur sur les Lodis. Son fils Humayun, jeune homme aimable et érudit, ne sut pas conserver le pouvoir et dut s'exiler en Perse pendant quinze ans, avant de reprendre son trône. Son rival, l'Afghan Sher Shah, qui régna de 1540 à 1555, a réformé en profondeur l'armée, l'administration et le système des impôts et libéralisé le commerce. Avec Lahore, Agra et Patna, Delhi devint l'un des grands centres commerçants du nord de l'Inde. Les caravanes de marchandises se croisaient sur la grande artère que Sher Shah avait fait construire pour relier Lahore à Sonargaon, au Bengale, et qui passait par Delhi et Agra. Ce développement devait se poursuivre sous les règnes successifs d'Akbar et de son fils Jahangir.

A cette époque, Delhi était une cité prospère, regorgeant de marchés de vente en gros et au détail et environnée de petites villes marchandes. De nombreux artisans y étaient entretenus par les mécènes de la cour moghole. La population de la capitale et de ses faubourgs augmenta fortement. De nombreux habitants travaillaient dans les demeures de la cour et des nobles, les jardins et les canaux d'irrigation, dans les mosquées et les écoles. Une langue hybride se développa, l'**ourdou**, un mot dérivé de horde. Mélange d'arabe, de persan et de turc, l'ourdou était la langue véhiculaire des soldats. Elle s'enrichit rapidement en empruntant des éléments aussi bien aux langues de l'ouest de l'Asie qu'à l'hindi et au sanscrit. Les poètes de Delhi lui donnèrent ses lettres de noblesse : Mir, Sauda, Zauq et Ghalib formèrent une école qui rivalisait, du XVIIe au XIXe siècle, avec celle de Lucknow, au sud-est de Delhi, célèbre pour ses danses et ses poésies.

Les empereurs moghols et les nobles qui vécurent à Delhi furent encore plus ambitieux que les sultans afghans et turcs dans leurs projets architecturaux. Humayun fit bâtir au bord de la Yamuna l'imposante forteresse de Din Panah, aujourd'hui **Purana Qila**. Delhi aurait pu rester une ville commerçante florissante, environnée de champs et de ruines monumentales, mais l'empereur Shah Jahan, successeur de Jahangir et bâtisseur du Taj Mahal, avait d'autres ambitions. En 1648, il créait sa propre cité, **Shahjahanabad**, dominée par une vaste citadelle, le Fort-Rouge, et une splendide mosquée, Jama Masjid. La plupart de ces édifices ont été conservés dans la partie de la ville appelée Old Delhi. L'un des plus grands marchés de la capitale s'étend le long de sa grande artère, Chandni Chowk, comme il y a trois cents ans. Au XVIIIe siècle, Delhi était redevenue synonyme de souveraineté et de richesse.

## La Delhi des Britanniques

Cependant, après deux siècles de paix relative, les hordes de pillards avaient recommencé leurs incursions. Le souverain perse Nadir Shah laissa après son passage, en 1739, une désolation semblable à celle que causaient régulièrement les nuées de sauterelles. Le vol du splendide « trône du Paon » du Fort-Rouge apparut en particulier comme un signe annonciateur du déclin politique des Moghols.

Au cours des décennies suivantes, les chefs guerriers marathes, les clans jats des villages voisins et les Britanniques venus du Bengale tentèrent tour à tour de s'emparer de la ville. Ces derniers devaient finalement l'emporter en 1803.

Pendant près d'un demi-siècle, Delhi servit de poste-frontière à la Compagnie des Indes orientales jusqu'à la conquête du royaume du Pendjab. Les empereurs moghols cohabitèrent tant bien que mal avec les représentants de la Compagnie. Le dernier, Bahadur Shah, se plaisait à composer des vers, tandis que les artistes locaux peignaient des miniatures sur commande pour leurs clients britanniques. La vie paraissait étonnamment facile : on organisait des concours de natation dans la Yamuna et les officiers anglais se délassaient au cours de pique-niques et de parties de chasse au cochon sauvage.

Aussi, en mai 1857, la mutinerie des Cipayes provoqua-t-elle la stupéfaction générale. Une troupe de rebelles franchit le pont de bateaux de la Yamuna pour presser l'empereur de prendre la tête de l'insurrection. Pendant plus de quatre mois, le sort de Delhi demeura incertain : les soldats indiens contrôlaient la ville fortifiée tandis que les troupes britanniques campaient sur la crête montagneuse au nord de Delhi. En septembre, les Britanniques reprirent la ville.

La violence de la répression et le bannissement de l'empereur en Birmanie furent un réveil brutal pour les Indiens, déjà irrités par l'exploitation systématique de leurs richesses. Les troupes britanniques s'installèrent dans la citadelle, nommée depuis le Fort-Rouge, en référence à la couleur de leur uniforme. En 1858, l'Inde était rattachée directement à la couronne et les Anglais prenaient officiellement le pouvoir en installant un vice-roi. Moins de vingt ans plus tard, la reine Victoria devenait impératrice des Indes. Les maharadjahs et les nababs, leurs homologues musulmans, furent pendant longtemps les seuls interlocuteurs indiens. Les **Durbars**, cérémonies d'allégeance à la couronne, d'un faste inoui, se déroulaient dans une plaine au nord de Delhi. C'est là que le roi George V annonça en 1911, à la surprise générale, le transfert de la capitale de Calcutta à Delhi.

Il était cependant impossible de loger le vice-roi et le gouvernement à Shahjahanabad. Les Britanniques décidèrent de construire leur capitale, **New Delhi**, au sud de la vieille ville. Les ruines des cités anciennes devaient être intégrées au plan de la ville nouvelle. Symboliquement, le palais du vice-roi fut érigé au sommet de la colline de Raisina afin de dominer le vieux Delhi.

Mais l'Inde bougeait : l'accession aux universités anglaises avait amené la naissance d'une élite intellectuelle et vite contestataire. Le parti du Congrès et la Ligue musulmane, fondés au début du XXe siècle, prêchaient la désobéissance civile. Le retour en Inde en 1915 de **Mohandas Gandhi**, un avocat qui venait de passer 25 ans en Afrique du Sud à combattre le racisme, donna au parti du Congrès une nouvelle vigueur et au monde entier une extraordinaire leçon d'humanité. Parcourant inlassablement les campagnes et vivant comme un ascète, il portait son message de non-violence et de non-coopération au régime britannique à des millions d'opprimés. Le mouvement nationaliste indien grandit en force, malgré la répression et les emprisonnements de nombre de ses dirigeants. Les meetings se déroulaient près du Fort-Rouge, que de vastes étendues de terrain séparaient du palais du vice-roi. En 1931, lorsque Gandhi, que le poète Tagore avait surnommé *Mahatma* (grande âme), gravit les marches de cet édifice pour rencontrer le vice-roi lord Irwin, on ne pouvait imaginer que, vingt ans plus tard, le président de la République de l'Inde indépendante y résiderait à son tour.

*Le siège du gouvernement, vu des pelouses du club nautique où se déroulent les meetings.*

## « Cette nuit, la liberté... »

Affaiblie par la Seconde Guerre mondiale, la Grande-Bretagne choisit de partir de son plein gré en confiant le pouvoir à Nehru, le leader du parti du Congrès. Le 15 août 1947, à minuit, pour obéir aux recommandations des astrologues, l'Inde redevenait indépendante et Delhi célébrait cette victoire avec faste. Mais l'intransigeance du leader de la Ligue musulmane, Ali Jinnah, et la hâte des Anglais à se débarrasser de leur ancien empire, plongèrent aussitôt le pays dans un bain de sang, malgré les efforts désespérés de Gandhi qui prêchait la fraternité et l'union. Ali Jinnah (« J'obtiendrai une Inde divisée ou détruite ») avait exigé au nom des musulmans l'amputation des deux provinces dans lesquelles ils étaient majoritaires, le Bengale à l'est et le Pendjab à l'ouest. Émeutes raciales et massacres d'une violence inimaginable se succédèrent pendant la plus grande migration de l'histoire. Plus de dix millions de personnes durent quitter leur patrie. Les familles musulmanes de Delhi émigrèrent vers leur nouveau pays, le Pakistan, tandis qu'hindous et sikhs affluaient en sens inverse vers Delhi. On leur donna d'abord des terrains à l'ouest de la crête montagneuse et au sud de New Delhi. D'autres bâtirent leurs maisons de l'autre côté du fleuve et dans le nord de la ville. Le 30 janvier 1948, une nouvelle tragique bouleversa l'Inde tout entière : un brahmane exalté avait assassiné Gandhi qu'il accusait d'avoir donné l'Inde aux musulmans.

La cohabitation entre les hindous et la puissante minorité musulmane de Delhi ne va pas sans heurts. Ces dernières années encore, de violents affrontements ont opposé les deux communautés près de Jama Masjid, où le quartier musulman jouxte le quartier hindou. Malgré ces tensions, l'accroissement de la population de Delhi et son expansion ont été continues au cours des dernières décennies.

THE BANK
THAT CARES
Grindlays Bank
THE BANK
THAT CARES
PHARMACY

HongkongBank
Bata Bata बाटा Bata Bata Bata बाटा
DELUXE
SUITINGS SHIRTINGS
THE BANK THAT CARES
Grindlays Bank plc
SHOWROOM
WATCHES
RAMA

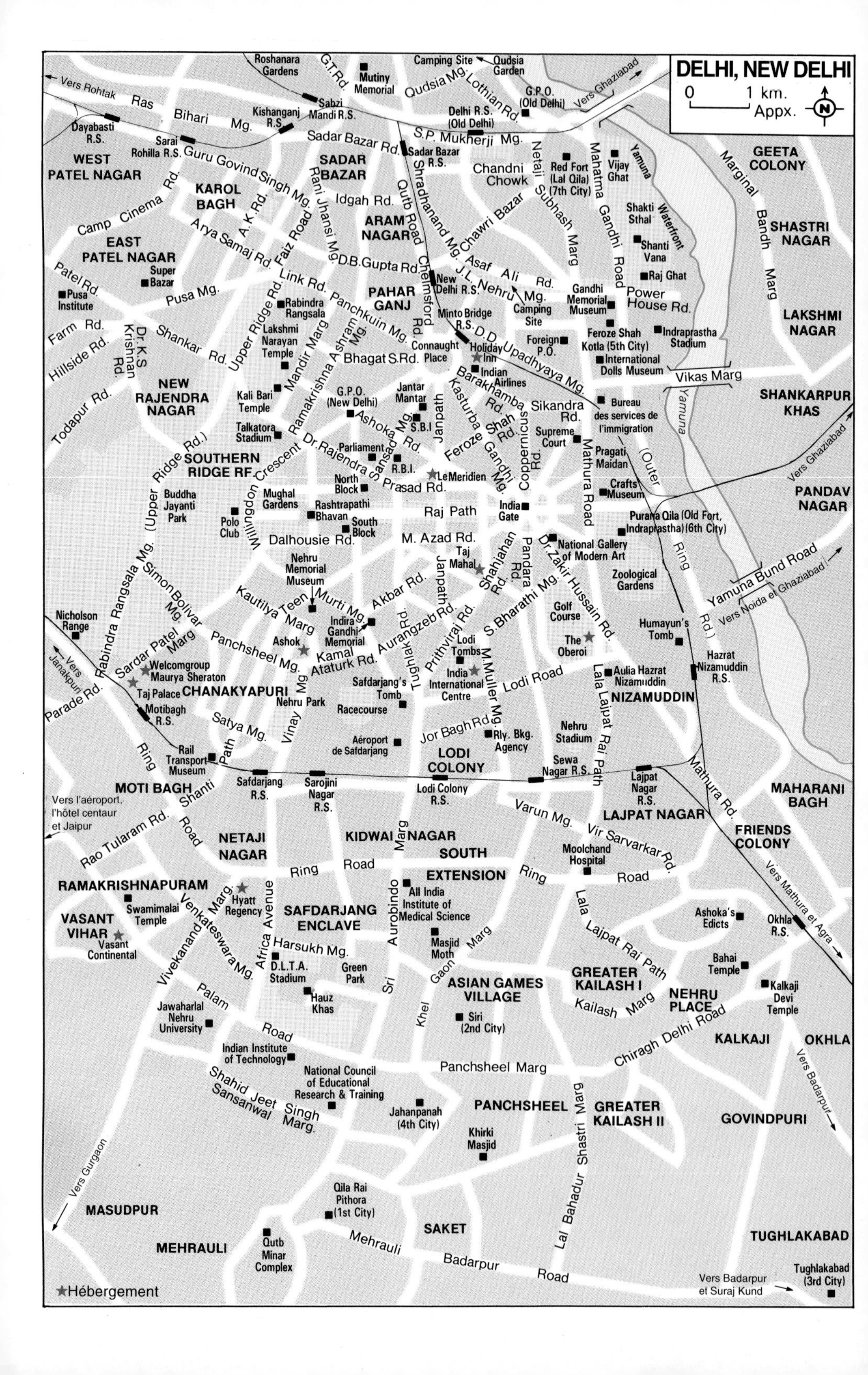

DELHI, NEW DELHI
0 1 km. Appx.
N
Roshanara Gardens
G.T.Rd.
Mutiny Memorial
Camping Site
Qudsia Garden
Qudsia Mg.
Lothian Rd.
G.P.O. (Old Delhi)
Vers Ghaziabad
Vers Rohtak
Ras Bihari Mg.
Dayabasti R.S.
Kishanganj R.S.
Sabzi Mandi R.S.
Delhi R.S. (Old Delhi)
Sarai Rohilla R.S.
Sadar Bazar Rd.
S.P. Mukherji Mg.
Sadar Bazar R.S.
WEST PATEL NAGAR
Guru Govind Singh Mg.
SADAR BAZAR
Shradhanand Mg.
Chandni Chowk
Netaji Subhash Marg
Red Fort (Lal Qila) (7th City)
Vijay Ghat
Yamuna
Mahatma Gandhi Road
GEETA COLONY
Marginal Bandh Marg
KAROL BAGH
A.K.Rd.
Rani Jhansi Mg.
Idgah Rd.
Camp Cinema Rd.
ARAM NAGAR
Qutb Road
Chawri Bazar
Shakti Sthal
Waterfront
SHASTRI NAGAR
EAST PATEL NAGAR
Arya Samaj Rd.
Faiz Road
D.B.Gupta Rd.
Chelmsford Rd.
Asaf Ali Rd.
Shanti Vana
Raj Ghat
Patel Rd.
Super Bazar
Link Rd.
PAHAR GANJ
New Delhi R.S.
J.L. Nehru Mg.
Gandhi Memorial Museum
Power House Rd.
Pusa Institute
Pusa Mg.
Upper Ridge Rd.
Rabindra Rangsala
Panchkuin Mg.
Camping Site
Minto Bridge R.S.
LAKSHMI NAGAR
Farm Rd.
Dr. K.S Krishnan Rd.
Shankar Rd.
Lakshmi Narayan Temple
Mandir Marg
Ramakrishna Ashram Mg.
Connaught Place
D.D. Upadhyaya Mg.
Holiday Inn
Foreign P.O.
Feroze Shah Kotla (5th City)
Indraprastha Stadium
Hillside Rd.
Bhagat S.Rd.
Indian Airlines
International Dolls Museum
Vikas Marg
NEW RAJENDRA NAGAR
Jantar Mantar
Barakhamba Rd.
Sikandra Rd.
Bureau des services de l'immigration
SHANKARPUR KHAS
Todapur Rd.
Kali Bari Temple
G.P.O. (New Delhi)
Janpath
Kasturba Gandhi Mg.
Yamuna
Talkatora Stadium
Ashoka Rd.
S.B.I.
Feroze Shah Rd.
Supreme Court
Sansad Mg.
Parliament
R.B.I.
Coppernicus Rd.
Mathura Road
Pragati Maidan
(Outer Ring Rd.)
Vers Ghaziabad
SOUTHERN RIDGE RF
(Upper Ridge Rd.)
Crescent
Dr.Rajendra Prasad Rd.
Le Meridien
North Block
Crafts Museum
PANDAV NAGAR
Buddha Jayanti Park
Mughal Gardens
Rashtrapathi Bhavan
Raj Path
India Gate
Purana Qila (Old Fort, Indraprastha) (6th City)
Polo Club
Willingdon
South Block
Dalhousie Rd.
M. Azad Rd.
National Gallery of Modern Art
Nehru Memorial Museum
Taj Mahal
Shahjahan Rd.
Pandara Rd.
Dr.Zakir Hussain Rd.
Yamuna Bund Road
Zoological Gardens
Vers Noida et Ghaziabad
Rabindra Rangsala Mg.
Simon Bolivar Mg.
Kautilya
Teen Murti Mg.
Akbar Rd.
Marg
Janpath Rd.
Prithviraj Rd.
S.Bharathi Mg.
Golf Course
Nicholson Range
Indira Gandhi Memorial
Aurangzeb Rd.
Humayun's Tomb
Sardar Patel Marg
Ashok
Panchsheel Mg.
Kamal Atatürk Rd.
Tughlak Rd.
Lodi Tombs
M.Muller Mg.
The Oberoi
Vers Janakpuri
Welcomgroup Maurya Sheraton
India International Centre
Lala Lajpat Rai Path
Hazrat Nizamuddin R.S.
Taj Palace
CHANAKYAPURI
Safdarjang's Tomb
Lodi Road
Aulia Hazrat Nizamuddin
NIZAMUDDIN
Parade Rd.
Motibagh R.S.
Nehru Park
Racecourse
Satya Mg.
Vinay Mg.
Jor Bagh Rd.
Rly. Bkg. Agency
Nehru Stadium
Ring
Rail Transport Museum
Aéroport de Safdarjang
LODI COLONY
Sewa Nagar R.S.
Lajpat Nagar R.S.
Mathura Rd.
Shanti Path
MOTI BAGH
Safdarjang R.S.
Sarojini Nagar R.S.
Lodi Colony R.S.
MAHARANI BAGH
Vers l'aéroport, l'hôtel centaur et Jaipur
Varun Mg.
LAJPAT NAGAR
Vir Sarvarkar Rd.
FRIENDS COLONY
Rao Tularam Rd.
Road
NETAJI NAGAR
KIDWAI NAGAR
SOUTH EXTENSION
Moolchand Hospital
Ring Road
Ring Road
Vers Mathura et Agra
RAMAKRISHNAPURAM
Hyatt Regency
Venkateswara Marg.
Swamimalai Temple
Africa Avenue
SAFDARJANG ENCLAVE
All India Institute of Medical Science
Lala Lajpat Rai Path
Ashoka's Edicts
Okhla R.S.
VASANT VIHAR
Vasant Continental
Harsukh Mg.
Masjid Moth
Sri Aurobindo Marg
Gaon Marg
Khel
Bahai Temple
Vivekanand Mg.
D.L.T.A. Stadium
Green Park
ASIAN GAMES VILLAGE
GREATER KAILASH I
NEHRU PLACE
Kalkaji Devi Temple
Palam Road
Hauz Khas
Kailash Marg
Jawaharlal Nehru University
Siri (2nd City)
KALKAJI
OKHLA
Indian Institute of Technology
Chiragh Delhi Road
National Council of Educational Research & Training
Panchsheel Marg
Vers Badarpur
Shahid Jeet Singh Sansanwal Marg.
Jahanpanah (4th City)
PANCHSHEEL
Shastri Marg
GREATER KAILASH II
GOVINDPURI
Khirki Masjid
Vers Gurgaon
Qila Rai Pithora (1st City)
MASUDPUR
SAKET
Lal Bahadur
TUGHLAKABAD
MEHRAULI
Qutb Minar Complex
Mehrauli Badarpur Road
Vers Badarpur et Suraj Kund
Tughlakabad (3rd City)
★Hébergement

# UNE SOCIÉTÉ SINGULIÈRE

L'Inde, comme l'écrit le romancier Naipaul, c'est « un million de problèmes », qu'on ne peut que tenter de résumer. Tensions entre les communautés religieuses, surpopulation, problème insoluble des castes, tout cela est la marque d'une société en pleine mutation, une société rurale à 75 %, qui reste farouchement attachée à des valeurs millénaires, mais aussi, comme le dit un grand industriel indien, « *une classe active d'entrepreneurs, un immense réservoir de diplômés de haut niveau, un système financier moderne et une culture démocratique* ».

## Un pays profondément religieux

Quatre des plus grandes religions du monde coexistent en Inde depuis des siècles : l'hindouisme, le bouddhisme, l'islam et le christianisme. Les deux premières y sont nées. Trois autres, le jaïnisme, le parsisme et le sikhisme, également originaires de l'Inde, regroupent des millions de fidèles. Il serait vain de vouloir énumérer les centaines de sectes et de sous-sectes qui prolifèrent un peu partout. C'est dire la ferveur et la capacité d'assimilation du peuple indien. La religion demeure une force puissante et indissociable de la vie de tous les jours.

Le védisme, introduit par les Aryens en 1500 av. J.-C., a développé la croyance en un lien étroit entre l'homme et l'univers et celle de la réincarnation, qui s'est perpétuée à travers le bouddhisme et l'hindouisme. C'est de cette période que datent les grands textes sacrés, les Véda, les Upanishad et le Bhagavad-Gitâ.

*Pages précédentes : la pyramide de béton du* Hall of Nations, *vue du fort médiéval de Purana Qila ; Chandni Chowk. A droite, une ville de contrastes.*

L'**hindouisme** est unique au monde par sa diversité et sa souplesse : on peut choisir librement entre de multiples dieux et d'innombrables rites. Il ne connaît ni dogme, ni clergé et ressemble davantage à un art de vivre qu'à une religion. Le panthéon hindou repose sur une trilogie composée par Brahma, l'équilibre du monde, Shiva, le destructeur du mal, et Vishnou, le protecteur du bien, qui sont en fait des aspects d'une même déité. Ces dieux ont des incarnations comme Krishna, cher aux Indiens pour son espièglerie et son charme irrésistible, ou Ganesh, le dieu à tête d'éléphant, fils de Shiva et de la déesse Parvati. Les autres figures féminines sont Lakshmi, la compagne de Vishnou, et Durga ou Kali, une incarnation de Shiva sous sa forme la plus destructrice. L'Inde baigne tout entière dans le surnaturel et les dieux sont tellement vivants que, chaque soir, les prêtres lavent et couchent leurs statues.

Une majorité d'hindouistes privilégie le culte de Shiva : on reconnaît les fidèles aux trois traits parallèles dessinés sur leur front. Les vishnouistes portent le signe du trident. Les temples sont entretenus par des membres de la caste des brahmanes, reconnaissables au cordon initiatique qu'ils portent en sautoir. La pratique religieuse se compose surtout d'offrandes (*puja*) déposées sur les autels (en général des colliers de fleurs, des boulettes de riz parfumé, des fruits et de l'encens) et accompagnées d'ablutions rituelles. Mais ce qui est important ne se voit pas : c'est une discipline personnelle que chacun pratique à sa façon. La grande affaire est de se libérer du cycle des réincarnations (*samsara*)

en accomplissant de bonnes actions qui permettront de renaître dans une vie meilleure ou, mieux encore, de ne plus revenir sur terre. Car, pour un hindouiste, il n'y a ni hasard ni malchance : l'existence actuelle n'est que le produit des existences antérieures. On doit se conformer au code social de la caste à laquelle on appartient, se marier et avoir des enfants. Lorsque ces devoirs sont accomplis, le fidèle peut se consacrer tout entier à son propre salut et, s'il le souhaite, devenir *sadhu* : il abandonne tout et part sur les routes, couvert de cendres, en vivant d'aumônes. Il peut aussi se réfugier dans un *ashram* et se consacrer à la méditation sous la conduite d'un gourou. L'extraordinaire ferveur des hindous apparaît au moment des grands pèlerinages dans les sept lieux sacrés de l'Inde. On assiste alors à des regroupements qui peuvent aller jusqu'à 18 millions de personnes, qui se baignent au même endroit en une seule journée. Chose stupéfiante : il n'y a aucun incident, tant la foule est bien canalisée.

Le **bouddhisme** est né en Inde, à la frontière du Népal, au VIe siècle av. J.-C. Le prince Sidharta Gautama, à la suite d'une vision, abandonna son royaume pour devenir un Bouddha, « l'éveillé ». Comme l'hindouisme, cette philosophie repose sur la réincarnation et la possibilité pour chaque être humain de modeler son propre destin, mais elle est opposée au système des castes. Elle enseigne que tout le malheur de l'homme vient de ses désirs et des frustrations qu'ils engendrent. Il faut donc renoncer à tout désir afin de parvenir au *nirvana*, état de sérénité et fin des réincarnations. Il appartient à chacun de trouver sa voie vers cet idéal, par la méditation, le yoga, la pratique de la bonté et le refus de toute violence. Cette philosophie s'est répandue en Inde au IIIe siècle, sous l'impulsion de l'empereur Ashoka, puis a reculé au profit de l'hindouisme, tout en demeurant la religion unique des royaumes au nord de l'Inde (Tibet, Bhoutan et Sikkim). Il n'y a jamais eu d'antagonisme entre les deux religions. Depuis les années 50, on assiste à une certaine renaissance du bouddhisme dans les classes les plus défavorisées des grandes villes (environ 7 millions de fidèles).

*Fête hindoue sur fond de bureaux modernes.*

A la même époque que le bouddhisme s'est développé le **jaïnisme**, philosophie du sage Mahavira, opposée elle aussi à la notion de caste et à toute forme de violence. On révère 24 sages, ou *jina* (conquérant de soi-même), parvenus au renoncement absolu. Le but de la vie est de se libérer de tout ce qui est matière. Le jaïnisme est sans doute la doctrine la plus ascétique du monde : les jaïns se promènent avec un bandeau de tissu blanc sur la bouche et balaient le sol devant eux, pour ne pas tuer accidentellement un insecte. Ils sont exclusivement végétariens. Malgré leur austérité – ou à cause d'elle – les jaïns sont souvent des hommes d'affaires estimés. Ils sont environ 3 millions. Les temples jaïns, tout de marbre blanc, figurent parmi les plus beaux de l'Inde.

Les **sikhs**, reconnaissables à leur barbe et à leurs cheveux longs relevés sous un énorme turban, occupent une place importante dans l'armée et les affaires. Ils sont environ 16 millions. Leur religion, fondée dans le Pendjab au XVIe siècle par Nanak, se veut une synthèse de l'hindouisme et de l'islam. Le sikhisme refuse les castes, prône le monothéisme mais admet la réincarnation. Les sikhs, persécutés par l'islam, sont devenus des guerriers pour pouvoir se défendre. Ils sont proches des hindous et les mariages entre les deux communautés sont assez fréquents. Leur centre religieux est le temple d'Or à Amritsar. L'occupation de ce temple par l'armée indienne a conduit à l'assassinat d'Indira Gandhi par un sikh, en 1984, et à la formation d'un mouvement indépendantiste au Pendjab, mais il semble que la tension soit retombée.

Les **parsis** sont les descendants de Perses venus en Inde vers le VIIIe siècle. Ils sont peu nombreux (85 000) et regroupés dans la région de Bombay. Ils ont continué à pratiquer la religion de Zoroastre, le mazdanisme, un culte rendu aux éléments naturels : l'air, l'eau et surtout le feu. C'est pourquoi ils ne brûlent pas leurs morts, mais les exposent aux vautours sur les tours du silence. Leur puissance économique est considérable ; le plus grand industriel indien, Tata, est parsi.

L'**islam** a commencé à se répandre dans le nord de l'Inde sous la pression des

*Meeting politique, scène fréquente en Inde.*

armées musulmanes, à la fin du XIIe siècle. Il n'y a jamais eu de conversion massive mais plutôt une coexistence relativement pacifique avec l'hindouisme. Les deux religions s'opposent en tous points car l'islam est monothéiste et impose à ses fidèles un certain nombre d'obligations, dont celle de propager leur foi. Cependant, les musulmans ont adopté le système des castes. La partition de 1947 a entraîné de violentes tensions entre les deux communautés et le conflit est toujours latent, surtout dans le Sud, en immense majorité hindouiste. En 1989, la démolition de la mosquée d'Ayodhya, élevée sur un lieu saint hindouiste, a été suivie de nombreuses émeutes religieuses dans tout le pays. Un des mouvements les plus extrémistes, le *Shiv Sena*, considère comme excessifs les avantages accordés par l'État aux quelque 100 millions de musulmans qui ont choisi de rester en Inde.

## Les castes

Bien que les castes aient été officiellement abolies à l'indépendance, la société indienne repose toujours sur ce système, dont l'origine remonte aux Aryens. On pense qu'il provient d'une distinction entre les envahisseurs, de race blanche, et les aborigènes, de race noire. La religion, en fixant à chaque individu une place dans la société en fonction d'actes commis dans des existences antérieures, a renforcé cette différenciation.

Il y a cinq grandes castes (*jâti*) et une infinité de sous-castes. En haut de la pyramide viennent les brahmanes, à l'origine détenteurs du savoir culturel et religieux. Ceux qui n'ont pas pu accéder à des professions libérales mènent une vie très pauvre. Ils doivent entretenir les temples et vivent surtout d'aumônes. Les trois autres castes sont les *kshatriya*, jadis princes et guerriers, les *vaishiya*, traditionnellement artisans et commerçants, et les *shudra*, paysans, serviteurs et ouvriers. Enfin, les hors-castes (*dalit*), que les Européens appellent improprement « intouchables », sont tous ceux qui ne sont pas rattachés à une caste précise. Il faut souligner que tous les étrangers sont en fait des hors-castes et qu'un bon croyant ne doit en aucun cas,

*Groupe de rock amateur sur crépuscule de mousson.*

par exemple, utiliser la vaisselle qu'ils ont touchée.

Remettre en question le système des castes serait bouleverser l'ordre sacré de l'univers. C'est pourquoi il n'y a jamais eu de véritable opposition à une institution qui semble si injuste aux Européens. L'idée qu'ils s'en font est souvent fausse: en effet, les Indiens considèrent qu'ils sont responsables de leur position dans la société, si basse soit-elle. D'autre part, l'appartenance à une caste est une garantie d'entraide et de soutien, et une forme d'identité que personne ne souhaite perdre. Enfin, les castes ne sont pas liées à un statut économique: de très nombreux brahmanes vivent pauvrement alors que des hors-castes ont pu s'enrichir et accéder à des postes politiques importants.

En 1989, la décision du gouvernement de réserver la moitié des emplois du secteur public aux plus basses castes a déclenché une véritable révolte dans toutes les autres castes. Si l'idée semblait généreuse, dans les faits, elle se traduisait par une absurdité : les diplômés étaient privés d'emploi alors que des illettrés se voyaient promus à des postes de fonctionnaires. Des centaines d'étudiants s'immolèrent par le feu pour protester contre cette autre forme d'injustice.

Le système des castes a de multiples incidences dans la vie quotidienne, outre les contraintes engendrées par la promiscuité de la vie moderne. Ainsi, les mariages ne peuvent se faire au hasard : les familles doivent chercher pour leurs enfants un époux ou une épouse qui appartienne à la même caste qu'eux et, difficulté supplémentaire, dont le thème astrologique soit compatible. La fortune personnelle joue aussi un rôle et la nécessité d'offrir une dot considérable conduit parfois à l'endettement à vie les parents de la jeune fille. La naissance d'une fille est souvent considérée comme un malheur et on rencontre encore à la campagne des cas d'infanticide. Si le paiement de la dot prévue n'est pas effectué, c'est la jeune femme qui en subit les conséquences dans sa belle-famille et on assiste à des « suicides de jeunes mariées », euphémisme qui désigne souvent l'élimination par « accident », d'une bouche devenue inutile.

*A gauche, chiromancien ; à droite, jeune fille hindoue.*

# LES PASSIONS INDIENNES

La musique indienne, indissociable de la danse, est une des plus anciennes du monde : son histoire est parallèle à celle de la religion, puisque les premiers textes sacrés, les Véda, étaient chantés. Depuis des millénaires, musique et danse sont associés au culte dans tous les temples hindouistes. De son côté, le cinéma, art plus récent, a pris la relève des conteurs traditionnels pour une large fraction de la société indienne, dont la culture est avant tout orale et visuelle.

## La musique avant toute chose

La musique s'est transmise pendant des siècles à travers des lignées de gourous (précepteurs), mais elle est restée vivante et évolutive, malgré des codes bien établis, car l'improvisation est permise et même souhaitée. Très différente des musiques occidentales, elle comporte plus de dix-huit gammes et joue sur deux composantes. Le *raga* (ce qui plaît) est la ligne mélodique : il correspond à un sentiment, un état d'âme et varie en fonction du lieu et de la circonstance. C'est une sorte de coloration musicale, un arrangement de notes qui peut aller jusqu'au seizième de ton et provoque chez les auditeurs une émotion intense. L'autre composante, le *tala*, donne le rythme. La notion d'orchestre n'existe pas puisqu'elle nuirait à l'improvisation.

Les instruments sont pour la plupart spécifiques de l'Inde, comme le *tampura*, le *sitar* ou la *vina*, instruments à cordes à long manche de différentes tailles, et les *tabla* ou le *mridangam*, utilisés pour les percussions. Les flûtes traversières et différents types de violons sont également très employés.

Il y a deux écoles de musique : le style hindoustani, dans le Nord, et carnatique, dans le Sud. Toutes deux ont la même notion du temps, du rythme et de la mélodie. Cependant, la musique du Nord a subi des influences venues de Perse, alors que celle du Sud, plus authentique, est restée religieuse et traditionnelle.

## Un hommage à Shiva

La danse est un geste sacré qui participe du divin. On dit que c'est ainsi que le dieu Shiva créa le monde. Cette danse cosmique, omniprésente dans la sculpture, symbolise les contradictions d'un monde

*Les charmes discrets de la bourgeoisie indienne : discothèque sur fond de stars du cinéma muet.*

qui se transforme sans cesse, à travers la mort et la réincarnation, la création et la destruction des choses et des êtres. Elle est d'une complexité extrême, puisque chaque mouvement du corps et, spécialement, des mains, des yeux et des pieds, correspond à un code que tout Indien comprend et qui évoque pour lui des personnages, des sentiments ou des situations du Ramayana.

La *bharata-natyam* est la danse classique par excellence. Pendant longtemps, elle n'était pratiquée que dans les grands temples (le temple de Tanjore entretenait au XIe siècle une troupe de 400 danseuses). Les *devadasi* (danseuses sacrées) étaient vouées au culte du dieu et donnaient aussi leurs corps aux fidèles dans un rituel de dévotion. Cette pratique, avant tout religieuse, s'est dégradée dans le Nord avec l'arrivée des musulmans et les *devadasi* sont devenues les prostituées que l'on appelle bayadères.

Le *kathak*, dérivé de la *bharata-natyam*, est particulier au Nord, où l'influence perse l'a transformé en danse de cour, un art qui a atteint son plus haut niveau à Jaipur et Lucknow. Il se caractérise par de rapides battements des pieds, entourés de clochettes. Même si on ne possède pas une connaissance parfaite de la mythologie, on ne peut qu'être fasciné par la virtuosité des danseurs et la richesse des costumes. Interprété par plusieurs artistes qu'accompagnent des percussions, un spectacle peut durer une nuit entière.

## Un cinéma mythique

Dès sa naissance, le cinéma a déclenché en Inde de véritables passions. La première projection a été donnée à Bombay, en 1896, peu après celle de Paris. Depuis, l'Inde est devenue le premier producteur mondial de films, avec trois centres : Bombay (films en langue hindi), Calcutta (films bengalis) et Madras (films tamouls). Il y a en Inde 900 films nouveaux chaque année et plus de 12 000 salles. Les spectateurs voient plusieurs fois le film et connaissent par cœur répliques et chansons. La nécessité de se faire comprendre par tous, y compris les illettrés, a donné naissance a un genre particulier, une sorte de spectacle total, le « *masala movie* ». La recette en est simple : le film doit évoquer tous les grands sentiments, comporter des intermèdes musicaux et dansés et être interprété par une grande vedette, sinon plusieurs. Certains films font référence à la mythologie hindouiste, mais la majorité reposent sur la notion de destin. Les thèmes les plus fréquents sont révélateurs d'une société en mutation. Ainsi, le héros est souvent un enfant de la campagne obligé de s'installer dans une grande ville : loin de son milieu d'origine, où la famille élargie joue un rôle primordial, il perd tous ses repères. Une chanson résume son désarroi : « *Voici Bombay, où l'on peut avoir tout ce qu'on veut, tout sauf le cœur.* » Un autre thème récurrent est celui du frère perdu et retrouvé, allégorie transparente pour un pays qui a connu le traumatisme de la partition.

Les grandes stars sont littéralement adulées par le public et touchent des cachets démesurés qui peuvent atteindre la moitié du budget du film. Les acteurs célèbres sont reçus partout comme des rois et beaucoup entrent même en politique. Mais cette mythification implique aussi que chaque acteur soit figé dans un emploi : le bon ou le méchant.

Les affiches de cinéma participent d'une véritable industrie : peintes sur toile par des artisans, elles peuvent atteindre jusqu'à 30 m de long. Elles donnent toujours un résumé visuel du film et toutes les scènes clés y figurent. Leur présence obsédante et leurs couleurs vives demeurent pour tous les voyageurs une des caractéristiques de l'Inde.

Mais, si 80% de la production cinématographique indienne est consacrée aux « *masala movies* » et aux plus récents « *curry westerns* », un certain changement s'est amorcé dans les années 50, avec l'introduction du néoréalisme. Le grand cinéaste Satyajit Ray est l'un des premiers à avoir traité dans ses films des questions sociales. Beaucoup d'autres l'ont suivi, comme Ritwik Kathak, Mehboob Khan, Mrinal Sen et Meera Nair. Les thèmes abordés sont le veuvage des femmes, les mariages arrangés, la question de la dot, les castes et la misère. En 1954, un film indien (*Calcutta, ville cruelle*, de Bimal Roy) a pour la première fois été primé à Cannes. L'année suivante, Satyajit Ray recevait la palme d'or pour *Pather Panchali*. Depuis, ce cinéma d'auteur s'est fait connaître et apprécier dans le monde entier. Mais, si on veut comprendre le peuple indien, il faut assister à une représentation de cinéma pour observer les réactions enthousiastes des spectateurs.

MCM XIV
INDIA
MCM XIX

# NEW DELHI, CAPITALE DU RAJ

Lorsque les Britanniques décidèrent de transférer la capitale du Raj de Calcutta à Delhi, ils ne faisaient que marcher sur les traces d'une longue lignée de conquérants qui, comme eux, avaient voulu proclamer la puissance et la pérennité de leur pouvoir en construisant une nouvelle capitale. Le roi George V profita de la cérémonie du Durbar, le 12 décembre 1911, pour annoncer sa décision. Cette audience publique au cours de laquelle les princes indiens venaient, selon la tradition moghole, rendre hommage et allégeance à la Couronne britannique, fut peut-être la plus brillante et la plus fastueuse à laquelle Delhi ait jamais assisté. Elle rassemblait 300 000 spectateurs, parmi lesquels 562 maharadjahs dans leurs plus beaux atours, accompagnés de leur suite : épouses, enfants, courtisans, éléphants, Rolls Royce et wagons privés. Selon un témoin britannique, la nouvelle du transfert explosa « *comme le soleil des tropiques à travers les sombres nuages des pluies de mousson* ».

Le roi et la reine posèrent solennellement les premières pierres de New Delhi, la huitième ville de Delhi, à l'aide d'un maillet d'ivoire et d'une truelle d'argent incrustée d'améthystes. La nouvelle capitale de l'Inde britannique, déclara le souverain, devait être conçue et construite « *avec le plus grand soin et la plus grande réflexion, afin que cette nouvelle création soit en tous points digne de l'ancienne et splendide cité* ». Deux décennies devaient s'écouler avant la fin des travaux de New Delhi, la plus grande et la dernière ville impériale de ce siècle. Les dimensions du palais du vice-roi dépassaient celles de Versailles. Cependant, la réalisation du projet se heurta dès le début à une série d'obstacles. Elle fut en particulier jalonnée de controverses et de querelles entre les deux architectes principaux, de retards et de problèmes financiers. Qui plus est, un nombre impressionnant de mauvais présages accompagna sa conception.

La première controverse commença peu après le départ du couple royal. La commission d'urbanistes chargée du projet déclara le site de la nouvelle ville inadéquat car marécageux, malsain et d'une superficie trop réduite. Ils parcoururent les environs à dos d'éléphant, à la recherche de l'emplacement idéal qui devait s'étendre sur environ 65 $km^2$, être proche de Shajahanabad et entouré de suffisamment d'espace pour que la ville puisse s'agrandir sans endommager les temples, les mausolées et les ruines du vieux Delhi.

Le choix des responsables s'arrêta sur Raisina, une plaine désolée parsemée de petits villages et de buissons épineux où erraient les chacals et les daims. En parcourant l'endroit à cheval, le vice-roi, lord Hardinge, découvrit du sommet d'une petite colline un panorama magnifique. La silhouette sombre et imposante de la citadelle de Purana Qila et les dômes de Jama Masjid encadraient un paysage où scintillait dans le lointain le ruban d'argent de la Yamuna. Enthousiasmé, lord Hardinge déclara que la place du palais du vice-roi était au sommet de cette colline. A la nuit, les

*Pages précédentes : Rajpath, l'avenue impériale, illuminée pour le Jour de la République. A gauche, India Gate et, au fond, le dais du roi George V ; à droite, buste de Lutyens, l'architecte de New Delhi, Rashtrapati Bhavan.*

fondations posées par le couple royal furent déterrées, enveloppées dans des sacs de munitions et acheminées en char à bœufs sur le nouveau site.

Dès lors, la construction de New Delhi pouvait commencer. Ses débuts furent encore plus spectaculaires que prévu. Lord Hardinge était arrivé de Calcutta pour inaugurer les travaux. Tandis qu'il avançait sur Chandni Chowk lors de la cérémonie, une bombe fut lancée, le blessant gravement et tuant son porteur d'ombrelle. Cet attentat n'était pas le premier avertissement. Au cours du Durbar royal de l'année précédente, la magnifique tente à piquets d'argent sous laquelle les princes indiens recevaient le roi avait mystérieusement brûlé. Des rumeurs circulaient également sur les marchés de la ville : on racontait que les fondations de New Delhi étaient des pierres tombales achetées à un marchand local. Dans l'imagination populaire, Delhi était un «*cimetière des dynasties*», chaque nouvelle ville construite sur son site présageant le déclin de la dynastie qui l'avait fondée.

## Le plan de Lutyens

Malgré ces présages funestes, de gigantesques travaux de nivellement, d'adduction d'eau et d'installation d'égouts et de lignes électriques commencèrent. En 1913, Edwin Lutyens, l'architecte anglais le plus original et le plus créatif de son temps, fut chargé du plan des rues et des édifices de New Delhi.

Renommé en particulier pour ses belles maisons de campagne, Lutyens – un homme d'origine modeste qui avait épousé la fille du vice-roi, lord Lytton – avait une réputation de séducteur. Il parvenait généralement à ses fins en exerçant son charme sur les épouses de ses clients. Lutyens établit d'aimables relations avec la vice-reine, lady Hardinge, l'enjôlant pour lui faire accepter ses projets. Un jour, il s'excusa en ces termes à la suite d'un différend : «*Je laverai vos pieds avec mes larmes et je les essuierai avec mes cheveux. Je n'en ai pas beaucoup, c'est vrai, mais vos pieds sont si petits !*»

Lutyens voulait faire de New Delhi une ville de jardins et de grandes perspectives

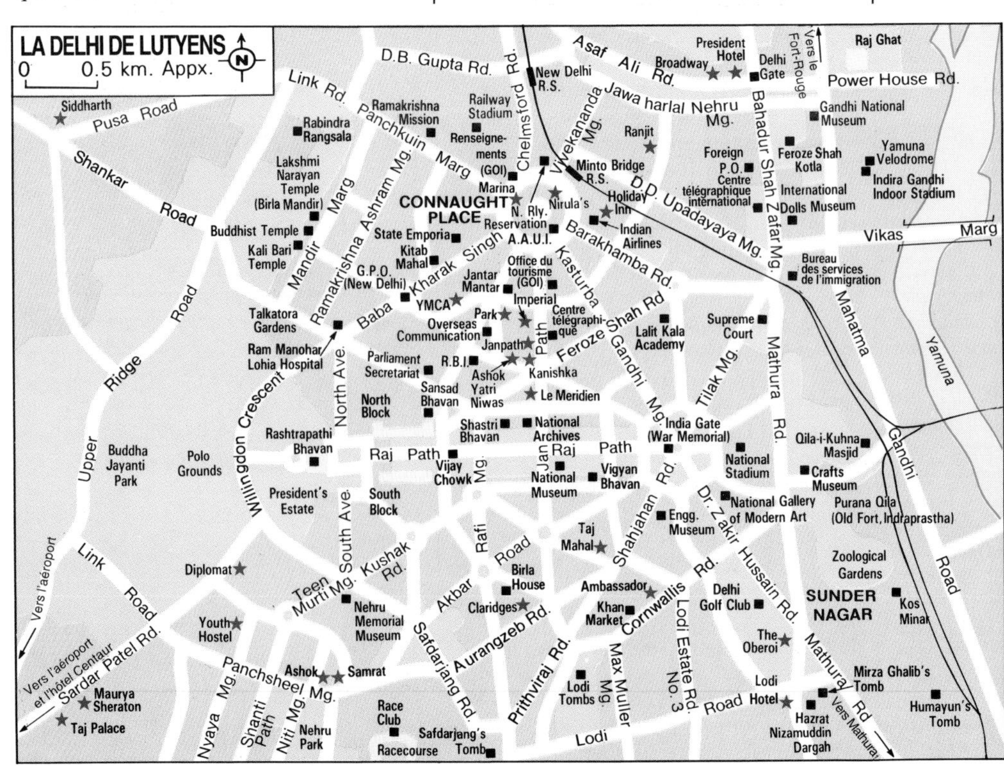

pour les parades du pouvoir impérial. La capitale serait un lieu agréable et spacieux, aux édifices peu élevés, aux larges avenues bordées d'arbres et de nombreux parcs.

Le plan d'ensemble a la forme d'un triangle dont les pointes sont le palais du vice-roi, la citadelle de Purana Qila et Connaught Circus, le quartier commerçant de New Delhi. Du palais, Rashtrapati Bhavan, qui domine la ville du haut de Raisina Hill, part une avenue en ligne droite, Rajpath, l'ancienne Kingsway, qui aboutit à India Gate et Purana Qila. Des deux côtés de Rajpath s'étendait autrefois le quartier résidentiel des fonctionnaires les plus anciens du Raj. Plus les bungalows étaient proches de la demeure du vice-roi, plus ils étaient grands.

A mi-chemin de Rashtrapati Bhavan et de Purana Qila, une autre avenue rectiligne, Janpath (autrefois Queensway), coupe Rajpath à angle droit et débouche au nord sur Connaught Place. Le plan de Lutyens reflète donc non seulement ses conceptions esthétiques mais aussi la hiérarchie politique et sociale du Raj.

Si on regarde vers la ville depuis la grille d'entrée de Rashtrapati Bhavan, la symétrie parfaite de ce plan est totalement évidente. On aura également une bonne vue d'ensemble de New Delhi depuis la Casa Medici, le restaurant en terrasse de l'hôtel Taj Mahal, sur Man Singh Road.

## Le style « Raj »

Lutyens choisit pour associé Herbert Baker, qui avait déjà fait ses preuves comme architecte de Pretoria, la capitale administrative de l'Afrique du Sud, projet auquel Lutyens avait collaboré. D'un commun accord, ils se répartirent le travail pour New Delhi : Lutyens serait responsable de la conception globale de la ville, de la demeure du vice-roi et du monument aux morts (India Gate), tandis que Baker dessinerait les plans des bâtiments administratifs (secrétariats et Parlement).

Le style architectural de la nouvelle capitale fut l'objet d'un long débat. Le roi George V et lord Hardinge insistaient pour qu'il s'inspire essentiellement de l'architecture indienne mais Lutyens était farouchement opposé à cette idée : « *Imaginez que la reine Elizabeth demande à Shakespeare d'écrire une ode en mètres chaucériens !* » écrivit-il indigné à son épouse.

Il avait exprimé clairement son dédain de l'architecture anglo-indienne de Calcutta et de Bombay, qui mêlait dômes, arches et balcons moghols à des structures néo-baroques ou à un style hybride, victoriano-indien. Néanmoins, sous la pression du vice-roi, Lutyens et Baker partirent à contrecœur faire le tour des monuments indiens. Ils visitèrent Agra, Jaipur, Bikaner, Mandu, le grand stupa bouddhiste de Sanchi et les palais fortifiés de Datia et de Dhar. Tous deux revinrent plus déterminés que jamais à ne pas construire New Delhi dans le style indien.

« *Personnellement, je ne crois pas qu'il existe de grande architecture ni de véritable tradition indienne* », écrivit Lutyens. Pour lui, la capitale d'Akbar, Fatehpur Sikri, n'était qu'une « *œuvre de singes* ». Il envoya à Baker ce compte rendu lapidaire : « *Style hindou : taillez des cubes dans la pierre et empilez ces cubes comme dans un jeu de construction mais, au préalable, sculptez sur chaque cube des motifs en dentelle et des formes horribles. Au sommet, posez un oignon. Style moghol : placez une énorme masse de béton mal dégrossi en forme d'éléphant sur un plan très simple mi-rectangulaire mi-octogonal, posez des dômes au petit bonheur. Recouvrez d'un revêtement aux motifs en pierre, ajoutez des pierres précieuses et des cornalines si votre budget vous le permet... Au sommet, déposez trois navets.* »

Baker méprisait au même degré l'art hindou, qu'il considérait comme un ensemble de « *sculptures grotesques et absurdes* », et l'architecture moghole, qu'il qualifiait d'« *amas de briques couverts de décorations* ».

Les deux hommes décidèrent d'un commun accord que New Delhi ne serait « *ni indienne, ni anglaise, ni romaine, mais impériale* ». Ses grands espaces et sa symétrie, en contraste marqué avec l'encombrement et le chaos du vieux Delhi, symboliseraient l'ordre que l'administration britannique avait imposé à un pays populeux, désordonné et en perpétuelle expansion.

Néanmoins, la tournée des monuments indiens avait plus influencé Lutyens et Baker qu'ils ne voulaient l'admettre. Tous deux incorporèrent à leurs plans des éléments architecturaux indiens à la fois fonctionnels et décoratifs, tels que les corniches en pierre (*chaja*), les grilles en pierre sculptée (*jali*) et les dais (*chatri*) – ces derniers étant les emblèmes royaux traditionnels de l'Inde. Ils utilisèrent également des symboles décoratifs hindous comme le lotus et la cloche. Lutyens justifia laconiquement ce syncrétisme en déclarant qu'il ne créait pas « *un costume de fantaisie, mais une tenue d'Anglais adapté au climat indien* ».

## Une réalisation coûteuse

La construction de New Delhi commença dans une atmosphère de foi totale en la pérennité du Raj britannique. La nouvelle capitale était conçue pour durer plusieurs siècles et surpasser les ruines les plus splendides de Delhi. 30 000 ouvriers et 3 500 tailleurs de pierre travaillèrent jour et nuit à sa construction. On achemina du grès rouge et blanc des carrières de Dholpur et de Bharatpur, du marbre vert, jaune, rose et blanc de Makrana, de Baroda et d'autres régions de l'Inde. On fabriqua 700 millions de briques. Afin de transporter tous ces matériaux et les tonnes de sable et de moellons, de terre et d'engrais destinés aux parcs et aux pelouses, on construisit une voie de chemin de fer de 24 km comportant 8 km de voies de garage. Cette ligne ferroviaire fonctionnait jour et nuit. Lorsque la construction fut terminée, le train avait convoyé 500 millions de tonnes de matériaux.

Le rythme des travaux ralentit brusquement au début de la Première Guerre mondiale. Afin de réduire les dépenses durant les années de guerre, Lutyens et Baker durent abandonner un certain nombre de projets grandioses. Parmi ces projets figuraient un amphithéâtre, sur la crête montagneuse du nord de Delhi, un centre culturel sur Queensway et un lac artificiel dans lequel se seraient reflétés les remparts rouges du fort de Purana Qila.

*A gauche, les colonnades de Connaught Place ; à droite, le mélange de styles de Rashtrapati Bhavan.*

Baker voulut que les bâtiments des Secrétariats soient au même niveau que la demeure du vice-roi, au sommet de Raisina Hill. A ses yeux, en effet, les vice-rois ne faisaient que passer tandis que le véritable pouvoir du Raj britannique s'exerçait dans ces bureaux. Pour réaliser ce projet, il fallait déplacer le palais de 1,2 km vers l'arrière de la colline. Lutyens accepta, sans deviner que ce changement dans ses plans était une bévue monumentale.

En effet, à mesure que l'on s'approche du palais en venant de Rajpath, le dôme disparaît peu à peu pour ne réapparaître que dans les derniers mètres. Lorsqu'on prit conscience de cette erreur architecturale, il était trop tard pour y remédier. Lutyens ne le pardonna jamais à Baker qui, dit-il amèrement, avait remporté là sa victoire de « Bakerloo ».

Tout en continuant à travailler ensemble, les deux hommes ne s'adressèrent pratiquement plus la parole. Aujourd'hui, cependant, peu de visiteurs remarquent cette erreur et la plupart de ceux qui s'en aperçoivent trouvent au contraire un charme mystérieux à la disparition et à la réapparition du dôme.

## L'amour des jardins

Les avenues de New Delhi ont été l'objet de soins particuliers. Elles furent tracées avant toute construction et régulièrement plantées d'arbres. Un paysagiste, William Mustoe, les aménagea en collaboration avec W. S. George. Mustoe choisit les arbres avec discernement, sélectionnant des essences locales vivaces, dont le feuillage épais ombragerait agréablement les rues. Il prit soin de les varier pour donner à chaque avenue son identité botanique. Akbar Road est plantée de tamariniers, arbres aux feuilles semblables à des plumes et dont les cosses acides sont un ingrédient courant de la cuisine indienne. Aurangzeb Road est bordée de *neem*, (margousier), dont les Indiens utilisent les rameaux comme brosse à dents et dont les feuilles fournissent un excellent insecticide. Des *jamun* aux délicieuses baies pourpres ombragent les pelouses de Rajpath. Au croisement de Janpath et

*La ville de Luytens, envahie par les constructions modernes.*

d'Aurangzeb Road s'élèvent de majestueux *arjun*. Au total, on planta près de 10 000 arbres et 112 km de haies.

## Un baptême fastueux

En février 1931, l'inauguration officielle de New Delhi marqua le début d'une série de festivités : banquets et garden-parties au palais du vice-roi et bals au Gymkhana Club, oasis favorite des sahibs et memsahibs, décrit par un visiteur français comme un « *croisement de gare londonienne et de hammam turc* ».

La célébration la plus spectaculaire fut la fête organisée au Fort-Rouge par les entrepreneurs qui avaient construit New Delhi. La foule assista à des feux d'artifice, à des spectacles de foire et au défilé des joueurs de cornemuse, des jongleurs, des acrobates et des ours savants. On présenta une splendide reconstitution historique de la vie sur Grand Trunk Road, la route qui traversait l'Inde de Lahore au Bengale, avec des processions de chameaux, d'éléphants, de palanquins, de *tonga* tirées par des chevaux, de pousse-pousse et de chars à bœufs. Au milieu des 50 000 spectateurs se tenaient les ouvriers qui avaient peiné durant près de deux décennies pour construire New Delhi. Beaucoup étaient nés et avaient grandi sur le site, rejoignant leurs aînés dès qu'ils étaient assez forts pour porter un chargement de briques.

Cependant, le souvenir d'un nouvel attentat assombrissait ces festivités. L'année précédente, on avait lancé une bombe sur le train du vice-roi, lord Irwin, qui venait s'installer dans son palais. Des personnalités indiennes comme Gandhi et Nehru déplorèrent la « prodigalité extravagante » et l'« ostentation vulgaire » de la nouvelle capitale dont la construction avait coûté près de 15 millions de livres sterling. Lutyens répondit à ces critiques que la cité entière « n'avait pas coûté plus que deux vaisseaux de guerre ».

Dans l'euphorie de ces célébrations, le Raj britannique semblait, comme l'affirma le prince de Galles, « solide, sûr et éternel » mais les plus perspicaces des invités savaient à quoi s'en tenir. Le romancier britannique Aldous Huxley

*Jeunes citadins.*

écrivit : « *Les querelles raciales, la haine réciproque entre les deux couleurs de peau, la soumission d'un peuple à un autre, tout cela se cache derrière les snobismes, les conventions et les mensonges. Les nuages sur fond desquels la Delhi impériale apparaît comme une brillante comédie sont noirs, immenses et menaçants.* »

Seize ans seulement après l'inauguration de New Delhi, le drapeau britannique était hissé pour la dernière fois au-dessus des bastions du Raj, mettant un terme définitif à l'épopée impériale en Inde.

## Un symbole de puissance

La meilleure façon de découvrir New Delhi est de commencer par **Rashtrapati Bhavan**, le palais du vice-roi, aujourd'hui résidence du président de la République. C'est le chef-d'œuvre de Lutyens, qui y réalisa la fusion du style classique occidental avec l'architecture indienne. Lutyens avait le don de combiner les dimensions monumentales avec la perfection du détail. Ainsi, il a utilisé pour les plus grands édifices de New Delhi le grès local rouge et crème, en écho aux couleurs de Shahjahanabad, la capitale moghole.

Dans la description qu'en fait l'historien Robert Irving, Rashtrapati Bhavan est, à la fois « *un bungalow géant, une forteresse rajpoute et un tombeau moghol, pourvus de tout le confort d'une maison de campagne anglaise* ». En dépit de cette ironie, l'édifice est d'une majesté indéniable. Long de 190 m, ce palais de 340 pièces s'ouvre sur une vaste cour intérieure de plus de 18 km$^2$. Contrairement à ce qui a été fait sous le Raj à Calcutta et à Bombay, il est résolument horizontal.

Son austérité est égayée par des détails témoignant de la fantaisie et de l'originalité de Lutyens. Les éléphants et les taureaux indiens en pierre sculptée voisinent ainsi allègrement avec les lions britanniques. Une merveilleuse fontaine représentant un cobra sinueux se détache sur la façade austère de la cour sud. Les colonnes classiques des portiques et des corridors sont surmontées de cloches,

*Jeunes cadres de Delhi.*

motif traditionnel de l'architecture indienne. Au second étage, le sol d'une salle de séjour est un échiquier géant rouge et blanc dont les cases ont la forme de cages à oiseaux.

Une large corniche fait le tour du bâtiment sur deux étages, projetant des ombres spectaculaires. Elle le protège de la chaleur, de l'intensité de la lumière solaire et des pluies de mousson torrentielles. L'énorme dôme, revêtu de cuivre, est entouré d'une balustrade en pierre qui évoque les stupas bouddhiques de Sanchi. Quatre fontaines en forme de soucoupes se reflètent sur sa surface métallique. Elles ne coulent plus depuis quelques années, car on les a jugées trop ostentatoires dans une ville souffrant de pénurie d'eau.

Au centre de la grande cour à l'avant du palais se dresse la **colonne de Jaipur**, offerte par le maharadjah de cette ville pour célébrer ses liens avec l'Empire. Les piliers commémoratifs sont traditionnels en Inde depuis des millénaires. Lutyens considérait également cette colonne de grès, de 44 m de haut, comme un symbole de victoire, un gigantesque drapeau planté dans un sol conquis. Ornée de feuilles de chêne typiquement anglaises, elle s'achève par un lotus indien en bronze surmonté d'une étoile de cristal. On voit sur une des faces du socle le premier plan de New Delhi et, sur une autre, une inscription rédigée par Lutyens :

*« En pensée, foi,*
*En parole, sagesse,*
*En action, courage*
*Dans la vie et le dévouement,*
*Puisse l'Inde être grande. »*

La **grille d'entrée** en fer forgé de Rashtrapati Bhavan, de 4 m de haut, est une autre manifestation de la créativité exubérante de Lutyens. Aussi décorative et aérienne qu'une dentelle, elle dégage en même temps une impression de solidité, avec ses pilastres, ses guérites de sentinelles et ses éléphants supportant des lampes et des urnes.

Sur un terrain de 100 ha à l'arrière du palais, Lutyens créa un autre chef-d'œuvre : des **jardins moghols** en terrasses sur trois niveaux, quadrillés de canaux où se reflètent les couleurs des

*École de stylistes influencée par l'Occident.*

fleurs et du ciel. Des jets d'eau jaillissent de fontaines en forme de feuilles de lotus et, au centre du terrain, une île de verdure s'étend sur 18 km2.

A l'autre extrémité des jardins, autour d'un bassin circulaire, le célèbre « jardin des papillons » de Lutyens rassemble les fleurs qui attirent ces coléoptères. A l'époque, les jardins moghols étaient entretenus par 418 hommes, dont 50 consacraient leur journée à chasser les oiseaux ; 2 000 hommes étaient employés au palais du vice-roi. Ces jardins sont ouverts au public en février et mars.

## Les Secrétariats de Baker

Bien qu'ils fussent en mauvais termes, Lutyens et Baker continuèrent à travailler ensemble. Vers 1930, les bâtiments massifs des Secrétariats, œuvre de Baker, longs de 400 m environ, s'élevèrent de chaque côté de Rashtrapati Bhavan. Ils abritent maintenant les ministères des Affaires étrangères et de l'Intérieur. Bâtis autour d'une cour intérieure à arcades, ils comprennent trois étages, reliés par des escaliers monumentaux et des kilomètres de couloirs.

Comme Lutyens, Baker a utilisé des motifs de l'architecture indienne : *chatri* ornementaux, porches moghols rentrants (*nashiman*) et *chajja* en saillie. Une profusion de motifs indiens, *jali* sculptés, éléphants et lotus, ornent les dômes.

Baker commanda les peintures murales de sept salles à des artistes indiens qui, à sa grande consternation, choisirent des thèmes allégoriques de la mythologie hindoue et de l'islam. Il fit graver à l'entrée des bâtiments cette maxime qu'il jugeait exaltante : « *La liberté ne descendra pas jusqu'aux peuples, c'est aux peuples de se hisser jusqu'à elle, car c'est une bénédiction que l'on doit gagner avant de la savourer.* » A une époque où les prisons de l'Inde britannique étaient remplies de combattants pour l'indépendance, le vice-roi lui-même considéra cette homélie comme une véritable provocation.

Dans les cours situées devant les Secrétariats, Baker fit ériger les **colonnes des Dominions**, représentant l'Australie,

*Tenues traditionnelles sur mannequins anciens.*

le Canada, l'Afrique du Sud et la Nouvelle-Zélande. Chaque colonne est surmontée d'un globe et d'un navire, symbole des océans unissant le vaste empire britannique, sur lequel, effectivement, le soleil ne se couchait jamais.

## Le Parlement

Au nord des Secrétariats, à l'angle de Parliament St. (Sansad Marg), se dresse le **Parlement** (Sansad Bhavan), l'autre grande œuvre de Baker. Après avoir décrété qu'il devait être circulaire et monumental, Lutyens laissa à Baker le soin de sa réalisation. Les fondations sont en pierre rouge, le premier étage est orné de 144 piliers en pierre crème et le second étage en plâtre, faute de fonds suffisants. Cet édifice de 174 m de diamètre est couronné d'un dôme central trop bas pour que l'on puisse l'apercevoir du sol.

Le bâtiment abrite trois salles semi-circulaires richement décorées de boiseries : le Parlement du peuple (*Lok Sabha*), dont les députés sont élus au suffrage universel, le conseil des États (*Rajya Sabba*), qui rassemble les représentants des États indiens, et la Chambre des princes, transformée en bibliothèque. Ces pièces sont décorées de bancs sculptés, de piliers et de *jali* en marbre coloré. Les écussons en émail doré des principautés indiennes ornent les murs.

La grande salle centrale, de forme circulaire, est surmontée d'un dôme de 28 m de haut. Elle servait pour les grandes occasions, par exemple lorsque le vice-roi parlait à la Chambre. C'est ici qu'un sonneur de clairon habillé d'un simple *khadi*, pièce de tissu en coton blanc tissé à la main remise à la mode par Gandhi, proclama l'indépendance de l'Inde en soufflant dans une conque, en 1947. La constitution a également été rédigée dans cette salle.

## Le long de Rajpath

Au pied de Raisina Hill s'étend la grande place de **Vijay Chowk**, vierge de tout ornement, à l'exception de six fontaines de grès rouge en forme d'obélisque. Elle était autrefois le théâtre des cérémonies

*Heure d'affluence sur Connaught Place.*

solennelles dont le Raj faisait ses délices. Après Vijay Chowk, **Rajpath** se prolonge sur plus de 2 km au milieu de canaux, de pelouses et d'arbres. Sur la gauche, à l'endroit où elle croise Janpath, Lutyens avait projeté de faire une bibliothèque nationale, un musée d'ethnologie, un institut oriental et un bureau des archives. En définitive, seul ce dernier fut réalisé : c'est un imposant édifice à colonnades. A droite, sur Janpath, s'élève le Musée national (voir p. 84).

La perspective majestueuse de Rajpath conduit à **India Gate**, le monument dédié aux 90 000 soldats britanniques et indiens de la légendaire armée des Indes morts pendant la Première Guerre mondiale. Sur cette arche en grès couleur crème de 42 m de haut sont gravés les noms des soldats portés disparus. Une flamme y brûle en permanence en hommage au Soldat inconnu.

On peut voir près d'India Gate les **palais**, également conçus par Lutyens, de deux des princes indiens les plus puissants de cette époque : le nabab de Hyderabad, qui était considéré comme l'un des hommes les plus riches du monde, et le maharadjah de Baroda. Leur plan est en forme de papillon, avec un dôme central flanqué de deux ailes symétriques. Comme Rashrapati Bhavan, ils représentent une élégante synthèse de styles : des colonnes classiques et des arches romaines rondes se combinent avec des *jali*, des *chatri* et des *chajja*. Malgré ses critiques acerbes, Lutyens emprunta aux architectes indiens certaines de leurs techniques de construction, dont il admirait l'ingéniosité. C'est ainsi que les dômes de ces deux palais et celui de Rashtrapati Bhavan ont été érigés sans aucun support temporaire. Dans la description qu'en donne Irving, les ouvriers travaillaient en musique. Une brique à la main, ils formaient un cercle autour de la base encore vide du dôme dont le bord était enduit de mortier frais. A un signal convenu, par exemple un battement de tambour, ils posaient tous ensemble leurs briques et le dôme s'élevait peu à peu, en strates successives.

**Hyderabad House** (au nord d'India Gate), qui possède également un jardin

*Femmes sikhs devant le temple de Bangla Sahib.*

moghol, a été restaurée dans son élégance ancienne ; on y donne des réceptions et des banquets officiels. En revanche, **Baroda House**, de l'autre côté de la place, reconvertie en siège des chemins de fer indiens, est malheureusement en assez mauvais état.

## Le dais impérial

Le roi George V mourut en 1936, cinq ans après l'inauguration de New Delhi. A cette occasion, Lutyens construisit son dernier monument impérial : au-delà d'India Gate, au point de rencontre de toutes les perspectives, un dais de pierre, le **Canopy**, s'encadre dans l'ouverture de l'arche. Lutyens y fit placer une statue en marbre du roi en costume impérial, avec sa couronne et un globe. Le dais est vide depuis l'Indépendance : un cadre aussi grandiose paraissait sans doute peu approprié à la statue d'un président.

Au-delà du monument, un grand stade, le National Stadium, a été construit en 1931 malgré les protestations furieuses de Lutyens qui soutenait qu'il gâchait la vue sur **Purana Qila**, but ultime de la perspective. Ce stade était une idée de la vice-reine de l'époque, lady Willingdon, dont le goût exécrable avait déjà exercé ses ravages sur Rashtrapati Bhavan. Elle avait imposé dans ses murs sa couleur favorite, le mauve, et enlaidi les jardins moghols en y faisant planter des cyprès.

## Connaught Place

D'India Gate, on peut remonter par Gandhi Marg vers **Connaught Place**, ainsi nommée en hommage à l'oncle du roi, le duc de Connaught. C'était le centre commerçant de la capitale impériale et le lien entre la vieille et la nouvelle Delhi. Ses trois cercles concentriques de magasins aux larges arcades à colonnades formaient un contraste marqué et délibéré avec les bazars encombrés de Chandni Chowk, dans le vieux Delhi. Désormais, les memsahibs ne seraient plus obligées de se frayer un chemin à travers les allées étroites des bazars, bousculées par des marchands ambulants et assaillies d'odeurs fortes. Dans les boutiques aérées

*Une boutique sur Janpath.*

et spacieuses de Connaught Place aux comptoirs en bois poli, elles pouvaient acheter du chintz dernier cri et de la marmelade écossaise. Les boutiques les plus élégantes portaient le label de «*fournisseur attitré du vice-roi*». Après leurs achats, les memsahibs se promenaient sous les arcades de la place et prenaient le thé chez Wenger ou Standard, où un orchestre de danse jouait tous les après-midi.

L'architecte de Connaught Place, Robert Russell, bien oublié aujourd'hui, a conçu la majeure partie des édifices civils de Delhi. L'**Eastern Court**, qui abrite aujourd'hui le bureau de poste central, et la **Western Court**, tous les deux sur Janpath, étaient à l'origine des hôtels destinés aux parlementaires. On doit également à Russell le National Stadium et, au sud de Rashtrapati Bhavan, la demeure du commandant en chef, **Teen Murti House**, devenue par la suite résidence du premier ministre indien Jawaharlal Nehru puis le musée Nehru (Teen Murti Marg). Russell a également conçu la plupart des bungalows, bureaux de poste, hôpitaux et commissariats de New Delhi.

Les Britanniques construisirent également des églises. Jugé trop extravagant, le projet de cathédrale anglicane de Lutyens ne fut pas retenu mais son disciple Henry Medd en fut chargé. Ce dernier est l'architecte de la cathédrale catholique romaine du Sacré-Cœur (Alexandra Place) et de la cathédrale anglicane de la Rédemption, une construction au style dépouillé, en pierre et en brique, voisine de Rashtrapati Bhavan.

## New Delhi aujourd'hui

Au fil des décennies, la frontière entre la vieille ville et la nouvelle ville s'est peu à peu estompée. La ville que Lutyens avait conçue pour 70 000 habitants en compte actuellement 9 millions. Connaught Place offre la couleur et l'animation d'un bazar et ses arcades débordent de vendeurs étalant leurs marchandises à même le trottoir. Les livres d'occasion et les billets de loterie côtoient les faux Lacoste et les aphrodisiaques à l'huile de lézard.

Lors des sessions du Parlement, Rajpath est bondée de manifestants brandissant leurs banderoles. Pendant les soirées fraîches et les journées ensoleillées d'hiver, India Gate est le lieu de rendez-vous des foules qui viennent acheter des ballons et des jouets et savourer des glaces et des *chana chor garam* épicés.

Sur les grandes avenues de New Delhi se dressent des hôtels et des immeubles de bureaux dont certains témoignent que le ministère des Travaux publics ne s'est pas toujours inspiré avec bonheur du style de Lutyens. Les hautes tours des hôtels comme le Taj Mahal et le Méridien surgissent, incongrues, au-dessus de charmants bungalows blanchis à la chaux.

Chaque année, à la fin janvier, le Raj britannique connaît une brève résurrection pour la cérémonie de la sonnerie de la retraite à Vijay Chowk : des joueurs de cornemuse tourbillonnent en formations complexes et les cavaliers défilent devant les hauts murs des Secrétariats. Au moment où le soleil disparaît derrière Raisina Hill, un joueur de clairon solitaire fait résonner sur les remparts les échos du Last Post, chant funèbre d'un empire.

*Charmeur de serpent avec sa mangouste.*

# CONNAUGHT PLACE

Malgré l'apparition de nouveaux quartiers commerçants, **Connaught Place** demeure l'endroit idéal pour faire du shopping. Les magasins s'ordonnent le long de trois cercles concentriques (Connaught Circus), coupés par des rues radiales, numérotées de 1 à 8 dans le sens des aiguilles d'une montre. Celles-ci délimitent des blocs d'immeubles, dont chacun forme un quartier. Ces blocs sont définis par une lettre : le cercle intérieur va de A à F et le cercle extérieur de G à N.

L'**hôtel Imperial**, de pur style Raj, sur Janpath, est un bon point de départ pour cette visite. Le contraste est saisissant entre ce havre de paix et le tourbillon de couleurs et d'animation dans lequel on est plongé dès qu'on en sort. Le **marché tibétain** expose un bric-à-brac de bijoux sertis de turquoises et de corail, de rouleaux de prières (*thangka*), de chapelets, etc. Plus loin, des femmes des tribus de l'Ouest proposent leurs marchandises étalées à même les trottoirs : housses de coussins et de couettes en brocart aux teintes passées, délicates broderies, tissus sertis de petits miroirs et tentures en tissu peint (*pichwai*). Les deux meilleurs magasins de bijoux anciens, **Shantivijay** et **Kanji Mull**, sont sur Janpath. Ils pratiquent des prix élevés mais proposent de très beaux articles. Entre les deux, la salle d'exposition de l'orfèvre **Zhaveri** est très fréquentée par la haute société de Delhi.

En face se trouve le **Central Cottages Industries Emporium**, l'endroit idéal pour faire des achats de dernière minute. Ce magasin d'État vend des articles de qualité à des prix fixes et raisonnables : linge de maison, tissus, tapis, bijoux, bibelots et objets anciens (voir la rubrique Shopping dans les Informations pratiques).

Avant d'arriver sur Connaught Place, en tournant à gauche dans la rue circulaire, on découvre des rangées d'étalages sur le trottoir, où s'empilent des vêtements en coton dernier cri, provenant la plupart du temps de surplus d'exportation.

On peut emprunter ensuite Parliament Street (**Sansad Marg**), où le magasin **The Shop** vend linge de table, couvre-lit, tapis en coton et un large éventail de produits d'artisanat, le tout à des prix raisonnables. Juste à côté, **Kwality Restaurant** propose une honnête cuisine du nord de l'Inde.

A l'angle de Sansad Marg et de la rue circulaire, près du **cinéma Regal**, deux autres restaurants méritent une visite. Dans une ambiance pleine de charme, **El Arab**, spécialisé dans la cuisine du Moyen-Orient, propose notamment un buffet de midi d'un excellent rapport qualité-prix. **Degchi** fait une cuisine indienne familiale subtilement épicée.

Au coin de la rue circulaire et de Baba Kharak Singh Marg, la rue parallèle à Sansad Marg, **Khadi Gramodyog Bhavan** est spécialisé dans les *khadi*, pièces de coton tissées main devenues depuis Gandhi le véritable emblème de l'Inde. Beaucoup d'hommes politiques indiens le portent encore. On peut y trouver également de nombreux produits de villages indiens : soie sauvage, tweed du Cachemire, sandales en cuir et épices.

En tournant à gauche dans Baba Kharak Singh Margh, on ira visiter les **State Emporia**, chaîne de grands magasins d'État qui vendent des produits d'artisanat de toutes les régions de l'Inde. Chaque magasin est spécialisé.

Le mardi se tient un marché, **Mangal Bazaar**, de l'autre côté de la rue, devant le **temple de Hanuman**. Son animation

*Dessins au henné, Mangal Bazaar.*

évoque une foire de village, avec ses étalages de bibelots en verre et en laque, de jouets populaires et d'objets utilitaires. On peut se faire décorer les mains de motifs compliqués au henné. Attention : les pickpockets y abondent.

Si on reprend la circulaire vers la droite, on débouche dans **Palika Bazaar**, entre Sandar Marg et Janpath. Deux magasins sont particulièrement intéressants : **Lal Behari Tandon**, au n° 20, pour son linge de table et ses *kurta* brodés de Lucknow ; **Jewel Mine**, au n° 12A, est spécialisé dans les bijoux traditionnels en argent.

A l'est de Palika Bazar, dans le bloc N, un autre magasin de luxe, **Bhanaras House**, vend certaines des plus belles pièces de soie et de brocart de Delhi. Les amateurs de disques et de cassettes de musique indienne iront à **Berco's**, au bloc E, en remontant vers Connaught Place. Ce magasin possède également un restaurant chinois dont la soupe *talu mien* constitue un repas à elle seule.

Tout ce quartier abonde en restaurants de toutes catégories. Dans le même bloc, le **Coffee Shop House**, avec sa décoration des plus originales, est un lieu très animé dont l'ambiance reste néanmoins détendue.

On peut aussi goûter la cuisine populaire dans les petits restaurants (*dhaba*). L'hôtel **Kake Da,** dans le bloc L, propose, entre autres spécialités, un butter chicken très épicé. **Nirula's** est peut-être le restaurant le plus fréquenté de Connaught Place. C'est un pionnier du fast-food et ses hamburgers, ses pizzas et ses glaces attirent autant d'amateurs que ses *samosa*, beignets de forme triangulaire bien épicés. Au-dessus du glacier voisin, le restaurant le **Pot-Pourri** propose d'excellentes salades, des steaks et des tartes chaudes.

Dans le bloc B, de l'autre côté de Connaught Place, deux bonnes librairies : **The Bookworm**, spécialisée dans la vente de journaux, et **Galgotia**. En s'éloignant de la place le long de Panchkuin Road, on peut aller à **Karol Bagh**, où se tient l'un des marchés les plus animés de Delhi, à 2 km à l'ouest de Connaught Place.

Pour le soir, si on reste dans le quartier, le restaurant de l'hôtel Ashok, le **Coconut Grove**, est l'un des rares établissements de Delhi qui propose une authentique cuisine du Kerala et de l'Andhra Pradesh. Sa spécialité est un ragoût mijoté dans du lait de coco et accompagné de galettes de riz cuites à la vapeur (*appam*).

*Vitrine d'un bijoutier.*

# MUSÉES ET GALERIES

Delhi a longtemps donné une image de ville bureaucratique, sans aucune tradition propre. Lorsque les Britanniques ont construit New Delhi, ils n'ont pas jugé utile d'y prévoir un musée. Mais, au cours des dernières décennies, elle a été le théâtre d'une renaissance culturelle, en particulier dans les arts de la scène et les arts plastiques. Les musées, notamment les musées de peinture, et les galeries d'art y ont poussé comme des champignons. Aujourd'hui, Delhi possède une vingtaine de musées et de nombreuses galeries d'art qui donnent un excellent aperçu de la diversité de la culture indienne classique et contemporaine.

## Le Musée national

Sur Janpath, le **Musée national**, le plus moderne du pays, possède une collection extraordinaire et continuellement enrichie, représentant un panorama complet de l'histoire de l'art en Inde, de la préhistoire à la période classique (XVIIe siècle). Les sculptures, les bronzes, les terres cuites et les miniatures sont les fleurons de cette collection.

Dans le hall d'entrée, une **Yakshi**, nymphe de la mythologie bouddhique, donne une idée de la sensualité de la statuaire maurya (IIIe siècle av. J.-C.). La première salle à gauche est consacrée à la **préhistoire** et à la **protohistoire**. Elle retrace l'évolution de l'homme en Inde du Ve au IIe millénaire av. J.-C. Cette dernière période vit l'apogée de la grande civilisation de la vallée de l'Indus, à Mohenjodaro et à Harappa, sites qui se trouvent maintenant au Pakistan. Les découvertes archéologiques ont révélé que cette société remarquablement avancée entretenait des liens avec d'autres civilisations du Proche-Orient, comme celle de Sumer.

Parmi les pièces les plus intéressantes figurent de beaux jouets sculptés, des céramiques, des bijoux, des figurines en terre cuite ou en pierre représentant la déesse mère, ainsi que des sceaux dont on n'a pas encore réussi à déchiffrer les inscriptions.

Les salles suivantes renferment les plus beaux spécimens de sculpture indienne. La première est consacrée à l'art sous les dynasties Maurya et Sunga (IIIe-IIe siècle avant J.-C.). Le grand empereur maurya Ashoka est célèbre pour ses colonnes monumentales, surmontées de chapiteaux aux formes animales. Ashoka, converti au bouddhisme, fit graver sur ces colonnes des édits incitant à la diffusion de cette philosophie. La copie en bronze de l'une d'elles se dresse dans le jardin du musée.

Les grandes écoles de sculpture du Ier au IIIe siècle sont représentées dans la salle suivante. Les pièces les plus remarquables comprennent un **Bodhisattva** (Bouddha qui retarde son *nirvana*) en grès rouge, un **lingam** (symbole phallique bouddhique) provenant de Mathura et des têtes du Bouddha dans le style gréco-indien de Gandhara, région du nord de l'Inde conquise au IIIe siècle av. J.-C. par Alexandre le Grand. De superbes stèles et frises (IIe-IVe siècle) représentent des scènes de la vie du Bouddha. Certaines sont des fragments des célèbres stupas de Sanchi.

*Le musée national d'Art moderne, dans l'ancienne Jaipur House.*

Plusieurs salles sont consacrées à l'art de la **dynastie Gupta**, qui régna du IVe au VIe siècle. Les magnifiques sculptures de cette période, représentant souvent le dieu Shiva, allient des dimensions gigantesques à une grande délicatesse de style.

Les salles suivantes retracent la **période médiévale** (VIe-XIIe siècle). On y admirera en particulier les linteaux sculptés du grand royaume de Hampi, situé dans le sud de l'Inde, les sculptures pallava de Mahabalipuram, du VIIe siècle, et les effigies de pierre des dynasties Pala et Sena, qui régnèrent dans l'est de l'Inde aux XIe et XIIe siècles.

Deux salles plus spécialisées ont été récemment ouvertes au rez-de-chaussée. La **dynastie Chola** (Xe-XIIe siècle) s'illustra par la beauté de ses bronzes, sculptés selon la technique de la cire perdue. Les statues qui représentent Shiva dansant pour créer le monde sont remarquablement gracieuses.

Ouverte en 1990, la **salle d'Art bouddhique** possède les plus précieuses des reliques du Bouddha, exhumées en 1972 à Piprahwa, dans l'Uttar Pradesh. On peut y voir des sculptures du Bouddha, en particulier une tête de style gandhara dont la beauté sobre évoque les représentations d'Apollon, de gracieux bas-reliefs de facture classique représentant la vie du Bouddha à Sarnath, et deux têtes en stuc très originales venant d'Asie centrale.

Les **antiquités d'Asie centrale**, regroupées dans deux salles du premier étage, attirent les historiens du monde entier. Elles sont le fruit de deux expéditions organisées par sir Aurel Stein entre 1900 et 1916 le long de l'ancienne **Route de la soie** qui reliait l'Occident à la Chine par le nord des Himalayas. Durant plusieurs siècles, cette voie a été un lieu de rencontres unique de peuples, de cultures, d'arts et de religions. On admirera notamment des sculptures, des offrandes funéraires, des pièces de monnaie, des soieries, des céramiques et des peintures murales, du IIIe au XIIe siècle.

Les grandes peintures murales, peut-être les pièces les plus remarquables de cette collection, sont au **musée de l'Institut d'archéologie**, dans un bâtiment voisin du Musée national.

*Exposition triennale de Trade Fair.*

## La galerie de la peinture indienne

A gauche du Musée national, la galerie de l'Histoire de la peinture indienne possède la plus riche collection de **miniatures** au monde. Cet art fut introduit en Inde par des artistes persans qui travaillèrent à la cour des empereurs moghols. Sous l'impulsion de Humayun puis d'Akbar, des écoles locales se sont développées dans le Bihar, le Gujarat et le Rajasthan, à partir du XVIe siècle. Les artistes indiens y ont apporté leur génie propre : vivacité des couleurs, liberté d'expression et introduction de thèmes hindous, comme les épisodes de la vie de Krishna. Remarquables par la richesse incroyable des détails, la finesse du style et l'éclat des tons, les miniatures illustrent les sujets les plus variés : animaux et plantes, épisodes de mythes, paysages, scènes de cour et portraits.

Le musée expose aussi des **œuvres de la Company School**, une école des XVIIIe-XIXe siècles dont les artistes choisissaient des sujets susceptibles de plaire aux Européens. On admirera également les peintures de Tanjore, richement décorées, et la beauté des œuvres sur verre, d'une merveilleuse transparence.

Un département des **manuscrits** retrace l'histoire du livre en Inde. Certains des manuscrits sur parchemin et sur feuilles de palmier séchées sont enluminés. On remarquera en particulier une collection de corans à la calligraphie et aux enluminures raffinées.

Au second étage, les **salles d'Anthropologie** abritent une remarquable collection d'art tribal des régions du nord-est, de l'est et du centre de l'Inde. Elle comprend des costumes, des bijoux, des sculptures sur bois, des textiles et des objets utilitaires ainsi que des photographies qui donnent un aperçu de l'extraordinaire variété des peuples indiens. On peut voir aussi des armes de bataille et de cérémonie, dont certaines sont de véritables objets d'art, sertis de pierres précieuses, d'ivoire et d'or.

La **salle des Arts décoratifs** regroupe les textiles les plus divers : châles en fine laine brodée du Cachemire, mousselines, saris richement brodés et costumes de cour. Cette salle abrite également de beaux jades moghols, des lampes rituelles en métal, des pièces de monnaie anciennes et des échantillons de calligraphie décorative.

Don d'un marchand d'art indien installé à New York, Nasli Heeramaneck, une collection exceptionnelle d'**art précolombien** comprend des terres cuites mayas, des objets d'art incas en métal et en bois et des œuvres de tribus indiennes d'Amérique du Nord.

## Le musée national d'Art moderne

Au sud d'India Gate, **Jaipur House**, une magnifique demeure conçue par Lutyens pour le maharadjah de Jaipur, est devenue un musée consacré à l'évolution de l'art indien depuis le début du XIXe siècle. Il abrite une belle collection de peintures de la **Company School** et d'artistes indiens et britanniques du début du XXe siècle. Les huiles, aquarelles et gravures de paysages et de monuments indiens de **Thomas Daniells** et de **Tilly Kettle** sont très représentatifs de cette période.

On y découvrira également les œuvres de **Raja Ravi Varma**, le peintre indien le

*Divinité en terre cuite, musée de l'Artisanat.*

plus en vogue à la fin du XIXe siècle. Il a voyagé dans plusieurs États de l'Inde et peint des portraits compassés dans le style victorien et des scènes de la mythologie hindoue, peuplées de femmes à l'allure éthérée. Reproduits à plusieurs milliers d'exemplaires, ses tableaux trônaient dans toutes les maisons de la moyenne bourgeoisie indienne. Son influence sur l'iconographie se fait toujours sentir dans les illustrations des calendriers religieux et les affiches.

Le musée possède aussi de nombreuses œuvres de quatre peintres de l'école bengalie : **Rabindranath Tagore**, dont le prix Nobel de littérature éclipsa longtemps le talent pictural original, **Jamini Roy** et **Nanadadal Bose**, qui s'inspirent de l'art populaire, et **Amrita Sher Gil**, dont les toiles vivantes et passionnées ont saisi sur le vif des scènes de la vie quotidienne.

## Le musée du Rail

Les passionnés de trains et les voyageurs accompagnés d'enfants ne doivent pas manquer de visiter le **musée du Rail**, dans l'enclave diplomatique de Chanakyapuri. La **Fairy Queen**, la plus vieille locomotive du monde encore en état de marche (1855), est le clou de la collection qui comprend également une vingtaine de locomotives et véhicules anciens exposés dans une immense cour. Le wagon-salon du prince de Galles (1876), le wagon-restaurant blanc et or du vice-roi (1889) et le wagon-salon du maharadjah de Mysore figurent parmi les pièces les plus remarquables. L'équipement d'origine, demeuré intact, évoque une époque révolue de voyages luxueux.

La locomotive fin de siècle du Nizam de Hyderabad a été coupée transversalement pour exposer son moteur. Les pièces les plus insolites de la collection sont un fourgon à bestiaux équipé d'ombrelles, conçu pour transporter deux cents moutons, et une locomotive à vapeur monorail, dont une roue reposait sur un rail et l'autre sur la route.

Les enfants pourront se promener dans la cour à bord d'un train miniature. Les salles du musée abritent aussi des

*Fragment de sculpture bouddhique, Musée national.*

modèles de trains de la compagnie ferroviaire indienne, un équipement de wagons anciens, des meubles en teck, d'anciennes horloges de gare ainsi que le matériel de signalisation le plus moderne.

## Le musée Gandhi (Birla House)

**Birla House** (Teen January Marg), non loin du jardin des Lodis, appartenait à la richissime famille Birla, qui a souvent hébergé le Mahatma à la fin de sa vie.

Gandhi, né dans le Gujarat en 1869, appartenait à la troisième caste, les *vaishiya* (commerçants). Il a fait ses études de droit en Angleterre puis a exercé son métier en Afrique du Sud pendant 25 ans. De retour en Inde, il consacra le reste de sa vie à défendre la cause de la non-violence et de la tolérance religieuse. Il devint un *rishi*, un sage qui s'était voué à la prière, à l'abstinence, mais aussi à la libération de l'Inde, en prêchant la désobéissance civile et le boycott des produits britanniques. Churchill l'appelait avec mépris « ce fakir à demi nu », et son attitude courageuse devant la répression le conduisit plusieurs fois en prison. C'est là qu'il entama ses fameuses grèves de la faim qui le rendirent célèbre dans le monde entier. Il prit aussi la défense des intouchables, la caste la plus méprisée, qu'il appelait *harijan* (enfants de Dieu). Mais lorsque l'indépendance approcha, ses disciples du Parti du congrès s'éloignèrent de celui qui avait tant œuvré pour cette cause car Gandhi était farouchement opposé à toute concession et particulièrement à la partition de l'Inde. Quand des émeutes éclatèrent à Calcutta puis à Delhi contre les musulmans qui étaient restés en Inde, Gandhi commença une ultime grève de la faim pour obliger ses frères hindous à se montrer tolérants. Il fut entendu, mais pas par tous, et un jeune brahmane fanatique l'assassina dans le jardin de Birla House, le 30 janvier 1948, à l'heure où Gandhi organisait chaque soir une prière en commun, au milieu d'une foule fervente.

Le musée expose peu d'objets car Gandhi refusait toute possession : un matelas, une paire de lunettes usées, des sandales de bois, un bâton, un *khadi* et un

*Exposition à Triveni Gallery.*

rouet. L'effet n'en est que plus impressionnant. On y voit de nombreuses photographies, une bibliothèque contenant les œuvres de Gandhi et les livres qui lui sont consacrés, ainsi que des peintures représentant les épisodes de sa vie. Mais l'aspect le plus émouvant de cette visite est la présence constante d'une foule recueillie, venue de toutes les régions de l'Inde, qui dépose en silence des guirlandes de fleurs à l'endroit où Gandhi fut assassiné.

## Le musée Nehru

**Teen Murti House**, au coin de Willingdon Crescent et de Teen Murti Marg, était autrefois la demeure du premier Premier ministre de l'Inde, Jawaharlal Nehru, qui y vécut seize ans, jusqu'à sa mort, en 1964. Nehru, issu d'une famille brahmane du Cachemire, avait fait ses études de droit à Harrow, il appréciait la culture britannique et le rationalisme et se méfiait de la religion.

La résidence, construite par Russell pour le commandant en chef, second personnage officiel de l'empire, est un bel exemple de style anglo-indien. Cette demeure de seize pièces, entourée de pelouses, d'arbustes et de jardins de roses, a conservé tout son cachet. Les pièces sont restées telles que Nehru les a laissées. Austères mais élégantes comme il l'était lui-même, elles sont remplies de livres visiblement lus et relus et de coupes pleines de roses : il en mettait chaque jour une à sa boutonnière.

*Bronze de la période chola, Musée national.*

Le **musée** présente une exposition de photographies de l'époque, qui constituent une bonne introduction à l'histoire du mouvement indépendantiste. La **bibliothèque** voisine possède la meilleure collection de journaux, de livres et de microfilms sur l'histoire de l'Inde moderne. Un **spectacle de son et lumière** a lieu tous les soirs dans les jardins.

## Le musée du Tibet

Petit mais fascinant, le **musée du Tibet**, sur Lodi Road, présente les arts et les traditions artisanales de ce pays, mélange unique d'influences chinoise, indienne et népalaise avec les styles autochtones. Ce musée possède une très belle collection de **thangka** anciens (XVe-XVIIIe siècle). Les moines tibétains écrivent des prières sur ces tissus, qu'ils accrochent à des mâts autour des monastères afin que le vent qui les agite emporte les prières aux quatre coins du monde. Les *thangka* de ce musée proviennent de toutes les régions du Tibet. Ils ont été apportés en Inde au moment de la fuite du dalaï-lama, en 1950, pendant l'invasion du Tibet par les Chinois.

La collection de bijoux comprend des boucles d'oreilles, des ceintures, des bourses, des médaillons et des parures de cheveux en argent garnies de turquoises et de corail. La bibliothèque de l'étage supérieur contient des manuscrits rares. Au rez-de-chaussée, un magasin vend des objets anciens et de bonnes copies de certains des bijoux et objets rituels exposés, des étoffes tissées main et des herbes médicinales.

## Le musée d'Art quotidien

La résidence d'O. P. Jain, sur Palam Marg, abrite tous les objets rassemblés par ce collectionneur infatigable qui a parcouru de nombreux villages et villes d'Inde pour créer le **musée d'Art quotidien** (Sanskriti Museum of Everyday Art). Cette admirable collection privée comprend des peintures et des statues trouvées sur des autels familiaux, de grandes jarres à huile en céramique, des peignes décoratifs, des miroirs, des objets de toilette et des ustensiles de cuisine traditionnels. Chaque objet est un alliage raffiné de beauté et d'utilité.

## Le musée de l'Aviation

Ce musée possède une merveilleuse collection d'avions anciens, parmi lesquels un hélicoptère Sikorski, un avion japonais Ohka (celui qu'utilisaient les kamikazes) et un Wapiti, le premier avion qui survola Khyber Pass en 1929. On y verra également des Spitfires et des Hurricanes britanniques ainsi que d'autres avions datant de la Deuxième Guerre mondiale, comme les Liberators, dont beaucoup ont été abandonnés en Inde par les Américains après la guerre.

## Le musée d'Histoire naturelle

Les écoliers apprécient particulièrement ce musée pour ses expositions sur la nature et sa « salle des découvertes », où ils peuvent observer et manier des spécimens rares, voir des animaux vivants et faire du modelage et de la peinture. Devenu depuis peu un centre important d'éducation sur l'environnement, le musée organise des séances quotidiennes de projections sur l'écologie et des conférences sur la faune, la flore et la protection de l'environnement.

La documentation audiovisuelle sur l'évolution de la vie constitue une bonne introduction à l'exposition qui comprend un aquarium, des fossiles, un œuf et une collection d'oiseaux empaillés, ainsi qu'un incubateur permettant d'observer les naissances d'oiseaux.

## Les galeries d'art

Depuis 1992, le développement considérable du marché de l'art à Delhi a suscité une floraison de galeries. Les artistes

*Locomotive ancienne, musée du Rail.*

indiens contemporains sont encouragés et reconnus comme ils ne l'avaient jamais été auparavant. Les galeries d'art exposent des œuvres créées avec les matériaux les plus divers, dans les styles les plus variés, de l'avant-garde aux œuvres inspirées directement de la tradition et de l'art populaire et tribal. L'exploration de la vie artistique de Delhi peut commencer à **Garhi**, un complexe d'ateliers d'artistes mis en place par l'académie des Beaux-Arts.

Situé dans East of Kailash, un quartier du Sud, Garhi est un havre de paix au cœur de l'agitation urbaine. Entourés de murailles de style moghol tardif, des pavillons à arcades et des étables reconverties en ateliers se dressent au milieu d'un jardin spacieux ombragé d'arbres centenaires. Garhi se compose de quatre grands ateliers communautaires consacrés à la peinture, l'impression, la sculpture et la poterie, et de dix ateliers individuels réservés aux artistes plus âgés. On peut acheter directement les œuvres aux artistes, à des prix beaucoup moins élevés que dans les galeries d'art.

*Pause-déjeuner, atelier d'art graphique de Garhi.*

**Art Heritage**, à Triveni Kala Sangam, le centre artistique de Delhi, est sans doute l'une des galeries les plus prospères de la ville. Elle expose chaque année les œuvres d'artistes venus de toutes les régions de l'Inde et organise des rétrospectives sur les peintres les plus connus, dont elle présente également les derniers travaux.

De là, on peut facilement se rendre à pied à trois autres galeries intéressantes : **Shridarani Gallery**, **LTG** et **Lalit Kala Gallery**.

**Dhoomi Mal Art Centre**, sur Connaught Place, l'une des galeries d'art les plus anciennes de Delhi, expose les œuvres de nombreux peintres et sculpteurs reconnus. Tout près, le nouveau **Centre for Contemporary Art** a déjà organisé plusieurs expositions couronnées de succès.

L'une des galeries les plus dynamiques de Delhi, la **CMC Gallery**, organise des concours à travers toute l'Inde et expose les meilleures œuvres qui en résultent.

Le marché de **Sundar Nagar**, célèbre pour ses magasins d'antiquités, est aussi un endroit passionnant pour les amateurs d'art. **Kumar Gallery** est l'un des rares endroits à Delhi qui exposent des œuvres d'art tribal. On peut y admirer, entre autres, des chapelets et des masques en bois du Nagaland, des statues d'animaux et de dieux en bronze, des objets en corne sculptée et des jouets de l'Inde centrale.

Hauz Khas Village, le nouveau quartier en vogue (voir p.142), possède deux excellentes galeries. **Village Gallery** fait un effort particulier pour exposer des peintres marquants de Calcutta et de Bombay, dont on voit rarement les œuvres à Delhi. Plus éclectique, **Indar Pashricha** peut aussi bien exposer des paysages de peintres contemporains que des gravures du XIXe siècle ou des étoffes rares.

Parmi les autres galeries d'art, on peut citer également Studio One, Habiart Gallery, Galerie Ganesha, All India Fine Arts and Crafts Society et Gallery Aurobindo. Dans le jardin des Lodis, l'**India International Centre**, qui n'est pas une galerie d'art à proprement parler, organise souvent de petites expositions de qualité. Enfin, tous les grands hôtels ont une galerie d'exposition.

# LA VIE CULTURELLE

A l'époque du sultanat et sous le règne des empereurs moghols, la cour florissante de Delhi attirait les peintres, les musiciens, les danseurs et les artisans les plus prestigieux de l'Inde. Avec l'indépendance, les États princiers et les grandes propriétés foncières disparurent, mais les artistes trouvèrent de nouveaux protecteurs à Delhi : hommes politiques, institutions culturelles, industriels et diplomates. Les meilleurs spectacles de danse, musique et théâtre, classiques et populaires, y sont présentés.

Les journaux de Delhi informent régulièrement leurs lecteurs sur le programme de la semaine. L'*Indian Express* du samedi et le *Times of India* du vendredi présentent une liste exhaustive des événements culturels.

Le quartier culturel de Delhi est concentré dans le centre-ville, entre Barakhamba Road et Firozeshah Road. Les événements majeurs ont pour cadre les auditoriums Kamani et FICCI, et le Shri Ram Centre. Dans le voisinage, on pourra flâner dans les galeries d'art de Triveni Kala Sangam. L'académie culturelle Rabindra Bhavan organise des expositions et des festivals de danse, de théâtre et de musique.

Dans les théâtres, les œuvres de Molière et de Brecht traduites en hindi côtoient les meilleures pièces indiennes contemporaines et le théâtre populaire. Les spectacles de marionnettes du Karnataka et du Rajasthan, en particulier, sont un enchantement.

La capitale accueille régulièrement les grands danseurs classiques. Arlamel Valli, Leela Samson et Swapna Sundari dansent le *bharata natyam*, une danse du sud de l'Inde qui raconte la vie du dieu Krishna. L'*odissi* et le *kuchipudi*, des variations sur cette danse, sont interprétés par Sonal Mansingh, Madhavi Mudgal et Sanjukta Panigrahi pour l'*odissi*, Raja et Radha Reddy pour le *kuchipudi*. Pour voir des *manipuri*, danses populaires de Manipur, au nord-est de l'Inde, on choisira de préférence les spectacles de Singhajit et Charu Singh. Birju Maharaj et Saswati Sen s'illustrent dans le *kathak*, une danse du Nord marquée par les influences perse et musulmane. Ses thèmes et ses costumes s'inspirent des miniatures mogholes. La bonne société de Delhi afflue en foule à ces soirées.

Le centre culturel de **Pragati Maidan** accueille les jeunes danseurs les plus prometteurs mais se consacre aussi au cinéma d'art et d'essai et au théâtre.

## Les festivals

Delhi est particulièrement animée pendant la période des festivals. Les plus importants sont ceux de musique classique de **Shankarlal**, de **Tansen** et de **Dhrupad**, qui se déroulent en février et en mars, et le festival de **Vishnu Digamber**, célébré en août. Les plus grands musiciens indiens, représentants des différentes écoles (*gharana*), se produisent dans une ambiance exaltée. Les concerts commencent tard dans la soirée et se prolongent une partie de la nuit, à mesure que les musiciens s'échauffent et que l'auditoire cède à l'envoûtement de la musique. L'**Indian Council for Cultural**

*Concert de musique indienne.*

**Relations** (ICCR) organise régulièrement des concerts et des spectacles de danse.

La danse est également à l'honneur dans de nombreux festivals, qui se déroulent dans tout le pays. En août, le **festival de Janamashtami** célèbre la naissance du dieu Krishna par des ballets retraçant les épisodes de sa vie. La fête bat son plein en octobre lors du **festival de Dussehra**. Inspiré de la grande épopée hindoue du *Ramayana*, le ballet de *Ras Lila* ressuscite la lutte du dieu Rama contre le démon Ravana, dans les jardins de Firoze Shah Kotla. En novembre, **Diwali**, le festival des Lumières, donne lieu à une fête féerique, Diwali Mera, dans les jardins moghols de Talkatora.

**Surajkund Crafts Mela**, le Festival de l'artisanat indien, est un autre événement majeur. Il se déroule en février à Surajkund, dans les ruines d'un temple du Xe siècle, à la périphérie de Delhi. Des artisans venus de toutes les régions s'y réunissent pendant un mois pour fabriquer et vendre leurs œuvres.

Un **Festival international du Cinéma** a lieu tous les deux ans à Delhi. Les centres culturels des ambassades étrangères organisent régulièrement des projections et des expositions.

L'époque britannique revit entre décembre et février, à l'occasion des matchs de polo, des fêtes des Fleurs (la plus belle a lieu à Purana Qila) et d'un rallye d'automobiles anciennes. Mais la fête qui attire le plus de monde est le **Jour de la République** (26 janvier), qui commémore la naissance de l'Union indienne. Des centaines de milliers de personnes affluent sur les pelouses d'India Gate pour assister aux défilés militaires. Soldats, tanks, chameaux et régiments de cavalerie, fanfares de cuivres et danses folkloriques, écoliers et anciens combattants médaillés défilent sur l'ancienne allée impériale.

Le 15 août, l'Inde fête son indépendance. La cérémonie est particulièrement spectaculaire à Delhi. Le palais de Rashtrapati Bhavan, devant lequel le vice-roi remit les pouvoirs au président Jawarlal Nehru, est illuminé. Dans la soirée, le premier ministre prononce un discours depuis les remparts du Fort-Rouge.

*Étudiante de l'École nationale d'art dramatique.*

DELHI MUSICAL STORES

# OLD DELHI

Sur les cartes de la capitale, Shahjahanabad porte le nom de **Old Delhi** (vieux Delhi). Les habitants y incluent implicitement le marché de Sadar Bazaar qui est, en réalité, à l'extérieur des fortifications.

Fondée au XVIIe siècle, Shahjahanabad est l'œuvre de l'empereur moghol Shah Jahan. Il abandonna sa capitale, Agra, après la mort de sa femme bien-aimée, pour laquelle il avait bâti le Taj Mahal, et décida de s'installer à Delhi dont le climat était plus clément. Il y fit élever en 1638 un palais fortifié, le Fort-Rouge, qui renfermait ses appartements et ses salles d'audience. Pour loger soldats et artisans, il y adjoignit ensuite une ville qui devint rapidement florissante. En 1650 commençait la construction de la mosquée, Jama Masjid, sur une petite colline au sud-ouest du fort.

Shah Jahan transféra sa capitale au milieu d'une pompe extraordinaire, amenant avec lui toute sa cour et ses trésors, parmi lesquels figurait le fameux trône du paon. Il profita peu de sa nouvelle ville : son fils Aurangzeb le fit emprisonner dans le fort d'Agra et prit le pouvoir en 1658.

Shah Jahan avait conçu le plan de sa ville autour de deux axes : une avenue est-ouest, Chandni Chowk, qui part du Fort-Rouge, et une autre artère nord-sud, Faiz Bazaar (Netaji Subhash Marg). Shahjahanabad était protégée par des remparts percés de 14 portes. Les voyageurs et les caravanes venant de l'ouest pénétraient dans la ville par la porte occidentale, Lahori Gate. Ceux qui arrivaient de l'est traversaient la Yamuna sur un pont de bateaux et entraient par la porte du Nord, Kashmiri Gate.

Kashmiri Gate, au nord de la capitale, et Delhi Gate, au sud, postérieure à la construction de Shahjahanabad, marquent les limites de la vieille ville. Toutes deux ont été classées monuments historiques.

## Des Moghols aux Britanniques

Cette ville prospère devait être plus d'une fois pillée et partiellement détruite, par les Perses et par les Marathes, pendant les deux siècles suivants. Chaque fois, elle parvint à renaître de ses cendres. Le Français François Bernier, qui l'a visitée en 1663, la décrit comme « *le plus grand centre économique de l'Orient* ». Les débuts de la colonisation britannique n'eurent pas d'effet immédiat sur elle.

Le premier changement radical date de la révolte des Cipayes, en 1857. Le Fort-Rouge devint alors un campement de l'armée britannique et les maisons qui l'entouraient furent rasées pour faire place à un champ de manœuvre. Le dernier Moghol, Bahadur Shah, exilé à Rangoon, écrivit ces vers émouvants : « *Notre Delhi était une ville-jardin et la paix régnait partout. Même son nom a été gommé : rien ne reste, à part un amas de ruines.* »

Après la victoire sur les rebelles, les Anglais entreprirent de développer l'empire des Indes, dont ils étaient maîtres sans l'avoir véritablement voulu. Un vaste marché de gros, Sadar Bazaar, s'ouvrit près de la gare et Shahjahanabad devint le centre commerçant animé qu'il

*Pages précédentes : la ville moderne autour de Jama Masjid. A gauche, l'escalier de la grande mosquée.*

est resté. Dans les années 1860, le gouvernement britannique fit passer une voie de chemin de fer au nord du Fort-Rouge et construire une gare de style néo-gothique. Avec un demi-siècle d'avance, ces travaux préfiguraient la construction de New Delhi.

La vieille ville connut de nouveaux bouleversements en 1947, au moment de la Partition. De nombreux musulmans émigrèrent au Pakistan, abandonnant leurs maisons qui furent occupées par des réfugiés hindous et sikhs arrivant en sens inverse. Les arcades du marché (*katra*) furent réparties entre les familles dont beaucoup ouvrirent des commerces.

## Le long des remparts

Comme toutes les vieilles villes, Shahjahanabad ne se découvre pas vite. C'est en la parcourant à pied qu'on s'imprègne le mieux de son atmosphère. On peut commencer par le tour des anciennes fortifications. Le meilleur itinéraire consiste à partir de **Delhi Gate**, au sud du Fort-Rouge. A l'ouest de cette porte, l'avenue commerçante d'**Asaf Ali Road** suit le tracé de l'ancien mur d'enceinte démoli. A l'est, un tronçon de rempart se dresse encore au milieu d'une pelouse. On débouche sur une avenue circulaire, Mahatma Gandhi Marg (**Ring Road**). A droite, **Raj Ghat**, une plate-forme en marbre noir constamment ornée de guirlandes de fleurs, rappelle la mémoire du Mahatma Gandhi, incinéré à cet endroit.

En remontant Ring Road vers le nord, on arrive en vue du Fort-Rouge. Autrefois, les eaux de la Yamuna remplissaient les douves en contrebas du mur oriental. Cette image évoque les miniatures raffinées de l'époque moghole, où le rouge du grès, le vert de l'eau et le bleu du ciel se marient si subtilement. Aujourd'hui les murailles sont fissurées, le marbre jaunissant et le fort ne surplombe plus qu'un terrain marécageux.

La Yamuna, fleuve sacré, est bordée de *ghat* (escaliers destinés aux rites de purification et de crémation) : à **Shanti Vana**, le parc de la Paix, ont été incinérés Nehru et sa fille, Indira Gandhi.

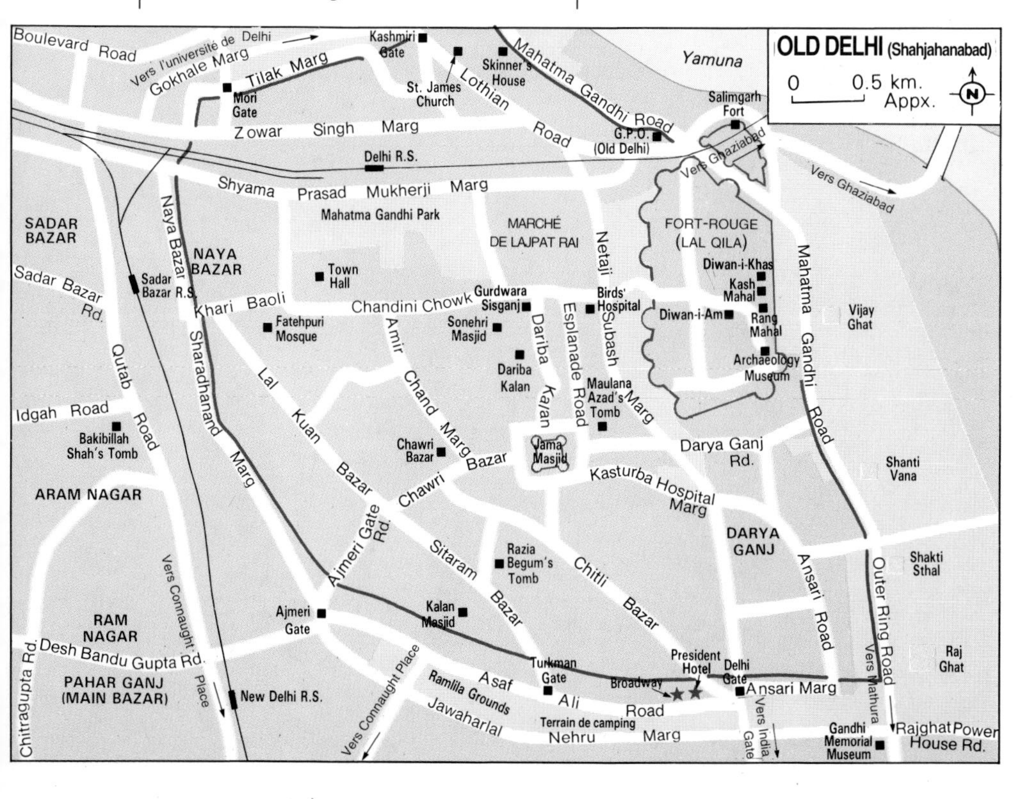

En continuant vers le nord, on atteint l'Interstate Bus Terminal, la gare routière. Les voyageurs arrivent à l'endroit même où les bateaux débarquaient autrefois leurs passagers. A côté s'étendent les **jardins de Qudsia**, à l'origine l'un des grands vergers qui entouraient la ville fortifiée. Kashmiri Gate marque la limite nord de Shahjahanabad.

## Chandni Chowk

Si on ne dispose que d'un temps de visite limité, on peut louer un rickshaw devant le Fort-Rouge pour se promener dans **Chandni Chowk** et les ruelles qui l'entourent. Comme à l'époque moghole, les commerces s'y regroupent par spécialités : tissus, orfèvres, épices, etc. Ils forment ainsi des villages à l'intérieur de la capitale.

Jadis, cette avenue était bordée d'arbres, de jardins et de canaux et on la disait « *la plus belle rue du monde* ». Tout cela a disparu, remplacé par les affiches de cinéma, les enseignes lumineuses et les poteaux télégraphiques. Les étrangers sont à la fois déconcertés et fascinés par les odeurs, les couleurs et l'animation de ces rues où voitures, bus et scooters côtoient les chars à bœufs ou les vaches errantes. On ne sait rien de la foule avant d'être allé en Inde. Les Indiens vivent beaucoup dans la rue, parfois même y habitent et y meurent. Mais l'étonnant est qu'on ne se sente jamais agressé ou oppressé, mais plutôt mystérieusement absorbé...

Sur le côté gauche de Chandni Chowk, on peut voir un résumé des religions indiennes : un temple hindou, un temple jaïn qui héberge un hôpital pour oiseaux (voir p. 60), un temple sikh entouré d'étalages de fleurs et une mosquée, **Sonehri Masjid**, la mosquée d'or (XVIIIe siècle).

C'est là que Nadir Shah fit massacrer une bonne partie des habitants de Delhi en 1739. Le poète Ghalib raconte la désolation qui s'abattit sur la ville : « *Dans les jardins jadis magnifiques où le rossignol chantait ses chansons d'amour à la rose, l'herbe pousse parmi les piliers abattus et les arches en ruine. Shahjahanabad, tu n'as pas mérité ce terrible sort ; jadis tu*

*Le Fort Rouge, symbole de l'indépendance, très présent dans l'imagerie populaire.*

*vibrais de vie, d'amour et d'espoir, comme le cœur d'un jeune amant !»*

Après avoir dépassé le bel édifice qui abrite la confiserie **Ghantewala**, on tourne à gauche pour arriver dans **Kinari Bazaar**, la rue de la passementerie, où étincellent souliers brodés, saris, turbans, paillettes et masques de papier mâché. Les Indiens ont un faible pour l'or et l'argent, dont ils ornent le plus grand nombre d'objets possible, des saris aux pare-brise de camions. On débouche ensuite sur **Dariba Kalan**, la rue des orfèvres et des parfums, où les bijoux se vendent au poids. Les grandes façades des *haveli* aux murs épais dissimulent des cours intérieures ombragées.

En retournant sur Chandni Chowk, on remarque sur la droite la façade de style classique de l'ancien **hôtel de ville** britannique, au milieu des frondaisons du **parc Gandhi**, fréquenté par de nombreux *sadhu*. Chandni Chowk se termine par les dômes de **Fatehpuri Masjid**, mosquée construite en 1650 par l'une des épouses de l'empereur Shah Jahan, la bégum Fatehpuri. Derrière la mosquée se trouve le **marché aux épices**, embaumé de parfums de cannelle, muscade, gingembre et curcuma.

## Civil Lines

Au nord du Fort-Rouge, derrière la gare, s'étend l'ancien quartier administratif britannique, **Civil Lines**. L'atmosphère paisible des demeures coloniales et des jardins est reposante après l'agitation de Chandni Chowk. Le dernier commissaire de la Compagnie des Indes orientales y résida jusqu'à la révolte des Cipayes. L'église palladienne **St. James**, sur Lothian Road, la plus ancienne de Delhi, porte encore des traces de balles. Au sud-est se dresse le collège St. Stephens, un édifice ancien de style néo-moghol.

Plus à l'est, l'ancienne résidence britannique, **Metcalf House**, abrite le département d'Archéologie. Sa façade à colonnades du début du XIXe siècle dissimule l'édifice d'origine, la bibliothèque du prince Dara Shikoh, le frère rival d'Aurangzeb, que ce dernier fit assassiner.

*Le mausolée de Gandhi à Raj Ghat.*

# LE FORT-ROUGE

Il y a deux manières de découvrir le Fort-Rouge (**Lal Qila**). En arrivant par Ring Road, à l'est, on découvre un palais résidentiel aux splendides façades de marbre ornées de balcons et de fenêtres ajourées. Jusqu'au début de ce siècle, elles dominaient les eaux de la Yamuna, qui s'est écartée d'un kilomètre. En venant du centre de la ville, c'est la puissante forteresse, de laquelle l'empereur gouvernait l'Hindoustan, qui apparaît : les deux entrées principales, Lahore Gate et Delhi Gate, sont protégées par des remparts massifs, hauts d'une trentaine de mètres, et des barbacanes de grès rouge.

Cette citadelle, qui avait deux fois la taille du fort d'Agra, a été achevée en 1648. La construction de Jama Masjid, au sud-ouest du fort, a duré de 1650 à 1656 et a nécessité 5000 ouvriers. Shah Jahan, sans doute le plus grand bâtisseur de l'empire moghol, ne regardait pas à la dépense. Ses revenus étaient trois fois plus importants que ceux d'Akbar et de Jahangir, ses prédécesseurs, mais il dépensait quatre fois plus qu'eux. Malgré les dégâts commis par les Britanniques durant la mutinerie et la modernisation inévitable, on peut imaginer ce que devait être la splendeur de Shahjahanabad.

La forteresse et la mosquée étaient entourées de spacieuses places publiques, d'où partaient de larges avenues bordées de marchés. La « rivière du Paradis » coulait de l'intérieur du fort vers le centre de la ville, « *apportant le bonheur dans les rues et les bazars* ». Devant Delhi Gate, distincte de l'actuelle porte du même nom, s'étendait Saadullah Chowk, la place où habitaient les danseuses, les astrologues et les conteurs.

Lahore Gate donnait sur une spacieuse place royale où les nobles venaient prendre l'air en palanquin, escortés d'esclaves qui les éventaient de plumes de paon ou qui couraient derrière eux, en portant des crachoirs d'argent. Dans l'avenue principale partant de Lahore Gate, un bassin octogonal recueillait les eaux de la rivière, où se reflétait la lune,

*Pages précédentes : Lahore Gate, la porte du Fort-Rouge. Ci-dessous, le pavillon de marbre du Diwan-i-Khas.*

d'où le nom de Chandni Chowk (avenue du clair de lune). Le cortège des éléphants royaux traversait quotidiennement la ville.

Chandni Chowk était bordée de boutiques à arcades. Un réseau d'allées et de ruelles étroites divisait la ville en *mohala*, ou circonscriptions. Chacune était réservée à une catégorie de travailleurs ou de commerçants : blanchisseurs, artisans du cuir, orfèvres, cuisiniers, etc. Les mosquées, les écoles et les hôtels particuliers (*haveli*) se mêlaient aux boutiques et aux ateliers. La plupart de ces édifices sont assez bien conservés.

## Une ville dans la ville

Le plan du Fort-Rouge, qui a 2 km de pourtour, possède la même rigueur géométrique que celui de la ville. Sa structure obéit à la séparation stricte établie par l'islam entre lieux publics et appartements privés, ces derniers étant les plus éloignés de l'entrée principale.

On y pénètre par la **porte de Lahore**, de forme ogivale, surmontée d'une barbacane. Cette entrée a conservé une valeur symbolique : c'est de là que les présidents et les Premiers ministres s'adressent au peuple dans les grandes occasions.

On pénètre ensuite dans **Chatta Chowk**, un bazar couvert bordé d'arcades. Autrefois, il était réservé à la noblesse et on y trouvait les plus beaux produits indiens : bijoux, soieries, miniatures. Chaque jeudi, l'entrée en était interdite aux hommes et les femmes pouvaient en toute quiétude y faire leurs emplettes. On y vend maintenant des souvenirs et des objets d'artisanat, comme les sacs tissés d'or (*zardozi*) et les boîtes émaillées.

Le bazar débouche sur une cour, au fond de laquelle se trouve l'entrée monumentale du palais. A l'époque impériale, des musiciens y annonçaient, au son des tambours et des cymbales, les heures de la journée et les arrivées des visiteurs. C'est pourquoi on l'appelait **Nakkar Khana** (maison des tambours). Tout homme, excepté l'empereur et ses fils, devait franchir le portail à pied et remettre ses armes aux gardes.

*Intérieur du Diwan-i-Khas.*

Nakkar Khana s'ouvre sur un grand jardin, dans lequel un très beau **spectacle de son et lumière** est donné chaque soir. Au fond se dresse le **Diwan-i-Am**, la salle des audiences publiques, ouverte sur trois côtés, jadis tendue de velours et de soie. C'est un imposant pavillon d'allure assez austère, entouré d'une colonnade d'arcs polylobés en grès rouge. Sur le mur du fond, un dais de marbre abritait un trône, nommé « l'ombre de Dieu ». Tout autour, de magnifiques incrustations en pierres semi-précieuses représentent Orphée charmant de son luth les oiseaux et les fleurs. Les piliers de la salle étaient revêtus d'un plâtre blanc lissé peint de motifs floraux. On ne voit plus que la base, dépouillée de tout ornement. Un échantillon de plâtre peint a été conservé au-dessus des comptoirs des boutiques de souvenirs, dans l'entrée du Nakkar Khana.

L'empereur y donnait « *indifféremment audience à tous ses sujets, grands et petits* » et l'homme de la rue pouvait espérer être entendu de lui, s'il arrivait à franchir les barrages de la bureaucratie. Une ou deux fois par jour, Shah Jahan prenait place sur l'un de ses neuf trônes pour discuter des affaires administratives, financières et militaires de son vaste empire. Le balcon du Diwan-i-Am (*jharoka*) surplombait une plate-forme de marbre où les fonctionnaires venaient remettre les lettres et les pétitions à l'empereur. L'audience s'achevait par une revue de la cavalerie et des éléphants, afin de contrôler leur état et leur aptitude au combat.

## Une vie fastueuse

Shah Jahan avait souhaité faire construire « *de merveilleux palais traversés de ruisseaux et dont les terrasses domineraient le fleuve* ». Il réalisa en partie ce rêve : derrière le Diwan-i-Am, le long du rempart oriental du fort qui dominait autrefois le fleuve, l'apparition des six palais de marbre blanc sur une vaste terrasse est une vision inoubliable. De gauche à droite se succèdent les bains royaux, la salle d'audience privée (Diwan-i-Khas), les appartements de l'empereur (Khas

*A gauche, la « mosquée des perles » ; à droite, les bains royaux.*

Mahal) et les palais du harem, parmi lesquels seuls le Rang Mahal et le Mumtaz Mahal ont survécu. Par la suite, Aurangzeb, fils et successeur de Shah Jahan, très pieux, fit ajouter, face aux bains, la « mosquée des perles », Moti Masjid. Ainsi, il n'avait plus à quitter le palais pour ses prières quotidiennes.

Les appartements royaux, le Diwan-i-Khas et le harem communiquent par des cours et des galeries à arcades, dépourvues de leurs dais en soie et en brocart et de leurs magnifiques tapisseries. D'origine nomade, les Moghols vivaient essentiellement à l'extérieur. On a souvent décrit leurs édifices comme des « tentes pétrifiées ».

Pendant le déclin du pouvoir moghol, à partir du règne de Muhammad Shah, les Marathes, les Jats et les Rohillas firent des razzias et pillèrent le fort. Lorsque l'archevêque Heber le visita en 1823, il était « *désolé, lugubre et abandonné* », mais ses jardins et ses palais étaient intacts. Les vastes jardins moghols situés au nord-est n'ont pas survécu aux déprédations commises par les troupes britanniques. Il n'en reste que deux pavillons de marbre creusés de petites niches à arcades, sur lesquelles ruisselaient des cascades. Le soir, on y plaçait des bougies qui se reflétaient sur l'eau.

## La journée d'un empereur

La vie de l'empereur était, bien sûr, réglée par une stricte étiquette. Des musiciens venaient le réveiller avant l'aube dans sa chambre du **Khas Mahal**, tandis que retentissaient les appels des muezzins. Il récitait sa prière du matin dans la pièce voisine, le Tasbih Khana (ces deux pièces sont actuellement fermées ). Puis il sortait et traversait la « rivière du Paradis », pour se rendre à **Shah Burj**, une tour octogonale au nord du fort. Surplombant la rivière, une grille délicate ornée des balances de la justice, de la lune et du soleil (*jharoka*) rappelait à l'empereur les symboles et les devoirs de la dynastie moghole. La première obligation qui lui incombait était d'apparaître au balcon au lever du soleil, afin de montrer qu'il était en bonne santé. En contre-

*Partie inférieure de l'écran des balances de la justice, Khas Mahal.*

bas, ses sujets se rassemblaient sur les berges du fleuve pour le voir et lui soumettre leurs requêtes. Cette cérémonie était suivie parfois de combats d'éléphants sur les berges de la rivière, un spectacle très prisé.

L'empereur se rendait ensuite au Diwan-i-Am puis au **Diwan-i-Khas**, sa salle d'audience privée, où siégeait le conseil des ministres. Il s'entretenait des affaires d'État et recevait les nobles et les émissaires de l'étranger en robe d'apparat, qui lui apportaient des cadeaux somptueux. Chaque audience était agrémentée d'intermèdes musicaux et de spectacles de danse ou d'acrobates. Ces entretiens avaient pour cadre un pavillon en marbre à l'intérieur duquel Shah Jahan avait fait faire un jardin de pierres précieuses. Des incrustations de lapis-lazuli, d'agate et de cornaline créaient l'illusion de buissons de roses, de lys et d'iris, les fleurs favorites des Moghols. Les arcades étaient ornées de feuilles de marbre sculpté.

Au centre, sur un socle de marbre, resplendissait le célèbre «**trône du paon**» en or massif, orné de paons d'or incrustés de pierres précieuses rares – diamants, rubis et perles – et surmonté d'une énorme émeraude. Sur ses arches était inscrit un distique attribué à Shah Jahan :

«*S'il existe sur terre un paradis*
*C'est ici, c'est ici, c'est ici.*»

Ces vers ont disparu avec les hordes de guerriers marathes qui pillèrent le fort en 1760. Ils arrachèrent les ornements d'or et d'argent du plafond et s'emparèrent des pierres précieuses. Quelques années auparavant, en 1739, le Persan Nadir Shah avait emporté du trône du paon, dont quelques fragments sont exposés au musée de Téhéran.

A gauche de Diwan-i-Khas, des marches descendent de la terrasse vers **Moti Masjid**, une mosquée à trois dômes en forme de bulbe, qui fait face aux bains royaux. Elle a été construite en 1699 par l'empereur Aurangzeb. Ce ravissant monument de marbre pur, orné de délicates sculptures de feuilles, est l'un des plus beaux exemples de l'architecture moghole décadente.

Les **bains royaux** comprenaient trois grandes salles au sol orné de *pietra dura*

*A gauche, un combat de cailles ; à droite, un croyant à Jama Masjid.*

(marbre incrusté de pierres semi-précieuses). Une fontaine d'eau de rose jaillissait dans la salle centrale et la lumière tombait doucement du plafond par des vitres colorées. L'eau était acheminée au fort par un aqueduc de 80 km de long et élevée par un mécanisme installé dans la tour de Shah Burj, sur le rempart oriental du fort. Elle coulait ensuite à travers les jardins qui bordaient les bains, le Diwan-i-Khas, le Khas Mahal et le Rang Mahal. Les bains sont fermés au public.

Vers midi, Shah Jahan se rendait au Rang Mahal, où il déjeunait avec sa fille, la princesse Jahanara – devenue première dame de l'empire après la mort de la bégum Mumtaz – et s'entretenait avec elle des affaires du harem. Les repas comprenaient de très nombreux services et étaient pris dans des vaisselles d'or et d'argent. Ils étaient accompagnés de musique et de lectures de poèmes. Puis l'empereur faisait une sieste de quelques heures.

De même style que le Diwan-i-Khas, le **Rang Mahal** est tout en marbre blanc. Jadis son plafond d'argent ciselé, rehaussé de fleurs d'or, se reflétait dans les eaux d'un très beau bassin en forme de lotus orné d'une fontaine en argent. Le sol est pavé de marbres polychromes. Le pavillon était flanqué aux quatre coins de petites chambres dont les murs et les plafonds, incrustés de minuscules miroirs, lui ont valu le nom de **Sheesh Mahal** (palais des miroirs). L'argent du plafond a disparu sous le règne d'un empereur impécunieux. Pendant les mois d'été, on pouvait se rendre au sous-sol (*tehkhana*), où des écrans de grès rouge conservaient la fraîcheur.

A côté, **Mumtaz Mahal**, l'autre palais du sérail, abrite un petit **musée d'Art moghol**, qui renferme de très belles pièces : astrolabes, armes, bijoux, tapis, soieries et, surtout, quelques magnifiques miniatures.

Devant le Rang Mahal s'étend un jardin dont les murs épais isolaient le harem du reste du palais. On aperçoit au fond l'arrière d'un édifice et l'escalier que l'empereur empruntait pour monter sur le trône du Diwan-i-Am.

*A gauche, match de cricket au pied du Fort-Rouge ; à droite, partie d'échecs près de Jama Masjid.*

## Jama Masjid

Après avoir achevé le Fort-Rouge, Shah Jahan entreprit, en 1650, la construction de Jama Masjid, la « mosquée du vendredi », sans laquelle aucune ville musulmane n'est digne de ce nom. Elle coûta un million de roupies. Bâtie au sommet d'une colline devant Delhi Gate, la mosquée était reliée au fort par une rue commerçante, Khas Bazaar.

Shah Jahan franchissait quotidiennement Delhi Gate à dos d'éléphant ou en palanquin d'or pour aller faire ses prières de l'après-midi à la mosquée. Avant son passage, on arrosait la rue pour qu'il ne souffre pas de la chaleur et 300 soldats accompagnaient le cortège.

Conformément à la tradition, qui affirmait que cela portait malheur, il ne revenait jamais au fort par la même porte. Il descendait la majestueuse perspective de marches en grès rouge qui conduisaient à l'entrée orientale de la mosquée, face au palais. Cette entrée royale est actuellement fermée et les visiteurs devront emprunter l'une des deux entrées qui l'encadrent, également précédées de marches en grès rouge.

**Jama Masjid** est une des plus grandes mosquées de l'Inde. Sa cour intérieure de 400m2 peut accueillir 20 000 fidèles. Couronnée de trois dômes et flanquée de quatre pavillons d'angle et de deux minarets, elle possède les proportions les plus parfaites qui soient. La grâce de son style aérien fait oublier ses dimensions monumentales. Du sommet de la colline, les flèches des tours et des minarets font un contrepoint visuel aux remparts horizontaux du Fort-Rouge, symboles de la suprématie du dieu unique devant lequel les souverains eux-mêmes doivent s'incliner. L'alternance du marbre blanc et noir sur les dômes forme un contraste impressionnant avec le grès rouge incrusté de marbre blanc de la façade.

La cour, entièrement vide à l'exception d'une fontaine réservée aux ablutions rituelles, est bordée de galeries dont les portails rompent l'alignement monotone. Le balcon délicatement sculpté où se tenaient les dames de sang royal surplombe l'un de ces portails. La salle de prière,

*Huile de serpent, excellente pour la virilité.*

orientée vers La Mecque, s'ouvre en une grande arche centrale, flanquée de chaque côté de cinq plus petites qui cloisonnent l'intérieur.

Les arches sont ornées de motifs en forme de croissant. Les murs et le sol sont tapissés de panneaux de marbre où réapparaissent les bandes de marbre noir des dômes. L'empereur s'agenouillait sur des tapis de soie brodés d'argent face à la niche centrale (*mihrâb*) de la salle de prières. Sur la droite, un escalier de marbre permet d'accéder à la chaire (*minbar*) d'où l'imam dirige les prières collectives. Il ne se tient cependant jamais sur la marche supérieure, qui est la place du Prophète. Le muezzin entre par le portail sud de la mosquée et monte au sommet du minaret pour appeler les fidèles à la prière en psalmodiant :

« *La Allah illa alla*
*U Muhammad rasul-alla.* »

(Il n'existe qu'un seul Dieu et Mohammed est son prophète.)

On peut demander à voir les reliques du Prophète, notamment l'empreinte de son pied dans le marbre.

Du haut du minaret sud de la mosquée, on a une vue d'ensemble du plan urbain complexe de Shahjahanabad. On distingue aussi parfaitement le superbe alignement conçu par Lutyens, qui comprend le Fort-Rouge, Connaught Place et, au sud, le dôme du Parlement.

La mosquée est non seulement un lieu de prière mais aussi un endroit convivial. Le quartier qui entoure Jama Masjid est très animé, surtout le vendredi. Les fidèles viennent faire leurs courses après la prière, bavardent avec leurs amis et achètent des *seekh kebab* et des friandises aux vendeurs de rue rassemblés sur les marches. Tout près de là se trouve le célèbre restaurant Karim (voir p. 131).

Ce quartier est aussi rempli d'artisans traditionnels qu'il est passionnant de voir travailler. C'est là que vivent, en particulier, les sculpteurs sur ivoire, les brodeurs de fils d'argent et d'or, les fabricants de chaussures de velours brodé et les nombreux artificiers qui confectionnent les fameux feux de Bengale, complément indispensable de toutes les fêtes indiennes.

*Dentiste de rue.*

# NORTH RIDGE

Au nord de Delhi, une crête précambrienne, le **North Ridge**, borde la Yamuna. C'est le dernier contrefort des monts Aravalli, qui s'étendent de Delhi jusqu'au Gujarat. Selon les géologues, cette chaîne aurait 1 500 millions d'années. Certains de ses sommets, comme le mont Abu, au Rajasthan, avoisinent les 2 000 m d'altitude.

Cette partie de Delhi est restée à l'état naturel : on y a seulement planté quelques arbres et construit le Hindu Rao Hospital. Au siècle dernier, c'était un lieu de détente et de villégiature très prisé des Britanniques qui y jouissaient en été d'une agréable fraîcheur. Le North Ridge est redevenu le domaine des singes, des paons, des mangoustes et des oiseaux exotiques. Mais ce balcon montagneux renferme aussi des vestiges de l'époque du sultanat et il a été le cadre de combats acharnés lors de la mutinerie des Cipayes, en 1857.

## Mutiny Memorial

La tour de Mutiny Memorial a été érigée en 1862 par l'armée britannique à la mémoire des soldats morts au cours de cette bataille. On sait que le prétexte de la mutinerie fut une rumeur selon laquelle les cartouches, qu'on devait entailler d'un coup de dent, étaient enduites de graisse de porc et de vache, détail qui ne pouvait manquer de heurter les hindous et les musulmans dans leurs convictions religieuses.

Cet incident n'était en réalité que la goutte qui fait déborder le vase. Toute l'armée bengalie éprouvait un ressentiment profond vis-à-vis des Britanniques, en raison de leur arrogance et du mépris total qu'ils affichaient pour les sentiments, la religion et la culture des Indiens. Les réformes que les colonisateurs tentèrent d'imposer, comme l'abolition de la *sati* (bûcher où s'immolaient les veuves hindoues), ne firent qu'accentuer ce mécontentement dans l'ensemble de la société indienne. Néanmoins, la majeure partie des Indiens ne participa pas au soulèvement ou assista même activement le gouvernement britannique dans la répression de la mutinerie.

*Mutiny Memorial, construit en 1863 par les Britanniques.*

La rébellion éclata le 10 mai 1857, marquant pour les Indiens le début de leur première guerre d'indépendance. Les soldats bengalis de **Meerut**, une grosse garnison à 77 km de Delhi, entrèrent en révolte contre leurs supérieurs, tuant hommes, femmes et enfants. Le jour suivant, ils prirent Delhi tandis que l'armée britannique se repliait sur les hauteurs du North Ridge. Cette situation se prolongea jusqu'en septembre de la même année.

En quelques semaines, la révolte s'était étendue au nord et au centre de l'Inde et les Britanniques avaient perdu le contrôle de la région comprise entre Delhi et Allahabad. Néanmoins, l'armée possédait plusieurs avantages sur les mutins : elle bénéficiait de télégraphes et pouvait compter sur la neutralité, voire dans certains cas l'appui, de la population. En juin, les autorités britanniques envoyèrent du Pendjab une troupe de 3 000 hommes en renfort, dont près de la moitié étaient Indiens (les fameux Lanciers du Bengale). Dès lors, ils purent reprendre peu à peu l'avantage.

Les combats furent sans merci et se déroulèrent dans des conditions climatiques très difficiles. Tout au long de journées d'été torrides et sous les pluies de mousson, l'armée britannique campa au nord de Delhi, victime des attaques des rebelles retranchés dans la ville et décimée par le choléra, l'insolation et le paludisme. Le commandant en chef de l'armée britannique et son successeur furent emportés par le choléra en quelques semaines.

A la mi-septembre, l'armée britannique attaqua la ville près de Kashmiri Gate. Ce choix tactique était judicieux dans la mesure où le fleuve constituait un flanc gauche solide, mais l'état-major ignorait la présence de marchands d'alcool sur ce territoire. Après s'être ravitaillés, beaucoup d'attaquants devinrent rapidement indisciplinés et incontrôlables.

La situation était d'autant plus critique que le commandant britannique, le brigadier-général John Nicholson, avait été mortellement blessé dès le début de l'offensive. Les troupes britanniques durent livrer près d'une semaine de combats de rue pour reprendre la ville.

Dès lors, la victoire était acquise, mais les combats se poursuivirent pendant un an encore dans le nord et le centre de l'Inde. L'année suivante, le 1er septembre 1858, le pouvoir passa de la Compagnie des Indes orientales au Parlement britannique.

Le **Mutiny Memorial**, une tour de style victorien néogothique, marque l'emplacement des lignes britanniques durant les mois qui précédèrent l'attaque de Delhi. Sur des panneaux on peut lire la liste des régiments de l'armée de terre de Delhi, le nom des officiers tués au combat (un nombre bien plus élevé mourut de maladie) et le nombre de morts et de blessés, indiens et britanniques. Les arbres dissimulent le panorama que l'on avait depuis la plate-forme de la tour. Les combattants apercevaient au loin Jama Masjid, l'entrée du Fort-Rouge, l'église de Kashmiri Gate et la Yamuna.

La tour a été rebaptisée **Ajitgarh** (tour de la victoire), lors du 25e anniversaire de l'Indépendance : elle est devenue pour les Indiens un monument aux martyrs de la colonisation.

## La colonne d'Ashoka

A 200 m au nord de Mutiny Memorial, le fragment d'une colonne en grès poli gît sur le bord de la route. **Ashoka** fut le plus grand empereur de la dynastie Maurya, au IIIe siècle av. J.-C. Après sa conversion au bouddhisme, il fit graver des édits prêchant la paix, la tolérance et l'amour du prochain sur des colonnes disséminées à travers son vaste empire, qui englobait l'Afghanistan et la presque totalité du subcontinent indien. Au XIVe siècle, le sultan Feroze Shah Tughlaq, grand collectionneur d'antiquités, fit transporter dans son palais de Delhi deux de ces colonnes, dont celle qui se trouve sur le Ridge. L'autre colonne est restée dans l'enceinte du palais. Peu représentatif de son époque, Feroze Shah appréciait les œuvres hindouistes et bouddhistes autant que les objets d'art islamique. Il fit notamment restaurer le Qutb Minar et le lac circulaire de Suraj Kund, au sud de Delhi.

Sur la colonne, un texte est gravé dans l'écriture brahmine du IIIe siècle av. J.-C., qui n'a été déchiffrée qu'au XVIIIe siècle.

## Pir Ghaib

Les bâtiments de l'hôpital **Hindu Rao** s'élèvent de l'autre côté de la route. Il ne subsiste qu'une partie de l'édifice d'origine, probablement construit vers les années 1820 pour un Résident britannique à la cour moghole, William Fraser. Ce dernier fut assassiné par un nabab qui le soupçonnait de s'intéresser de trop près à sa sœur, réputée pour sa beauté.

Le bâtiment a été ensuite racheté par un noble marathe, Hindu Rao, puis occupé durant la révolte de 1857 par le bataillon de Gurkhas Sirmoor. Pendant les combats, il fut converti en hôpital militaire avant de devenir un hôpital civil.

Dans l'enceinte de l'hôpital, à proximité de la route, on peut voir les vestiges de **Pir Ghaib**, le palais du sultan Feroze Shah Tughlaq. Sur le toit, une petite dalle de pierre ronde sert de support à un instrument avec lequel les Britanniques effectuèrent les premiers relevés précis de leurs nouvelles possessions. A côté de l'hôpital, la mosquée Charbuja date également de l'époque de Feroze Shah.

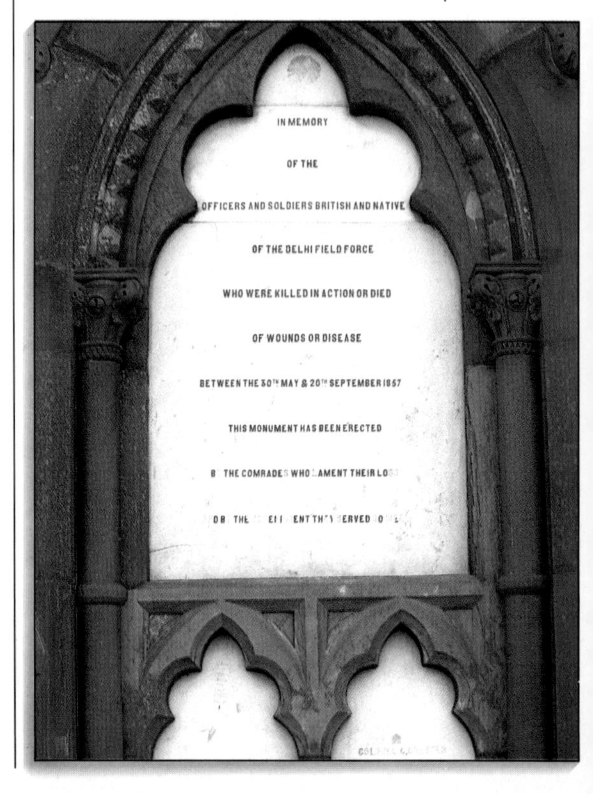


*Un des panneaux du Mutiny Memorial.*

## Flagstaff Tower

En continuant vers le nord sur l'allée piétonne et en dépassant l'observatoire de Sismologie, à l'ouest de la route, on arrive devant **Flagstaff Tower**, une tour au sommet de laquelle flottait autrefois le drapeau britannique. Les femmes et les enfants qui parvinrent à échapper aux mutins s'y rassemblèrent le 11 mai 1857 avant de partir pour Ambala et Meerut. L'origine de la construction n'a pas été établie avec certitude. On pense généralement qu'elle faisait partie du camp militaire qui s'étendait à l'ouest du Ridge avant 1857.

Un chemin descend la colline vers le nord jusqu'à l'**université de Delhi,** où le roi George V séjourna lors de sa visite en 1911, au cours de laquelle il annonça le transfert de la capitale de Calcutta à Delhi. L'année suivante, le vice-roi habita dans l'actuel bureau du vice-président pendant la construction de son palais à New Delhi. De sa grandeur passée, ce bâtiment n'a conservé que le sol en marbre de certaines pièces. C'est dans l'actuel bureau de l'état civil que le lieutenant lord Mountbatten, cousin du roi qui allait devenir le dernier vice-roi des Indes, fit sa demande en mariage, en 1922, à Edwina Ashley, invitée par le vice-roi lord Reading. Personne ne se doutait alors que le fiancé serait chargé du difficile devoir de liquider l'empire des Indes en 1947.

## Le site des Durbars

A quelques kilomètres au nord-ouest de Delhi s'étend le site des cérémonies du **Durbar**, au cours desquelles les maharadjahs et les nababs venaient prêter allégeance aux souverains britanniques. Le plus splendide Durbar de l'empire britannique eut lieu en décembre 1911. Un grand nombre de personnes avaient été conviées à rendre hommage au nouveau souverain, George V. Cinq cent soixante représentants des États princiers étaient venus dans leurs Rolls Royce étincelantes, arborant leurs plus beaux bijoux et leurs tenues les plus somptueuses. Les spectateurs se tenaient sur deux grands

*Officiers britanniques après une chasse au cochon sauvage sur le Ridge.*

remblais en demi-cercle que l'on peut encore voir. Les cérémonies étaient si solennelles que les hérauts de Delhi furent créés spécialement à cette occasion. Le roi annonça une nouvelle qui allait changer le destin de Delhi :

« *Nous sommes heureux aujourd'hui d'annoncer à notre peuple que, sur le conseil de nos ministres réunis après consultation de notre gouverneur général, nous avons décidé de transférer le siège du gouvernement de Calcutta à l'ancienne capitale de l'Inde.* »

Peu de personnes entendirent ces paroles dans l'immense amphithéâtre mais l'information circula rapidement. Certains spectateurs rappelèrent que Delhi était le tombeau de nombreuses dynasties. D'autres prophétisèrent que le Bengale avait désormais cessé d'exister en tant que centre politique. Ces deux craintes s'avérèrent justifiées : Calcutta fut éclipsée par New Delhi, qui ne connut elle-même que seize ans d'existence en tant que siège du Raj, de son achèvement officiel en 1931 à l'indépendance de l'Inde. Pour amadouer les Bengalis, on annonça également, au cours du Durbar, l'annulation de la partition de leur territoire, imposée en 1905.

A la suite de ce discours, le roi et la reine posèrent solennellement la première pierre de New Delhi. Le secret du transfert avait été si soigneusement gardé qu'aucun urbaniste ou ingénieur n'avait été consulté sur le site de la future capitale. L'année suivante, l'équipe chargée du projet déclarait que le site du Durbar était impropre à la construction. On déplaça donc les fondations, sur lesquelles reposent les murs orientaux du ministère de New Delhi.

Le site du Durbar est chargé de souvenirs du Raj. Dans les années 60, les statues de dignitaires britanniques qui ornaient autrefois les rues de Delhi furent descellées et abandonnées en ce lieu. Certaines n'arrivèrent jamais à destination. Dans d'autres régions de l'Inde, peut-être moins impliquées dans la lutte pour l'indépendance, les statues de dignitaires britanniques, considérées simplement comme des vestiges de l'histoire, sont restées en place.

*Le Ridge, un paradis au cœur de Delhi.*

La statue de marbre de George V, datant de 1936, qui se dressait sous le dais d'India Gate, y a aussi été transportée. Le roi est représenté dans la robe de couronnement, en velours et hermine, qu'il portait lors de la cérémonie du Durbar de 1911. Charles Jagger, le sculpteur, réalisa également la statue de lord Hardinge, gouverneur général des Indes britanniques.

En se promenant, on verra également les statues de plusieurs vice-rois, œuvres du sculpteur Reid Dick : lord Irwin (devenu par la suite lord Halifax) et lord Willingdon. La statue de lord Irwin a été financée par une souscription publique dont on peut supposer que la recette fut maigre, car la statue est en calcaire et non en marbre. De plus, la brume de Delhi a considérablement érodé la pierre. Une autre statue de 1935, réalisée par M. S. Nagappa, représente sans doute lord Chelmsford, bien qu'aucune inscription ne permette de le vérifier. Capitaine de l'armée territoriale, lord Chelmsford avait été muté de sa garnison de Simla au palais du vice-roi.

La statue en bronze de la reine Victoria demeura sur son trône devant l'hôtel de ville de Delhi, sur Chandni Chowk, pendant près de cinquante ans. Elle rejoignit ensuite les autres statues sur le site du Durbar, où elle fut victime d'actes de vandalisme. Aujourd'hui, elle se trouve à l'École des beaux-arts de Delhi, face à la Cour suprême.

L'œuvre la plus émouvante de ce musée insolite est la colonne de granit poli qui marque l'emplacement du trône royal. Une plaque de bronze évoque la dernière cérémonie :

*« Ici, en ce douzième jour de décembre 1911, Son Altesse Impériale George V, empereur des Indes, annonça en Durbar solennel aux gouverneurs et peuples des Indes son couronnement, célébré en Angleterre le vingt-deuxième jour de juin 1911, et reçut d'eux l'hommage et l'allégeance qui lui étaient dus. »*

Cet endroit chargé d'histoire ne s'anime plus qu'à l'occasion de matchs de cricket, hommage involontaire à la longue présence britannique sur le sol indien...

*A gauche, tombes de la Seconde Guerre mondiale, dans le cimetière du Ridge ; à droite, statue du roi George V, Coronation Park.*

KC
HAMAN
T
P.K

# LES VILLES ANTÉRIEURES

Les vestiges de la sixième Delhi s'élèvent à l'est d'India Gate, sur la rive droite de la Yamuna. Les historiens pensent que le vieux fort, Purana Qila, marque le site d'Indraprastha, la ville mythique construite par les frères Pandava, héros de l'épopée du *Mahabharata*. Un village nommé Inderpat, mot probablement dérivé d'Indraprastha, s'étendait autrefois dans l'enceinte du fort : il a été déplacé lors de la construction de New Delhi. Des fouilles archéologiques ont mis au jour un type de poteries de couleur grise, datant d'environ 1 000 ans av. J.-C. On peut en voir dans le musée de Purana Qila.

## Purana Qila (Old Fort)

Humayun, le second empereur moghol, choisit en 1533 pour capitale ce site qu'il appela **Din Panah,** le « refuge de la foi ». Néanmoins, la citadelle actuelle est surtout l'œuvre de Sher Shah, souverain afghan qui se rebella contre Humayun et le détrôna. Pendant son court règne (1540-1545), il agrandit la nouvelle capitale, réforma l'administration et fit construire une grande route qui traversait l'Inde de Lahore au Bengale. Une rue de Delhi, Sher Shah Suri Marg, en suit le tracé.

**Purana Qila**, qui s'étend sur six kilomètres de long, possède trois entrées: la principale, à l'ouest, est celle qu'on emprunte pour visiter la citadelle. C'est une porte en grès rouge à deux étages surmontée de trois kiosques. En face, de l'autre côté de Mathura Road, on aperçoit **Lal Darwaza**, une porte ajoutée par Sher Shah, et la **mosquée de Khair-ul-Manzil**, édifiée en 1561 sous le règne d'Akbar par une de ses nourrices.

A l'intérieur de la forteresse, deux édifices remarquables sont demeurés intacts. La belle mosquée en grès rouge, **Qal'a-i-Kuhna**, construite en 1541 par Sher Shah, est un des points les plus élevés de la colline. Ses cinq arches, les incrustations en marbre blanc et noir de sa façade et les ornements des *mihrâb* marquent la transition entre le style sobre de la période du sultanat et celui, plus gracieux et plus sophistiqué, de l'époque moghole. A côté de la mosquée, dans une tour octogonale, également en grès rouge, **Sher Mandil**, Humayun avait fait installer sa bibliothèque et il s'y retira vers la fin de sa vie, après avoir regagné son trône. Il se tua en tombant dans l'escalier de cette tour, pressé, dit-on, de répondre à l'appel du muezzin.

La forteresse est devenue un jardin très agréable. On peut visiter également un petit **musée** qui présente, entre autres, les objets découverts sur le site, vestiges d'un habitat du IIIe siècle av. J.-C. Du haut des remparts de Purana Qila, on a une vue superbe sur cette partie de Delhi : au nord, les pavillons modernes du musée de l'Artisanat, sur Pragati Maidan (voir p.125), et, au sud, l'étendue verte du Jardin zoologique.

En contrebas du mur oriental de la forteresse, près de l'arrêt de bus de Pragati Maidan, le **temple de Bhairon**, un des avatars du dieu Shiva, est très fréquenté par les habitants de Delhi. Il remonterait à l'époque du *Mahabharata*. Le dieu-singe Hanuman et Bhima, l'un des frères Pandava, y sont représentés sur des rochers peints en argent et en orange sur lesquels l'artiste a dessiné de grands yeux. Une image plus moderne de Bhairon le montre tenant une tête humaine dans une main et une bouteille dans l'autre avec, à ses pieds, le chien noir qui lui sert de véhicule.

Au nord de Purana Qila se tient en novembre la foire commerciale internationale. En remontant Mathura Road, on aperçoit, de l'autre côté de la route, les dômes de la Cour suprême de Delhi.

Près du croisement de Mathura Road et de Bhairon Marg s'élève le tombeau de **Matka Shah**, un saint du XIIIe siècle. De la route, on aperçoit des arbres entourés de grandes jarres rondes en argile nommées *matka*. La tombe du saint est sur une petite colline qui surplombait jadis la Yamuna. On raconte que le sultan Balban mit le saint à l'épreuve en lui envoyant de la boue et du fer à la place des offrandes traditionnelles de nourriture. Les prières du saint transformèrent le fer en pois chiches, la boue en sucre et l'eau en lait. Les pèlerins se rendent sur sa tombe pour faire des vœux et, quand ils sont exaucés,

*Pages précédentes : Purana Qila. A gauche, représentation de* Tughlaq *par l'École nationale d'art dramatique, sur le site de Purana Qila.*

ils reviennent avec des *matka*, des pois chiches, du sucre et du lait pour marquer leur reconnaissance.

## Firoze Shah Kotla

Après le pont de chemin de fer (Tilak Bridge), Mathura Road devient **Bahadur Shah Zafar Marg**. Ici commence le quartier de la presse, avec les bureaux des plus grands quotidiens du pays, le *Times of India* et ses équivalents en langue hindi, le *Navbharat Times* et le *Jansatta*. Le **Musée international des poupées**, dans le voisinage, mérite une visite.

Après avoir dépassé ces immeubles, on tourne à droite pour arriver devant **Firoze Shah Kotla**, la cinquième Delhi. Construite en 1354, sous le règne du sultan Firoze Shah Tughlaq, cette citadelle au bord de la Yamuna est tout ce qui reste de l'ancienne cité qui s'étendait de North Ridge à Hauz Khas, au sud de Delhi.

Ses superbes palais, mosquées et collèges réputés faisaient l'admiration unanime, jusqu'à l'arrivée dévastatrice de Tamerlan, ancêtre des empereurs

moghols, qui pilla Delhi en 1398. Au XVIIe siècle, la ma-jeure partie des pierres de Firoze Shah Kotla ont été utilisées pour construire la nouvelle ville de Shahjahanabad.

On pénètre dans la citadelle par une énorme porte à barbacanes. L'intérieur se divise en deux grands rectangles disposés du nord au sud. Au sommet d'une construction pyramidale se dresse une **colonne d'Ashoka** en pierre polie. Ashoka, l'un des plus grands empereurs de l'Inde, se convertit au bouddhisme au IIIe siècle av. J.-C. et fit graver sur des colonnes, disséminées à travers son vaste empire, des édits en langue brahmine (*pali*) afin de propager l'enseignement du Bouddha (*dharma*). Cette colonne-ci vient du nord de l'Inde et c'est Firoze Shah qui donna l'ordre de la faire transporter à Delhi. Posée sur un immense lit en soie, elle fut acheminée jusqu'à la rive de la Yamuna par un attelage tiré par 8 000 hommes, puis transportée en bateau sur l'autre rive.

Firoze Shah, sultan érudit fils d'une princesse rajpoute, avait déjà fait traduire en persan et en arabe de nombreux textes sanscrits, mais personne ne put déchiffrer le message de cette colonne. Un archéologue anglais, James Princep, devait y parvenir, en 1837.

Dans le rectangle sud de Firoze Shah Kotla, le village de **Vikram Nagar** est enclos à l'intérieur des remparts depuis plusieurs siècles. La plupart de ses habitants sont des familles qui ont émigré du Pakistan lors de la Partition et qui attendent toujours que le gouvernement leur fournisse des logements. Non loin de là, le **jardin national de la Rose** est admirable en pleine floraison (février-mars).

Au nord de la citadelle s'étendent les terrains de cricket où se déroulent la plupart des matchs internationaux de Delhi et, près de la Yamuna, le mémorial de Gandhi, **Raj Ghat**, une simple dalle de marbre noir dans un beau parc.

Au centre de Bahadur Shah Zafar Marg, on voit une autre porte bâtie par Sher Shah, surnommée **Khun-i-Darwaza** (la porte sanglante) : c'est là en effet qu'Aurangzeb exposa la tête décapitée de son frère rebelle, Dara Shikoh, et que le lieutenant Hodson fit pendre les deux fils du dernier empereur moghol, Bahadur

*Figurine peinte chez un antiquaire de Sundar Nagar.*

Shah, qui avaient osé se rallier à la mutinerie de 1857.

## Au sud de Purana Qila

Le **Jardin zoologique** de Delhi, un des plus grands d'Asie, abrite 1 600 animaux, parmi lesquels des espèces rares et menacées comme le tigre blanc et le rhinocéros unicorne. Les canards et les oiseaux migrateurs viennent passer l'hiver sur les rives de ses lacs. De septembre à novembre, les tantales indiens nidifient dans les arbres et les hérons se reproduisent d'avril à juillet. Même si on n'a pas la chance de les voir, la promenade dans le parc est assez agréable.

En continuant sur Mathura Road vers le sud, on passe devant le marché de **Sundar Nagar**. Pendant le festival de Diwali, en novembre, il est envahi par la foule. On y trouve de bons bijoutiers et des boutiques d'objets d'art spécialisées dans les antiquités ou dans des reproductions de qualité.

Au croisement de Mathura Road avec Lodi Road, au centre du rond-point, se dresse la tombe octogonale de **Sabz Burj**. Elle a été édifiée au début du règne des empereurs moghols. C'est la seule de Delhi qui soit construite dans le style architectural de l'Asie centrale. Elle doit son nom, qui signifie « tour verte », à la couleur d'origine de son double dôme, qui était recouvert de carreaux de faïence. Récemment, l'Archeological Survey a fait restaurer ce revêtement, dont les céramiques sont à présent d'un bleu vif.

## Le tombeau de Humayun

En tournant à gauche après le rond-point, on arrive aux portes de la tombe-jardin élevée pour Humayun, le plus bel édifice moghol de Delhi, dont l'architecture préfigure le Taj Mahal d'Agra.

On traverse tout d'abord les beaux jardins moghols de **Bu Halima**. Un escalier mène à un enclos qui contient le **tombeau d'Isa Khan**, un noble de la cour de Sher Shah, bâti en 1547. Cet édifice octogonal est flanqué d'une petite mosquée à trois dômes dont une partie des carreaux de faïence bleu turquoise sont intacts.

*Puits de l'ancienne cité de Firoze Shah Kotla.*

Pour visiter le **tombeau de Humayun**, on franchit une grande porte à l'autre bout des jardins. Une avenue de banyans mène à l'entrée principale du mausolée. A droite, une autre porte conduit au jardin où s'élèvent la mosquée et le tombeau d'Afsarwala (1566).

Les deux portes sont en alignement parfait avec le tombeau de Humayun. Cette perspective à travers plusieurs écrans donne l'impression de pénétrer dans un autre monde. Les proportions d'ensemble de l'édifice sont particulièrement harmonieuses. Le mausolée octogonal en grès rouge se dresse sur une plate-forme carrée surélevée. Les incrustations de marbre noir et blanc créent un contrepoint visuel au grès rouge de la façade. Le dôme de marbre blanc, flanqué de *chatri* et de quatre tours, couronne les arches symétriques du mausolée.

La veuve de l'empereur Humayun, la bégum Bega, en dirigea la construction, exécutée par un architecte perse et achevée en 1565. La tombe repose directement sur le sol d'une chambre et le cénotaphe est à l'étage supérieur, couvert par une coupole qui s'inscrit dans le dôme extérieur, selon la technique perse. Le dernier empereur moghol, Bahadur Shah, s'y réfugia après la prise de Delhi par les Britanniques en 1858. Du haut du mausolée, la vue sur Purana Qila est superbe.

Cette enceinte renferme de nombreux autres tombeaux, éparpillés dans un beau jardin moghol divisé en quatre parties. Au sud-est, on aperçoit la tombe plus petite de **Barbar**, qui fut peut-être le barbier de l'empereur. Adossé au mur oriental du jardin, un pavillon, qui donnait autrefois sur les eaux de la Yamuna, domine la ligne de chemin de fer. Tout près, **Nila Gumbad** (le dôme bleu), une tombe recouverte de faïences bleu turquoise, a été érigée en 1625 pour le serviteur d'un noble. On peut voir aussi les vestiges d'**Arab Serai**, qui aurait servi à abriter les artisans bâtisseurs du mausolée de Humayun.

Une route qui longe le mur nord du tombeau de Humayun conduit à **Damdama Sahib**, un temple sikh au dôme blanc qui marque l'endroit où le

*Le tombeau de Humayun.*

dernier gourou sikh, Gobind Singh, rencontra, en 1707, l'empereur moghol Bahadur Shah Ier. L'empereur voulait organiser un combat entre son éléphant et celui du gourou. Celui-ci lui répondit qu'un buffle mâle du Pendjab était plus vaillant que n'importe quel éléphant impérial. La suite des événements lui donna raison : terrifié, l'éléphant impérial battit en retraite devant le buffle.

Non loin de là, un petit mausolée paisible abrite la sépulture d'un saint contemporain de Hazrat Nizamuddin. A côté de la tombe s'élève un arbre que l'on dit avoir plus de 750 ans, et dont les feuilles ont la réputation de produire du sucre pendant les jours d'été les plus chauds. Les fidèles mangent ces feuilles et attachent des fils autour du tronc pour voir leurs vœux exaucés. Le mausolée doit à cet arbre son nom de **Patte Wali Dargah** (tombeau de feuilles).

A environ 700 m au sud du carrefour de Lodi Road, sur Mathura Road, on peut voir la tombe carrée d'**Abderrahim Khan-i-Khanan**, mort en 1627, qui fut à la fois général et poète sous le règne des empereurs moghols Akbar et Jahangir. Le mausolée a conservé sa décoration intérieure.

## Le jardin des Lodis

En face du tombeau de Humayun, Lodi Road longe d'abord, à gauche, le village musulman de Nizamuddin (voir p.126) et le stade Jawaharlal Nehru, construit pour les Jeux asiatiques de 1982. A droite s'étend le terrain de golf de Delhi et, plus loin, le **jardin des Lodis**, la dynastie afghane qui précéda les Moghols (1451-1526). Ces sultans, qui, par leurs querelles et leur indiscipline, fournirent un excellent prétexte aux Moghols pour s'installer en Inde, avaient cependant été de grands bâtisseurs.

Le jardin a été dessiné par les Anglais pour servir de cadre aux magnifiques monuments, datant des Sayyid et des Lodis, qui s'y trouvaient rassemblés. Cet endroit est véritablement enchanteur, surtout le matin et en fin d'après-midi. De vastes pelouses ombragées, des massifs de fleurs, des bassins en forme de lotus et

*Tombeau de Muhammad Shah, dans le jardin des Lodis.*

d'innombrables fontaines entourent des tombeaux vieux de six siècles, dans le pépiement constant d'une multitude d'oiseaux.

La **tombe octogonale de Muhammad Shah**, un souverain de la dynastie Sayyid, bâtie en 1445, se trouve au sud du jardin, près de l'entrée. Au centre, **Bara Gumbad** (le grand dôme), imposante mosquée au portail monumental, édifiée en 1494, renferme une salle de prières ornée d'arabesques et de calligraphies. Tout près, **Sheesh Gumbad** (le dôme de verre), grande tombe carrée au dôme peint de motifs floraux, date de la période des Lodis. Au nord du jardin, à côté d'un lac artificiel, des murailles entourent la **tombe octogonale de Sikandar Lodi** (1517), surmontée d'un double dôme. Un pont moghol à sept arches, l'**Athpura**, probablement construit dans la dernière moitié du XVIe siècle, traverse le lac.

A l'est se trouve l'India International Centre, un club privé, dont l'auditorium, où se déroulent de nombreux concerts et ballets, est ouvert au public. Au nord-est des jardins, on peut visiter **Khan Market**, où l'on vend aussi bien des pièces détachées pour automobiles que des fruits, des fleurs, des médicaments ou des livres.

## Le tombeau de Safdarjang

Tout au bout de Lodi Road on aperçoit le **tombeau de Safdarjang**, dont le dôme blanc en forme de bulbe s'élève au-dessus de vastes jardins moghols entourés de murs et ornés de pièces d'eau. Le mausolée est revêtu de pierres prises sur la tombe de Khan-i-Khanan à Nizamuddin. Érigé en 1753-1754, à l'image du Taj Mahal, il marque cependant la décadence de l'architecture moghole.

Safdarjang était un nabab puissant qui a joué un rôle majeur dans les guerres civiles du XVIIIe siècle. Il a été également l'un des fondateurs de la principauté d'Audh, qui s'affranchit de la puissance impériale moghole, et il a fait de la ville de Lucknow un centre d'art et de culture. Son fils fit ériger à sa mémoire ce tombeau, le dernier grand mausolée de la capitale moghole.

*Le tombeau de Safdarjang.*

## UN MUSÉE VIVANT

Sur Mathura Road, face aux ruines de Purana Qila, le **musée de l'Artisanat** s'étend sur un terrain de 3 hectares. Peu de pays au monde possèdent une richesse et une diversité artistique comparables à celles de l'Inde. Les Indiens n'établissent pas de distinction entre art et artisanat : le mot sanscrit *shilpi* désigne aussi bien l'artiste que l'artisan.

Parmi les 25 000 pièces du musée, fondé en 1951 et dirigé depuis 1984 par l'anthropologue Jyotindra Jain, les textiles et les terres cuites côtoient les peintures murales, les paniers en herbe tressée, les jouets et les statues de dieux. Dans ce lieu, on filme également le travail des artisans afin de recenser les techniques traditionnelles. Lors du festival annuel, on peut rencontrer des artisans de toutes les régions de l'Inde.

La visite constitue un véritable voyage à travers le subcontinent. Les salles abritent des collections constituées au fil de tournées dans les villages et les temples de toute l'Inde. Le musée possède également une bibliothèque et un laboratoire, dans lequel on restaure les pièces les plus anciennes.

L'architecte, Charles Correa, a choisi pour ses murs une couleur terre, en harmonie avec les pièces des collections. Il a construit les bâtiments dans le style traditionnel, avec des cours entourées de vérandas et des toits en tuiles.

Certaines salles abritent des reconstitutions d'édifices anciens – demeures et temples. Devant le temple, on peut voir un *rath*, l'un des énormes chariots en bois sur lesquels on promène des effigies des dieux lors des fêtes. Une salle récemment ouverte abrite une maison traditionnelle *gujarati* du XVIIIe siècle en bois, ornée de sculptures, et dont une partie est aménagée en restaurant. Parmi les pièces les plus rares, on verra d'immenses statues en bois, les *bhuta*, représentant des divinités et des animaux de la région du Karnataka.

Deux maîtres tisserands font partie du personnel du musée dont ils enrichissent en permanence la collection. Ils peuvent travailler jusqu'à huit mois à la fabrication d'un sari. L'un d'eux est spécialisé dans le brocart de Bénarès, dans lequel on confectionne de somptueuses robes brodées. La partie la plus intéressante est le village, composé de quinze maisons de toutes les régions de l'Inde, que les villageois ont eux-mêmes construites et décorées. Une habitation de Kulu, dans l'Himalaya, côtoie une hutte des îles Andaman et une maison ronde en chaume de la communauté banni (Gujarat). Des paons se promènent autour de la hutte semi-circulaire des tribus toda de Nilgiri, qui gardent des troupeaux de buffles sacrés dans leurs collines.

D'octobre à juin, le musée invite sur la place de Pragati Maidan des artisans de toute l'Inde qui sont pris en charge pendant deux mois, ce qui leur permet de réaliser leurs œuvres. On peut alors admirer des miniatures de l'Himachal Pradesh, d'immenses sculptures en terre cuite du pays tamoul, des châles du Gujarat, des jeux de cartes de l'Orissa et des objets en bambou de l'Assam. Les écoliers s'initient aux techniques artisanales dans des ateliers gratuits. Les films, les conférences et les publications du musée constituent une présentation exhaustive des arts traditionnels indiens.

Enfin, on peut aussi assister aux représentations de troupes rurales et entendre la musique des villages et des tribus dans les théâtres en plein air.

*Chanteuse populaire, musée de l'Artisanat.*

# NIZAMUDDIN

Au cœur du quartier moderne et bourgeois de Nizamuddin, près du tombeau de Humayun, le village d'origine (*basti*) a conservé une atmosphère médiévale. Ses ruelles étroites et sinueuses sont bordées de demeures anciennes que l'on agrandit pour accueillir une population en constante augmentation. Une promenade dans le bazar permet une plongée au cœur du monde musulman. Sur des étalages à même le trottoir s'empilent fruits, tapis de prière et chapelets, toques blanches des musulmans, parfums (*itr*), antimoine (*surma*), bâtons à mâcher pour les dents et corans. Des *biryani*, des curries de mouton et des *tandoori* mijotent sur les réchauds de petites échoppes. Ce village est comme un morceau du vieux Delhi transplanté à New Delhi. Néanmoins, Shahjahanabad date du XVIIe siècle, alors que Nizamuddin est né au XIIIe siècle, à l'arrivée dans cette région de Hazrat Nizamuddin, l'un des plus grands saints musulmans de l'Inde, mort en 1325.

Son tombeau attire plusieurs dizaines de milliers de visiteurs par an, en particulier lors d'une fête appelée **Urs**, qui dure une semaine et commémore la mort du saint. Elle a lieu le même mois que la grande fête musulmane de l'Aïd, qui marque la fin du jeûne du Ramadan. Une autre fête célèbre la mémoire de son plus célèbre disciple, le grand poète Amir Khushrau. Elle se déroule pendant le *Shavval*, onzième mois du calendrier musulman. A ces occasions, les marchands installent leurs échoppes à la lisière nord du village. Certains font frire dans de grandes poêles de fer des *paratha*, sorte de pains très larges que l'on mange avec de la semoule de *halva*. Des cinémas ambulants à une roupie la place projettent des comédies musicales en hindi, des photographes immortalisent les amateurs sur fond de toile peinte exotique et des manèges minuscules entraînent les enfants à une vitesse vertigineuse. Mais c'est à la tombée de la nuit que la foule est la plus dense pour écouter chanter les *qawwali*, des poèmes ourdous à la louange de Dieu, du Prophète et des grands mystiques.

## Des tombeaux dans la ville

On accède à la partie ancienne de Nizamuddin par deux entrées, l'une au nord, sur Lodi Road, et l'autre, l'entrée principale, au sud, sur Mathura Road. Si on emprunte la seconde, il faut tourner après le commissariat de police, vers le grand bazar. On croise dans la rue les clients des restaurants et des échoppes, les pèlerins et les étudiants d'un collège islamique. Ce bâtiment moderne à six étages est voisin de la mosquée de Bangle Wali. En face, la plus grande librairie islamique du quartier se trouve à l'angle d'une allée qui mène à l'un des célèbres restaurants Karim.

De l'autre côté de l'allée, à l'ouest, une porte médiévale en pierre donne accès à une cour intérieure contenant quelques tombes en mauvais état. Les tombes abondent dans le *basti* car de nombreux zélateurs de Hazrat Nizamuddin ont souhaité être enterrés près de lui. A l'est de la cour, une porte mène à un beau pavillon de marbre hypostile d'époque moghole, **Chaunsath Khamba** (la salle aux 64 colonnes). Cette salle entourée de grilles en marbre sculpté est surmontée de 25 dômes. A l'intérieur se trouve le tombeau de Mirza Aziz Kokaltash, le fils de la nourrice du grand empereur moghol Akbar. Cette tombe en marbre est ornée de motifs floraux. Les neuf autres tombeaux du pavillon sont probablement les sépultures de membres de sa famille.

En retournant dans le grand bazar, on arrive devant l'**académie et le tombeau de Ghalib**. Poète renommé pour sa sensibilité, son humanité et son humour, Ghalib (1796-1869) vécut à la cour du dernier empereur moghol, Bahadur Shah. Il connut la période troublée de la mutinerie de 1857, qui se solda par la défaite des rebelles et de cruelles représailles des Britanniques sur les habitants de Delhi. Ghalib est considéré comme l'un des plus grands poètes ourdous de l'Inde. A Chaunsath Khamba, ses admirateurs viennent régulièrement couvrir sa tombe de roses. Pour visiter, il faut demander la clé au gardien du site. La bibliothèque de l'académie, qui se trouve au sud de cet édifice, contient de nombreuses œuvres de Ghalib, parmi lesquelles plusieurs traductions.

Au nord de la tombe de Ghalib, le dôme de **Lal Mahal** (palais rouge) est un édifice restauré du XIIIe siècle, qui abrite une pension de famille.

## Le tombeau de Nizamuddin

Il est assez difficile, sans guide, de se rendre au *dargah* de Nizamuddin, car il est englobé parmi des habitations, au milieu d'un labyrinthe de ruelles très miséreuses, où l'atmosphère semble parfois un peu tendue. Le meilleur chemin consiste à partir du marché de viande de bœuf du *basti*.

La proximité du tombeau est indiquée par des rangées d'échoppes qui vendent des gerbes de roses rouges, de l'encens, des paquets de bonbons blancs et des *chadar*, vêtements ornés de paillettes que l'on dépose sur la tombe des saints. La rue s'élargit ensuite et les bouchers deviennent plus nombreux. Après les restaurants Mahboob et Nizami, on passe sous un tunnel d'échoppes de marchands de fleurs qui embaument jusqu'à l'entrée du sanctuaire. A plusieurs coins de rue, on peut confier à des gardiens ses chaussures, dont le port est interdit à l'intérieur du mausolée. Dans une cour ornée d'un bassin, une porte de pierre s'ouvre sur un escalier menant à la **tombe d'Azam Khan**, construction aux proportions harmonieuses surmontée d'un dôme de marbre blanc. Courtisan illustre, Azam Khan était le père de Mirza Aziz Kokaltash et l'époux de Ji Ji Anga, la nourrice de l'empereur Akbar. Il fut assassiné en 1562 par Adham Khan, le fils de Mahan Anga, une autre nourrice de l'empereur.

On est surpris par l'atmosphère de paix et de recueillement qui règne dans la cour principale. On peut encore y voir des porteurs d'eau (*bishti*) remplissant leurs outres en peau de chèvre aux robinets. C'est ici que **Hazrat Nizamuddin** (1236-1325) fit ses dévotions pendant la majeure partie de son existence et fut enterré. Il appartenait à l'ordre chishti des mystiques musulmans (soufis) et devint le successeur spirituel de Shaikh Farid Shakarganj. L'un des premiers mystiques a dit que « *le soufi est comme la terre sur*

*Pèlerins devant la tombe de Hazrat Nizamuddin.*

*laquelle on jette ce qui est sale et de laquelle ne sort que le beau*».

Les Chishtis utilisent la musique pour atteindre une forme d'extase spirituelle. Contrairement à certains musulmans orthodoxes, ils ne considèrent pas cette pratique comme anti-islamique. Le saint et ses disciples renonçaient aux possessions terrestres et s'en remettaient entièrement à Dieu pour leur subsistance.

Au cours de sa vie, Hazrat Nizamuddin attira un grand nombre de fidèles, laïcs et disciples, hindous et musulmans, qui renoncèrent au monde pour le suivre. Il refusait les terres et redistribuait aux pauvres l'argent qu'on lui offrait. On raconte qu'il pleurait «parce que le prestige terrestre qu'on lui conférait lui déplaisait». Quand il recevait des présents de valeur, il pleurait davantage et sa quête spirituelle n'en devenait que plus intense. Il comprenait et partageait les peines des gens du peuple, avec lesquels il préférait vivre et qui le considéraient comme un saint capable de miracles.

Le nombre sans cesse grandissant de ses disciples inquiéta certains des sept sultans de Delhi sous le règne desquels il vécut, d'une part parce que leur pouvoir était relativement instable, d'autre part parce que le saint se méfiait des dirigeants. Néanmoins, les sultans qui lui étaient hostiles ne vécurent pas assez longtemps pour lui nuire.

Après sa mort, à 92 ans, sa tombe devint un lieu sacré et la fonction de *Pir*, ou chef spirituel, fut désormais héréditaire au lieu de récompenser l'effort spirituel. Le *Pir* actuel est un descendant de la sœur de Hazrat Nizamuddin. Au cours des siècles, la règle de pauvreté s'est peu à peu relâchée : les voies austères des soufis sont difficiles à suivre. Quelque 200 familles, descendant de la sœur du saint et de ses disciples, ainsi que les serviteurs du mausolée, dépendent du *dargah* pour leur subsistance. Elle est assurée principalement par les dons des visiteurs, hindous et musulmans, qui révèrent le saint et viennent prier sur son tombeau pour voir leurs vœux s'exaucer. Les dons permettent également d'entretenir le mausolée et peuvent être reversés aux pauvres sur demande.

*Deux aspects du soufisme.*

La cour du *dargah* contient plusieurs tombeaux. Un grand arbre ombrage les panneaux en grès rouge de la **tombe d'Amir Khusrau**. Ce poète écrivait en persan et dans la langue locale de l'époque, une forme ancienne de l'hindi. Ses poèmes, très prisés du public indien, sont chantés devant son *dargah*, tous les vendredis soir.

Vers le milieu de la cour, les tombes sont protégées par des vérandas en marbre sculpté formant deux enceintes. A l'est, près de l'entrée, la première renferme la **tombe de l'empereur moghol Muhammad Shah** (1789-1848) et celles d'autres membres de la dynastie moghole, comme Mirza Jahangir, le fils aîné d'Akbar II.

Dans l'autre enceinte, on voit la **tombe de Jahanara**, la fille de l'empereur Shah Jahan, morte en 1681. Elle avait secondé son père dans l'édification de Shahjahanabad et demeura à ses côtés jusqu'à sa mort, lorsqu'il fut enfermé par son fils Aurangzeb dans le fort d'Agra. Cette fille dévouée avait demandé qu'on grave sur sa tombe ces simples mots :

*Offrande d'encens, pratique héritée des hindous.*

« *Laissez seulement l'herbe verte envahir ma tombe,*
*car l'herbe est suffisante pour couvrir la sépulture des humbles.* »

Le **tombeau de Nizamuddin** se trouve au nord. Le bulbe de son dôme, orné d'un bandeau de marbre noir, s'achève par un pinacle en or et domine les vérandas et les superbes grilles en marbre sculpté qui entourent la tombe. Elle a été bâtie au XVIe siècle mais de nombreuses modifications y ont été apportées ultérieurement, notamment le dôme, qui a été ajouté au XVIIIe siècle.

La tradition interdit aux femmes de pénétrer dans l'enceinte du tombeau. Elles restent généralement assises sous les vérandas et regardent la tombe à travers les grilles, auxquelles elles nouent des fils et des morceaux de tissu, symboles des vœux adressés au saint. Lorsque leur vœu est exaucé, elle reviennent avec des offrandes, des *chadar* ornés qu'elles déposent sur la tombe et de l'argent pour les pauvres. Dans l'enceinte du tombeau, les fidèles prient, la tête couverte, et offrent des fleurs et de l'encens. A l'extérieur, des musiciens chantent des *qawwali*. Il est fréquent que l'un des serviteurs du *dargah* s'approche des visiteurs pour leur demander de « signer le livre », un euphémisme pour solliciter un don.

A l'ouest de la tombe, **Jama Khana**, une grande mosquée, héberge les visiteurs pendant les festivals. Elle a été érigée en 1325 par un fils du sultan Ala-ud-Din Khilji, l'un des admirateurs du saint. Une frise de boutons de lotus, symbole hindou, orne ses grandes arcades. Les musulmans s'y rendent pour les cinq prières rituelles et viennent également s'y recueillir dans la journée.

Derrière la tombe de Hazrat Nizamuddin, un passage mène à un puits sacré, ou *baoli*, qui date de la construction de Tughlaqabad (XIVe siècle). On raconte que le sultan avait interdit aux villageois de travailler à ce puits, demandé par le saint, tant que sa capitale ne serait pas terminée. Ceux-ci, tout dévoués à leur saint, y travaillaient donc la nuit : furieux, le souverain ordonna qu'on ne leur vende plus d'huile pour s'éclairer. Mais le saint changea l'eau en huile et le puits fut achevé. Plusieurs fontaines l'alimentent et les habitants croient que son eau guérit les maladies incurables.

Elle semble pourtant assez sale et le miracle est plutôt que les gens qui la boivent ne tombent pas gravement malades. Derrière la citerne, un passage mène à l'entrée nord du *dargah*.

## Vestiges du sultanat

Dans le village, de nombreux autres édifices de la période du sultanat méritent une visite. Le plus remarquable, une mosquée semblable à une forteresse, **Kali Masjid**, se dresse à la lisière sud-ouest. Elle fut construite de 1370 à 1371 sur l'ordre du sultan Firoze Shah Tughlaq. On en a récemment restauré le sol en marbre poli. Le dôme est soutenu par des piliers massifs en pierre. Deux allées couvertes divisent la cour en quatre parties égales.

Bien que la plupart des habitants du village soient musulmans, de nombreuses maisons de *harijan*, nom donné par Gandhi aux intouchables de la société hindoue, avoisinent l'entrée principale de la mosquée. Elles appartiennent à des membres de la communauté des Valmiki, qui doit son nom à l'auteur de l'épopée hindoue du *Ramayana*. A l'arrière de la mosquée, un petit temple abrite une statue du sage écrivant son épopée assis sur une peau de léopard.

Au nord du village, **Bara-Khamba**, la « salle aux douze piliers », un édifice carré avec une chambre centrale bordée de trois arches sur chaque côté. On pense que ce bâtiment était, à l'origine, une tombe. A l'ouest de Bara Khamba, dans un quartier très populeux, la très belle et très ancienne **tombe octogonale de Khan-i-Jahan**, premier ministre du sultan Firoze Shah, achève de se délabrer.

A la limite orientale du village, une ruelle offre un abrégé de l'Inde : à l'ouest, un temple hindou récent de couleur rose, orné de sculptures colorées de dieux, et un bidonville ; à l'est, un *dargah* récent abrite le tombeau du mystique moderne Inayat Khan Sufi, qui possède de nombreux disciples en Europe et aux États-Unis. Tous les vendredis, on peut assister à des lectures de ses poèmes.

*A gauche, chants mystiques devant la tombe du saint ; à droite, librairie islamique.*

# DÉLICES MOGHOLES

Situé dans une rue étroite de Nizamuddin, le **restaurant Karim** est tenu par une famille dont les ancêtres étaient déjà chefs cuisiniers à l'époque des empereurs moghols. Venus d'Arabie Saoudite, ils s'installèrent en Inde et élaborèrent une cuisine moghole raffinée. Lors de la mutinerie de 1857, la famille quitta précipitamment Delhi comme plusieurs milliers d'autres et vécut pendant plus de trente ans dans un village de l'Uttar Pradesh. Dans les années 1890, Haji Karimuddin, arrière-grand-père du propriétaire actuel, revint à Delhi avec deux grandes ambitions : concocter une cuisine royale pour l'homme de la rue et conquérir gloire et fortune. En 1913, il ouvrit le restaurant Karim sur Motia Mahal, à un jet de pierre de Jama Masjid. Ce restaurant remporta un tel succès que son propriétaire inaugura bientôt un second établissement à Nizamuddin.

Wasimuddin, qui dirige cet établissement, confie que les recettes familiales restent un secret jalousement gardé. Les femmes de la famille réduisent les épices en poudre et effectuent les mélanges (*masala*) : le *garam masala* spécial contient à lui seul 32 épices différentes. Elles préparent également le célèbre *khir* de Karim, mélange de lait et de riz recouvert d'une fine pellicule d'argent comestible et servi dans des plats en terre cuite.

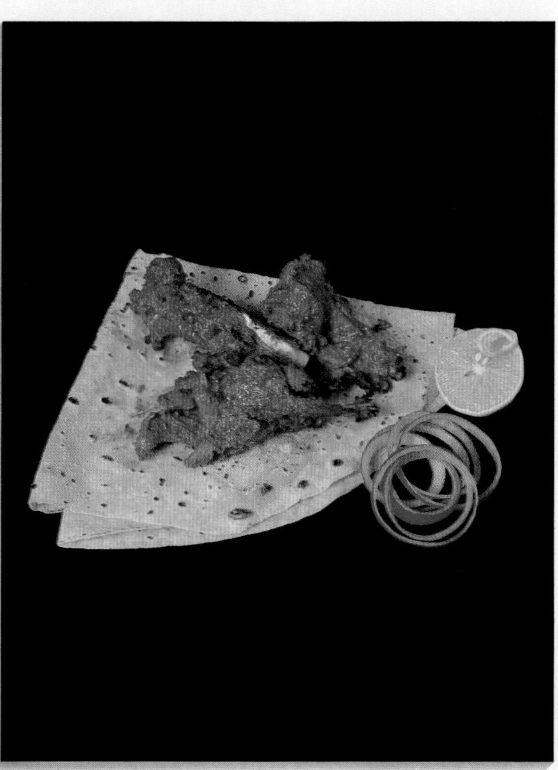

Rumali roti *et viande épicée.*

La cuisine moghole traditionnelle est à base de viande (poulet et mouton), cuite dans le lait caillé, l'huile ou le beurre clarifié (*ghi*) et les épices. Les spécialités *tandoori*, cuites dans d'immenses fours (*tandoor*) alimentés au feu de charbon de bois, représentent plus de la moitié des commandes du restaurant. Sur demande, les cuisiniers peuvent faire rôtir une chèvre entière mais la plupart des clients se contentent d'une *raan* (de la viande de chèvre), ou d'un poulet. Grande spécialité de la cuisine musulmane, les *kebab* se composent de côtes d'agneau *tandoori* et de viande émincée en brochette. Wasimuddin affirme que les *seekh kebab* ont été inventés pour un empereur qui, atteint d'une rage de dents, ne pouvait pas mâcher de viande. Un autre grand four sert à la cuisson des galettes qui accompagnent les plats et servent aussi de couverts : les *nan* et les *roti tandoori*, à base de pâte à pain au levain.

Les mets les plus prisés des empereurs moghols portent leurs noms : l'*Akbari Murgh Masala*, plat de poulet odorant, cuit dans le lait caillé, le *Makhani Murgh-e-Jahangiri*, poulet au beurre et aux épices, et le *Jahangiri Qorma*, riche curry de mouton. Plus léger, le *Badshahi Badam Pasanda* se compose d'escalopes de mouton hachées et cuites avec des amandes, du lait caillé et un mélange mystérieux d'épices. Le *Nargisi Kofta*, qui porte le nom du narcisse, consiste en boulettes de mouton farcies aux œufs. Le *Shahi Murg-Do-Piyaza*, particulièrement peu épicé, apaisera les estomacs fragiles. Les *byriani*, plats de riz mêlé de morceaux de mouton ou de poulet délicatement épicés, sont une autre invention des Moghols. Cette nourriture peut sembler très riche mais Wasimuddin affirme que la cuisson, soigneusement surveillée, et le choix des épices la rendent en réalité plus facile à digérer.

Les restaurants musulmans ne servent pas d'alcool mais on peut arroser le repas d'un verre d'eau parfumée au cumin (*jal jeera*), d'un délicieux yaourt liquide (*lassi*) ou d'un sorbet sirupeux.

# VILLES OUBLIÉES AU SUD DE DELHI

Selon la légende, Delhi se compose de sept villes anciennes. En réalité, elle contient les vestiges d'au moins quinze capitales différentes. Cependant, l'urbanisation accélérée des dernières décennies a radicalement transformé le paysage, si bien qu'un effort d'imagination est nécessaire pour reconnaître les anciens tracés. Jusque dans les années 60, on se contentait d'appeler les villes les plus anciennes le « vieux Delhi », par opposition à la New Delhi moderne.

De nombreuses communes rurales ont été absorbées dans le tissu de la ville moderne. On y retrouve des vestiges de monuments et des villages cernés de blocs d'immeubles, les « colonies » de Delhi. Grâce à la politique de conservation du patrimoine menée par les Britanniques, de nombreux sites ont été protégés et leur environnement aménagé. Mais un grand nombre d'édifices plus petits ont disparu ou sont peu visibles.

Un adage local énumère les trois éléments nécessaires à l'établissement d'une ville : *badshah*, *badal* et *dariya* (un roi, des nuages et un fleuve). Et il est vrai que, pendant des siècles, la Yamuna était une voie navigable, l'eau de pluie remplissait les citernes et les rois construisaient villes et palais dans les plaines et sur les collines de Delhi.

Au XIIIe siècle, les premiers sultans occupèrent Qila Rai Pithaura, la ville de Prithviraj Chauhan, sur la crête de Delhi, et construisirent de beaux monuments dans le complexe du Qutb Minar. Ala-ud-Din Khilji (1290-1316) fit ériger un palais à Siri, dans les plaines du sud de Delhi. Enfin, la dynastie des Tughlaqs, qui régna au XIVe siècle, a laissé trois citadelles : Tughlaqabad, Jahanpanah et Firoze Shah Kotla.

L'institut national d'Archéologie (*Archeological Survey*), juste à côté du Musée national, délivre une carte détaillée des sites préservés. Pour cette visite, de bonnes chaussures de marche, une tenue correcte et une provision d'eau sont recommandés. Certains édifices sont en effet un peu difficiles d'accès et l'on est souvent obligé de gravir de longs escaliers pour jouir de vues spectaculaires. Certains de ces sites sont très éloignés du centre-ville : on peut s'y faire conduire en taxi ou louer une voiture avec chauffeur.

*Pages précédentes : procession de « tazia » multicolores lors du festival de Moharrum. A gauche, le tombeau de Mehrauli.*

Le voyageur français Rousselet, qui visita Delhi au siècle dernier, conseillait aux amateurs de voir en dernier le Qutb Minar, qu'il jugeait le plus impressionnant. Mehrauli et le Qutb Minar peuvent se visiter en trois heures environ, Tughlaqabad en deux heures et les deux dernières villes, Siri et Jahanpanah, en trois heures. Cependant, une visite rapide ne permet pas de savourer pleinement l'atmosphère romantique qui règne dans les ruines de la période du sultanat.

Certes, on ne voit plus que les vestiges des civilisations raffinées dont les splendides jardins, les salles fraîches et colorées, les cérémonies aux rituels complexes et la culture cosmopolite ont contribué à faire de Delhi la rivale de Bagdad et d'Ispahan. Mais, malgré le délabrement des édifices, leur architecture ingénieuse et les fragments de leur décoration parlent d'eux-mêmes.

## Mehrauli

A environ 10,5 km au sud d'India Gate, Mehrauli a sans doute été habité depuis le XIIe siècle. Jusque dans les années 40, ce village était à une demi-journée (en rickshaw) de Delhi. Ses bosquets de manguiers, ses collines et ses champs en faisaient un agréable lieu de villégiature estivale. Des canalisations y amènent l'eau de la Yamuna, mais les vieux puits disséminés sur la colline fournissent une meilleure eau potable.

Aujourd'hui, ce paysage bucolique a presque totalement disparu mais, heureusement, les édifices historiques sont protégés. Mehrauli est même devenu la vitrine de l'institut d'Archéologie de Delhi et *Delhi Development Authority* y a fait aménager certains sites. La visite de cette région peut se faire en trois temps : Mehrauli, le complexe du Qutb Minar, à 1 km à l'est du village, et les monuments le long de la route qui va de Mehrauli à Gurgaon.

Mehrauli est un village aligné le long d'une grand-rue où se tient un important marché de grossistes en légumes. La **tombe d'Adham Khan**, un général de l'armée moghole, époux d'une des deux nourrices rivales d'Akbar, s'élève à l'extrémité nord.

Ce tombeau à deux étages, de forme octogonale, a été construit en 1562 sur l'ordre de l'empereur Akbar, après qu'il eut condamné Adham Khan à mort pour avoir assassiné son premier ministre, Azam Khan, fils de l'autre nourrice, dont la tombe se trouve à Nizamuddin. On dit qu'il le fit précipiter du haut des remparts du fort d'Agra mais que, comme il était encore en vie, il fallut recommencer l'opération une seconde fois.

Le tombeau est aussi appelé **Bhul-Bhulaiyan** (labyrinthe), à cause des nombreux corridors souterrains qu'il renferme. La mère d'Adham Khan est enterrée auprès de son fils (on peut voir à Delhi, en face de Purana Qila, la maison qu'Akbar lui avait fait édifier).

En suivant la grand-rue, on aperçoit à l'ouest le **tombeau de Bakhtiyar Kaki**, un saint musulman du XIIIe siècle. Mehrauli était l'un des lieux de villégiature favoris des empereurs moghols. La plupart des souverains de Delhi sont enterrés dans le voisinage.

A côté du tombeau de Bakhtiyar Kaki, **Zafar Mahal** abrite la dépouille du dernier empereur moghol, Bahadur Shah, poète à ses heures, dont le nom de plume était *Zafar*. Construit au XVIIIe siècle, cet édifice en grès à trois étages présente des similitudes avec l'entrée du Fort-Rouge.

La grand-rue très animée du village est bordée de dômes et de *baoli* (puits à escaliers), vestiges d'édifices anciens. Beaucoup ont été restaurés et agrandis, de telle sorte qu'on a peine à reconnaître l'original.

A l'autre bout de Mehrauli, à gauche de la rue, s'élève **Jahaz Mahal** (le palais du navire), en grès rouge et gris. Il porte ce nom étrange parce qu'il a été élevé en bordure d'un grand réservoir, sous le sultanat des Lodis, au XVIe siècle. Les eaux de **Hauz Shamsi**, creusé sous le règne d'Iltutmish, étaient considérées comme sacrées et attiraient les pèlerins. Le trop-plein se déverse dans une rivière de l'autre côté de la rue.

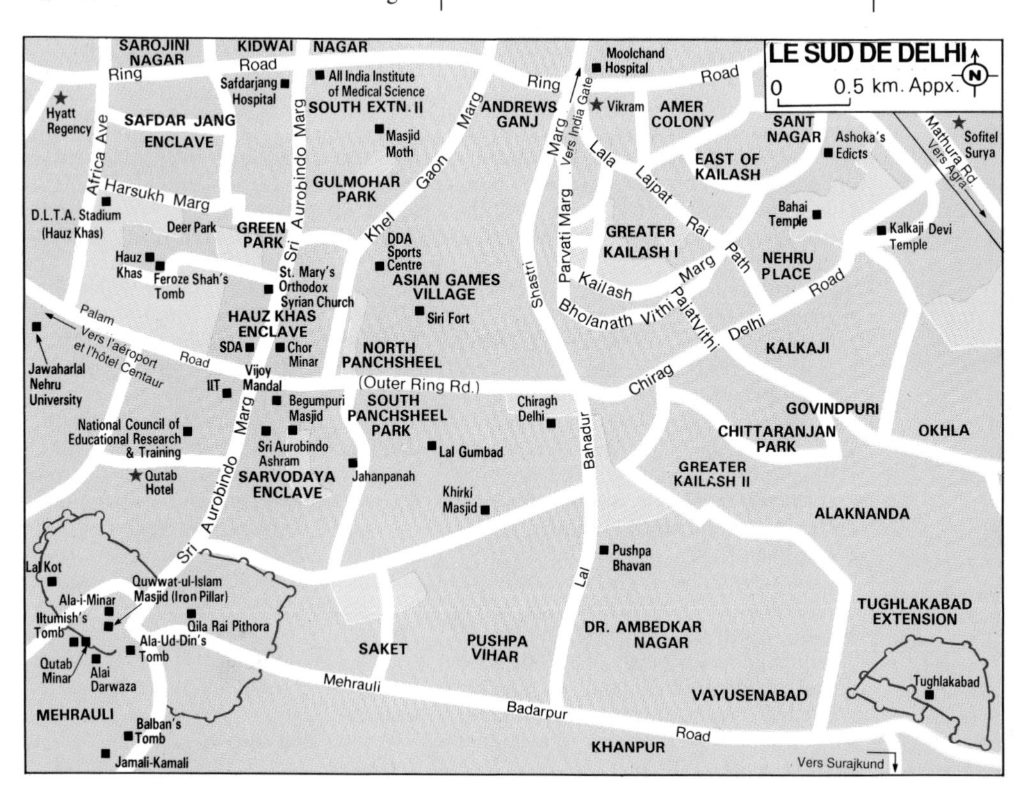

Au début d'octobre, les rues de Mehrauli s'animent plus particulièrement pour la célèbration d'une fête dont l'origine remonte au XVIe siècle, **Phulwalon-ki-Sair** (défilé des marchands de fleurs). Lors de cette cérémonie, des éventails de fleurs, bénis sur le tombeau de Bakhtiyar Kaki et dans le temple hindou de Jogmaya, sont apportés en procession à Jahaz Mahal.

## Le complexe du Qutb Minar

Outre leur beauté, les monuments du début du sultanat de Delhi sont intéressants dans la mesure où ils étaient novateurs à leur époque. Après sa victoire sur les princes rajpoutes, en 1192, le premier sultan, Qutb-ud-Din Aibak, fit démolir de nombreux temples hindous et jains et réutiliser leurs piliers sculptés. C'est ainsi qu'il fit ériger, en 1193, la première mosquée de l'Inde, **Quwwat-ul-Islam**. Une inscription sur un mur indique d'ailleurs qu'elle a été édifiée « à la place de 27 temples idolâtres ». On doit donc à des artisans hindous les ornements des colonnes et des trois voûtes de la salle de prière. De leur côté les conquérants ont aussi apporté des techniques de construction jusqu'alors inconnues.

La juxtaposition de lames de grès colorées sur les murs du **tombeau d'Iltutmish**, à l'angle nord-ouest du complexe du Qutb Minar, en est l'un des exemples les plus raffinés. Son dôme aujourd'hui disparu a été érigé selon une technique nouvelle à l'époque, en posant les fondations sur un grand cadre.

Chacune des dynasties qui ont régné sur Delhi pendant la période du sultanat compta un grand bâtisseur. Iltutmish (1211-1236), beau-fils et successeur de Qubt-ud-Din, compléta plusieurs édifices par des éléments originaux.

En 1311, Ala-ud-Din Khilji ajouta à la mosquée une entrée monumentale, **Alai Darwaza**. Cette structure parfaitement proportionnée comprend déjà tous les éléments que l'on retrouve dans des constructions plus tardives : une voûte, dont la technique avait été importée par les musulmans, un dôme creux, la combinaison spectaculaire du marbre blanc ou noir et du grès rouge, des sculptures géométriques, les versets du coran inscrits dans des arabesques et des frises de lotus, motif hindou traditionnel. Les architectes et les artisans du sultanat ont de tout temps suscité l'admiration des visiteurs. « Ils construisent comme des géants et finissent comme des joailliers », déclarait l'archevêque Heber lors de sa visite du Qutb Minar.

Dans la cour de la mosquée, la **colonne de fer** est l'un des éléments les plus insolites du site. D'après une inscription en sanscrit, cette colonne de sept mètres de haut date de la dynastie hindoue Gupta (IVe siècle). Elle aurait fait partie d'un porte-étendard consacré au dieu Vishnou, mais on ignore la raison de sa présence à cet endroit. On ne sait pas non plus comment elle a été coulée et comment elle a pu échapper à la rouille. Selon une croyance populaire, la personne qui peut s'adosser à cette colonne en l'encerclant de ses mains réunies derrière le dos verra ses vœux exaucés.

Le **Qutb Minar** est également une énigme : s'agissait-il d'une tour de commémoration de la victoire de l'islam ou du minaret de la mosquée? Plusieurs sul-

*Le Qutb Minar.*

tans ont contribué à son édification : Qutb-ud-Din fit construire, en 1199, le premier étage et les étages supérieurs ont été ajoutés sous le règne d'Iltutmish. Firoze Shah Tughlaq apporta des modifications à l'ensemble et fit effectuer des réparations.

En 1803, un tremblement de terre endommagea la coupole qu'il avait fait installer. Un ingénieur britannique prit l'initiative de la remplacer mais le gouverneur général de l'époque critiqua sévèrement cette décision et fit enlever la nouvelle coupole, qui s'élève aujourd'hui comme un dais au-dessus des pelouses.

Œuvre de nombreux concepteurs, le Qutb Minar n'en possède pas moins une remarquable unité esthétique. Haut de près de 73 m, il s'affine progressivement de la base au sommet, de 15 m à 2,50 m. Les trois premiers étages sont en grès rouge cannelé, les deux derniers en marbre décoré d'anneaux de grès.

Chaque niveau est souligné par un balcon. Les cannelures rondes de la tour, ornées de sourates du coran et d'arabesques, et les taquets en forme de stalactites qui soutiennent ses balcons créent une unité de style. Cette tour, une des plus hautes du monde, est aussi légèrement inclinée.

Emily Metcalf, la fille de Thomas Metcalf, Résident britannique de 1835 à 1854, a fait d'étonnantes descriptions de pique-niques à l'étage supérieur du minaret. Par la suite, personne ne fut autorisé à dépasser le premier étage. Actuellement, il est interdit de monter dans le Qubt Minar car l'état de délabrement des escaliers rend l'ascension trop dangereuse.

Le sultan Ala-ud-Din voulut également construire, au nord, un autre minaret, **Alai Minar**, dont le diamètre serait le double de celui du Qubt Minar. Cette tour massive, restée inachevée, atteint seulement 27 m. A l'ouest, on peut voir aussi **la tombe** du sultan et l'école islamique qu'il a fondée au XIVe siècle.

Au sud-est, la **tombe de Quli Khan** est passablement délabrée. Dans les années 1840, Thomas Metcalf l'a utilisée comme maison de campagne et y a apporté des modifications pour son usage personnel en faisant prolonger chacun des côtés de

*La colonne de fer et Alai Darwaza.*

l'octogone afin d'ajouter des pièces supplémentaires. Il fit également ériger dans l'enceinte du Qutb Minar deux tours pyramidales près de l'entrée, un Kos Minar et les tours d'une demeure néo-gothique, Metcalf's Folly.

## Sultan Ghari et Jamali Kamali

A 5 km au sud de Mehrauli sur la route qui va à Gurgaon, on aperçoit à l'ouest de la route un petit ensemble de ruines. Au milieu s'élève **la tombe de Ghari**, qu'Iltutmish fit construire pour son fils, mort quatre ans avant lui. A l'exception de son *mihrâb* décoré, sur le mur occidental, ce tombeau est très différent de celui d'Iltutmish, dans le complexe du Qutb Minar. Ses dômes en grès d'un jaune pâle, sa cour à colonnades et sa chambre mortuaire octogonale sont d'une austérité paisible

En retournant vers le Qutb Minar, on passe à l'est de la route devant une statue jaïn, moderne et massive, perchée sur une colline rocheuse. A l'ouest de la route, un panneau indique la **mosquée Jamali Kamali**, à l'écart de la route. Cette grande mosquée a été construite, au début du XVIe siècle, par le poète soufi Jamali. De la plate-forme du premier étage, on a une vue superbe sur les environs.

Dans le voisinage, une enceinte renferme la **tombe de Jamali**, qu'il avait lui-même dessinée, en forme de dôme. Il y avait fait graver ses vers, encadrés de riches ornements bleu, blanc et rouge. Dans le parc voisin de la mosquée, des ondulations de terrain recouvrent probablement des ruines plus anciennes. Au nord, le mausolée de l'empereur Balban est un grand édifice dépourvu de toit.

## La citadelle de Tughlaqabad

**Tughlaqabad**, la troisième Delhi, est à l'est du Qutb Minar, à 8 km sur la route de Mehrauli à Bardapur. Construite sous le règne de Ghiyas-ud-Din (1320-1325), le premier sultan de la dynastie Tughlaq, cette forteresse a été peu utilisée.

Les superstitieux y voient l'accomplissement d'une malédiction lancée par Nizamuddin, à qui le sultan avait refusé

*Ruines de Tughlaqabad, la troisième Delhi.*

des ouvriers pour son propre tombeau. Ce saint, qui ne pratiquait apparemment pas le pardon, avait prédit que Tughlaqabad serait désertée avant longtemps, et sa prédiction se réalisa : le sultan fut assassiné par son fils Muhammad, l'année même de la mort de Nizamuddin.

Une atmosphère d'abandon plane sur les superbes ruines de Tughlaqabad. Cette immense citadelle, de forme octogonale, avait 13 portes. On entre par une petite porte au sud-est. A l'époque où elle était encore habitée, on y pénétrait par le nord-ouest, sur un terrain en pente douce où s'étendait la ville voisine, qui n'est plus qu'un village. Au sud-ouest, des escaliers menaient au sommet de la forteresse. Il est fascinant d'explorer l'immense réservoir, les couloirs et les passages souterrains de l'ancienne cité, qui abritaient les trésors royaux.

Un remblai reliait la forteresse au petit **fort d'Adilabad**, au sud. Adilabad a été commandé par le fils de Ghiyas-ud-Din, Muhammad. Comme Tughlaqabad, il est tellement délabré qu'on a peine à imaginer qu'il ait pu contenir des palais. On peut seulement s'étonner de la frénésie de construction qui anima les Tughlaqs dans la région de Delhi.

Ces édifices n'étaient pas toujours utilitaires ni austères, comme en témoigne la **tombe de Ghiyas-ud-Din**, érigée au milieu d'un lac artificiel, au sud du fort. Ce beau mausolée en grès et en marbre, dont les côtés s'inclinent légèrement, est intact dans son enceinte de pierre. Des remparts, on a une belle vue sur les forteresses et les champs des alentours. Seuls le babillage des singes et des perroquets et le bruissement des feuilles de banians viennent troubler la paix de ce lieu.

## Siri et Jahanpanah

**Siri**, la citadelle d'Ala-ud-Din Khilji, s'étend dans les plaines au nord-est de Mehrauli, entre Khel Gaon Road et Tito Road. Cette forteresse ronde était alimentée par le grand réservoir de Hauz Khas et par un réseau complexe de canaux reliés à la Yamuna, qui est encore visible de nos jours. Les quelques vestiges des hautes murailles de Siri s'élèvent

*Musicien devant le tombeau de Jamali Kamali.*

derrière les maisons entre Siri Fort Road et Panchsheel Road. Quand Tamerlan s'en empara, en 1398, il fut, paraît-il, rempli d'admiration à la vue de ces puissantes fortifications. De nombreuses ruines sont encore enfouies et l'emplacement exact de la célèbre « salle aux mille piliers » d'Ala-ud-Din demeurera peut-être à jamais un mystère.

Muhammad Tughlaq (1325-1351) projetait de relier les cités de **Rai Pithaura** (la ville des rois rajpoutes) et de Siri par un rempart qui devait également entourer sa propre ville, **Jahanpanah** (le refuge du monde). On peut en voir des tronçons sur la route de Saket qui relie Tito Road et Aurobindo Road. Contrairement à Siri, la citadelle de Jahanpanah est assez bien conservée.

Au sud de Sarvapriya Vihar, en face du Panchsheel Club, les hautes voûtes de **Vijay Mandal** en indiquent l'entrée. Les édifices intérieurs sont construits sur deux niveaux. Au premier, une spacieuse plate-forme porte les traces de piliers qui ont vraisemblablement soutenu un toit. Au niveau supérieur, on devine le plan d'anciennes chambres et de salles à colonnades, qui mènent à une pièce octogonale au toit plat autrefois surmonté d'un dais, d'où le sultan pouvait passer ses armées en revue.

Au sud de Vijay Mandal, Begumpur, le village voisin, est dominé par une impressionnante mosquée, **Begumpur Masjid**, probablement été construite en 1387 sur l'ordre de Khan-e-Jahan, ministre de Firoze Shah. Elle présente en effet des similitudes avec d'autres mosquées de la même époque : la plupart de ces édifices, bâtis en pierre, sont ornés de plusieurs dômes. Begumpuri Masjid est malheureusement encerclée par les maisons du village, de sorte qu'il est impossible de l'admirer à distance comme il conviendrait. Des marches majestueuses mènent à l'entrée. La salle de prière a une voûte centrale remarquable.

En retournant vers Sarvapriya Mandal, on peut faire un détour d'environ 250 m sur la route de Panchsheel à Malviya Nagar pour visiter **Lal Gumbad**. Ce monument est probablement la tombe du saint Kabir-ud-Din Auliya, mais sa proxi-

*Tombeau d'Adham Khan.*

# HAUZ KHAS

**Hauz Khas**, situé à une dizaine de kilomètres au sud-ouest de Connaught Place, non loin du Qubt Minar, est l'un des villages anciens que la métropole a peu à peu absorbés. A mesure que les immeubles remplaçaient les champs, beaucoup de villageois sont entrés au service des citadins les plus proches. Du fait de son isolement entre une forêt et le parc aux Daims (Deer Park), Hauz Khas a connu un sort différent. De nombreuses familles ont en effet trouvé une activité sur place.

Il y a quelques années, Datskar, une association militant pour la préservation de l'artisanat indien, s'est installée au village où elle a ouvert une salle d'exposition. Dastkar travaille en liaison avec Kamaladevi Chattopadhyaya, une organisation qui assure une promotion efficace de l'artisanat villageois. Le Cottage Industry Emporium de Delhi, sur Janpath, est né de ce mouvement.

La **salle d'exposition de Datskar** à Hauz Khas présente les œuvres d'artisans de toute l'Inde, notamment du Rajasthan et du Gujarat. Certains articles, comme les chaussures et les jupes évasées, sont de purs produits de l'artisanat rural. D'autres – comme les sacs en cuir et les meubles en corde et en bois – adaptent les techniques traditionnelles au goût des citadins.

En flânant dans le village, on découvrira une foule de magasins, curieux mélange d'*emporia*, de marché aux puces et de boutiques de luxe. Il y en a pour toutes les bourses et même le lèche-vitrine est un plaisir car les vendeurs sont courtois et l'atmosphère détendue. Depuis quelques années, Hauz Khas est devenu l'un des centres commerçants de Delhi. On y trouve de tout, des meubles traditionnels sculptés au mobilier moderne, des luxueux châles du Cachemire aux tailleurs imitation Cardin. Au rayon accessoires, les bijoux fantaisie et les chaussures brodées sont à l'honneur.

Certains magasins se spécialisent dans un seul article : **Amotul** vend des abat-jour en fibre de verre ornés de losanges de couleur, **Limelight** des bougies en forme d'animaux et **Pazaryk**, déformation d'un mot cachemiri, des tapis de soie. Les amateurs peuvent flâner dans les galeries d'art **Pasricha** et **Village Gallery**, qui exposent les œuvres d'artistes locaux et étrangers. Après ses courses, on pourra se reposer dans l'un des sept restaurants du village, regroupés dans les étages d'une maison. **Le Bistro** et **A Touch of Class**, où règne l'atmosphère d'un Soho indien, sont les plus agréables, surtout le soir, à condition de se prémunir contre les moustiques.

Hauz Khas est un bel exemple de concentration d'édifices et de magasins dans l'espace étroit d'un village médiéval. Il est facile d'en faire le tour à pied en un temps limité. Au sommet du grand magasin **Jharokha**, trois étages remplis de tissus, de meubles et d'objets pour la maison, la terrasse d'un café offre une vue splendide sur les ruines mogholes et les parcs des alentours. Cependant, on s'aperçoit rapidement que la beauté du site est comprise dans les additions élevées de cet établissement.

Malgré la modernisation et les influences occidentales, Hauz Khas demeure un authentique village indien. On s'y chauffe au feu de bois, des vaches circulent dans ses rues et, en fin de journée, les notables se réunissent sur le terrain de jeu pour bavarder en fumant le *hookah*. La paix de ce lieu, si près d'une grande ville, et la beauté romantique des ruines laissent un souvenir mémorable, surtout si on a la chance d'assister à un spectacle de danse.

*Boutique, Hauz Khas.*

mité avec Vijay Mandal a pu faire penser que Muhammad Tughlaq l'avait fait construire pour lui-même. Revêtue de grès rouge avec de rares ornements de marbre, cette tombe ressemble, par l'inclinaison de ses côtés, à celle qu'il avait fait édifier pour son père, Ghiyas-ud-Din.

Une route part à l'est du Panchshell Club pour rejoindre Tito Marg. Arrivé à ce carrefour, on tourne à l'est, puis à nouveau à l'est au croisement avec Saket Road pour arriver à **Satpula**. Cet édifice en ruine est tout ce qui subsiste d'anciennes écluses construites pour détourner l'eau du fleuve vers le grand réservoir qui alimentait les canaux de la région de Delhi.

Près de Satpula, on peut aller voir **Khirki Masjid**, une intéressante mosquée de la fin du XIVe siècle, dans le petit village du même nom. Ce mot, qui signifie « fenêtre », fait référence aux belles grilles en pierre qui ornent le sanctuaire. Cette mosquée insolite est cruciforme, avec quatre ailes à ciel ouvert autour d'une tour centrale.

*Le village de Begampur, cerné par la ville moderne.*

## Hauz Khas

En remontant Aurobindo Marg au nord du Qutb Minar, on passe devant une grande église en brique rouge surmontée d'une croix blanche. En tournant à l'ouest après cette église, on parcourt 500 m environ avant d'arriver sur un parking, bordé à l'est par le magnifique **Deer Park** (parc aux daims). Au sud s'étend le village de Hauz Khas, où le sultan Ala-ud-Din fit construire au XIIIe siècle un grand réservoir destiné à approvisionner en eau les habitants de Siri. Sur la droite après l'entrée, des marches (*ghat*) descendent vers le fond du bassin. Bien conservé, ce bâtiment est une merveilleuse oasis de paix. Il sert souvent de cadre à des spectacles de danse, et le village lui-même est devenu un lieu de promenade pour les habitants de Delhi (voir encadré).

Tamerlan campa sur ce site avant de rassembler ses troupes pour attaquer Firozabad en 1398. Émerveillé par l'étendue du réservoir, il affirmait qu'une flèche tirée de l'une des rives n'atteignait

pas la rive opposée. Quelques années après son passage dévastateur, le sultan Firoze Shah fit restaurer le réservoir et construire un collège islamique. Les salles de classe s'alignaient sur deux étages en forme de L autour du réservoir. Sous son règne, de nombreuses écoles islamiques furent ouvertes à Delhi, qui figurait alors parmi les plus grands foyers de culture musulmane.

Le sultan devait être attaché à cet endroit puisqu'il y fit ériger son **mausolée**, plutôt qu'à Tughlaqabad, où étaient enterrés les souverains qui l'avaient précédé. La façade du tombeau, à l'ouest du complexe, a perdu son revêtement de calcaire blanc, mais on peut admirer son assise de marbre et de grès et sa belle balustrade en pierre.

Au XVe siècle, les dynasties des Sayyids et des Lodis ont fait bâtir de nombreux tombeaux au sud de l'actuelle Delhi. Dans la zone comprise entre Hauz Khas, Siri et Khel Gaon Marg on trouve des édifices de cette période. Aurobindo Marg, une grande rue qui descend au sud de New Delhi est également bordée de tombes. Dans le triangle formé par Hauz Khas, Free Church (une église sur Aurobindho Marg) et Nili Masjid (la mosquée bleue) s'élèvent les tombes anonymes de « la grand-mère et la petite fille » (**Dadi-Pothi**). Après avoir tourné à l'est de Panchsheel Colony sur Aurobindho Marg, on arrive en vue de **Chor Minar**, une tour percée d'ouvertures où l'on exposait, dit-on, la tête des criminels.

## South Extension 1

En suivant Mahatma Gandhi Marg vers l'est, on tourne à l'ouest juste avant le marché. Après un second virage à gauche, on découvre **Kale Khan**, le tombeau de Mubarak Khan, un noble lodi. Surélevé et entouré de murs, il est de même style que les mausolées de Hauz Khas et ceux des Lodis. Son plafond est orné d'un dessin géométrique noir et blanc, précurseur des motifs plus complexes de l'époque moghole.

A quelques mètres au nord, une autre enceinte contient deux édifices remar-

*Le réservoir de Hauz Khas.*

quablement bien conservés. Dans la salle du **tombeau de Bade Khan**, qui mesure près de 22 $m^2$, des voûtes en trompe l'œil créent l'illusion d'un deuxième étage. Les décorations du plafond et les pendentifs en grès sont superbes. Un escalier mène au toit du mausolée, flanqué de kiosques aux angles. Trois de ces *chatri*, en parfait état, permettent de jouir d'une vue magnifique sur les environs.

L'extérieur de l'autre édifice, **Chote Khan-ka-Gumbad**, conserve quelques carreaux de céramique bleue. Les riches décorations intérieures en stuc sont beaucoup plus raffinées que celles des autres constructions de la même époque.

A l'ouest de ces deux tombeaux, à côté de Kidwai Nagar Market, la tombe en marbre de **Dariya Khan**, un noble qui servit tous les sultans lodis, trône sur une grande plate-forme à trois étages. Elle est entourée de quatre *chatri*.

## South Extension 2

A l'est d'Aurobindho Marg, on peut prendre Panchhill Marg. A environ 400 m à l'est de cette rue s'étend le village de Mothki, dominé par **Mothki Masjid**, une belle mosquée de la période des Lodis.

Selon la légende, le sultan Sikandar Lodi aurait donné à son ministre Miyan Bhuwa une simple poignée de lentilles (*moth*) pour édifier cette mosquée. Le ministre les sema et paya les travaux de construction avec l'argent gagné sur la vente des récoltes.

La magnifique porte d'entrée en grès est très proche des portails moghols, au style plus raffiné que ceux de la période du sultanat. Les trois dômes de la mosquée préfigurent ceux de Jamal Jamali à Mehrauli et de Sher Shah Masjid à Purana Qila, construites toutes deux quelques décennies plus tard.

La façade est ornée de bandes de marbre blanc sur lesquelles sont gravés des vers coraniques. Les ornements en stuc, les motifs de lotus et les médaillons, la décoration des murs et des voûtes ont été élaborés à une époque d'apogée de la sculpture et de la calligraphie, dont la mosquée de Sher Shah est l'exemple le plus parfait.

*École coranique, Hauz Khas.*

# LA NATURE À DELHI

On a peine à imaginer en visitant Delhi, capitale surpeuplée, qu'il ait pu y avoir là une étendue de plaines et de forêts emplies d'animaux sauvages. Selon l'*Imperial Gazetteer* de 1908, c'était autrefois le domaine des renards, des gazelles, des crocodiles et même des léopards.

De cette faune ne subsistent, à part quelques chacals et nilgais, que les oiseaux. En revanche, ces derniers sont nombreux et d'espèces très diverses. Les rives de la Yamuna, le territoire montagneux du nord de Delhi, aux forêts et aux étendues de broussailles protégées, et les marécages de Sultanpur Jheel, au sud de la ville, leur offrent une grande variété d'habitat. Les espaces verts qui entourent les monuments historiques de Delhi comme les tombes des Lodis, le tombeau de Humayun, Surajkund et le fort de Tughlaqabad sont de véritables sanctuaires d'oiseaux. En hiver, les lacs artificiels du zoo accueillent de nombreuses espèces migratrices sur leurs rives. D'octobre à mars, on y voit nager des canards pilets, des oies à tête barrée et des canards souchets, à côté des canards à bec tacheté et des tantales indiens, qui y résident en permanence.

Les oiseaux migrateurs affluent également en masse au **lac de Sultanpur**, à une heure de Delhi en voiture. Ce lac peu profond mais étendu attire chaque hiver plusieurs centaines d'oies cendrées, de grues demoiselles et de canards pilets. Des canards chipeaux, des colverts et quelques tadornes casarca glissent sur les eaux. Il est préférable de s'y rendre assez tôt le matin pour avoir une chance d'observer les oiseaux, car un certain nombre d'entre eux partent ensuite chercher leur nourriture dans les champs, autour du lac. Les ajoncs qui bordent ses rives abritent les nids de nombreuses espèces aquatiques. Des crabiers de Gray montent la garde à côté de martins-pêcheurs pie (ou martins-pêcheurs tachetés), qui planent au-dessus du lac pour attraper des poissons. Le busard des roseaux (ou busard de Gould) vole plus haut pour fondre sur sa proie. On peut voir en permanence de nombreux sternes de rivière, échasses blanches et chevaliers guignette qui viennent se nourrir ici, ainsi que des groupes de spatules blanches, d'avocettes et d'ibis blancs. Au milieu du lac, un bosquet d'acacias dissimule parfois dans son ombre un grand nilgai ou une colonie de sambars.

*Grues dans les marais de Sultanpur.*

Si Sultanpur est l'endroit idéal pour observer les canards migrateurs et les oiseaux aquatiques, la végétation qui borde les avenues de Delhi héberge de multiples espèces d'oiseaux. Les arbres en fleurs attirent insectes et papillons et, dans leur sillage, les oiseaux qui s'en nourrissent. Le *silk cotton*, un grand arbre aux fleurs écarlates, abrite souvent au moment de sa floraison, vers la fin février, des perruches à collier, des bulbuls à ventre rouge, des martins et des souimangas asiatiques.

Les grappes jaune d'or du cytise indien et les fleurs roses et blanches du pink cassia s'ouvrent quelques semaines avant le début de l'été mais meurent dès que la chaleur devient trop forte. Les jours brûlants de mai à fin juillet voient s'épanouir les fleurs d'un rouge orangé éclatant du gulmohur. Le minuscule gobe-mouche à tête grise, le guêpier d'Orient, semblable à un arc, et le zosterops oriental, vert olive et replet, virevoltent autour de ces arbres. Le drongo brillant à la queue fourchue et la pie-grièche schach au masque noir fréquentent aussi les avenues de Delhi. Des zébrures marquent les ailes de la huppe fasciée, un oiseau de couleur fauve. Il passe la plupart de son temps sur le sol où il déterre des vers de son bec recourbé. Les superbes plumes de sa crête, généralement rabattues en arrière, se dressent parfois soudainement, comme s'il était surpris. Les ternes cratéropes de brousse au plumage gris-brun, oiseaux plaintifs et bruyants, chassent également au sol et errent dans les sous-bois par groupes de cinq ou de sept, c'est pourquoi les appelle les « sept frères » en hindi. Le vanneau indien cherche sa nourriture sur les pelouses, où il va et vient d'un air affairé, lançant son appel insistant.

D'autres espèces vivent à l'abri des feuillages, où il est parfois difficile de discerner leur présence. Les épaisses frondaisons des margousiers et des manguiers dissimulent souvent le pic du Bengale et des mahrattas qui se déplacent le long des troncs d'arbre pour dénicher des insectes sous l'écorce. Le miro à face blanche, l'un des plus beaux oiseaux de la création, se perche sur les arbres fruitiers mais reste la plupart du temps caché dans leur feuillage.

D'autres oiseaux font preuve de moins de discrétion et certains signalent même bruyamment leur présence. L'élégant shama dayal est un oiseau très répandu que l'on peut voir dans tous les jardins, ainsi que le pseudotraquet indien. Ils volent au-dessus des buissons et leur chant mélodieux charme les promeneurs. Les appels du coucou koël commencent au début de l'été et se prolongent pendant deux à trois mois. Son cousin, le coucou jacobin, arrive à Delhi juste avant les pluies de mousson. On raconte que ces deux oiseaux dupent les corbeaux en déposant des œufs dans leur nid.

On entend tout l'été les notes métalliques et monotones du petit barbu à plastron rouge qui se perche sur les branches du peepul et du banian et se nourrit de fruits. Le barbu à tête brune lance du sommet des arbres des appels si bruyants et discordants qu'il est impossible de ne pas le remarquer. Le cri de la couturière à longue queue, également bruyant, surprend chez un oiseau de si petite taille. Il utilise son bec aigu pour tresser le toit de feuilles de son nid. Cet oiseau apparaît sous le nom de « Darzee » dans une histoire de Kipling, *Riki-tiki-tawi*.

Vaste étendue de broussailles, d'arbres et de rochers préservée au cœur de Delhi, la crête montagneuse du nord abrite plusieurs centaines d'espèces d'oiseaux. La route principale, Sadar Patel Road, se ramifie en sentiers étroits qui mènent au cœur de la forêt. Des allées cavalières serpentent comme un labyrinthe à travers les acacias. L'oiseau le plus répandu est le paon, dont de nombreuses familles déambulent au milieu des buissons. Le sol rocheux est le domaine des rongeurs et l'approche des promeneurs fait souvent détaler le lièvre indien dans les herbes sèches. De nombreux singes vivent également sur le Ridge, généralement groupés autour des jambuls, des peepuls et des margousiers (*neem*). C'est un territoire de chasse idéal pour tous les prédateurs d'oiseaux : les aigles ravisseurs, les élanions blancs, les crécerelles et les milans noirs y recherchent leurs proies. Les baies des buissons épineux sont un mets de choix pour le tarier-pie et le plus petit des oiseaux migrateurs, le gorge-bleue. Des groupes de capucins bec-de-plomb, auxquels se mêlent fréquemment des bengalis rouges, cherchent des graines dans l'herbe et les buissons peu élevés qui couvrent le sol. Lorsque le gommier butea fleurit en mars, ses fleurs orange attirent les oiseaux qui se nourrissent de nectar comme les bulbuls, les perruches et les barbus. On entend régulièrement le cri perçant de la témia qui plane entre les arbres en traînant sa longue queue noire. Le grand calao à bec noir échafaude son nid aux parois consolidées de plâtre dans les troncs de vieux arbres. Les acacias abritent souvent un couple de chevêches brames ensommeillées. Leur parent, le grand duc d'Amérique, se dissimule dans les rochers du voisinage. En hiver, de nombreux rouges-queues noirs arrivent des montagnes et il est fréquent que les grands minivets en fassent autant.

En été, la terre devient si sèche que la plupart des oiseaux vont boire aux tuyaux d'arrosage des jardins. Pendant une brève période, les pluies de mousson transforment ce paysage brun et sec en forêt verdoyante. Des mares se forment dans les nombreuses dépressions et crevasses, attirant les mangeurs d'insectes. Le martin-pêcheur à ventre blanc et le martin-pêcheur d'Europe (ou martin-pêcheur aigue-marine) restent patiemment perchés sur des branches au-dessus d'eaux boueuses, à l'affût de têtards et d'insectes.

Les espèces d'oiseaux y sont d'autant plus variées que le sol en est plus fertile. La meilleure saison pour les observer commence donc à la mousson, début juillet, et s'achève à la fin de l'hiver, vers le mois de février.

Bien d'autres endroits de Delhi permettent de découvrir la faune et la flore, comme le jardin zoologique au nord du tombeau de Humayun, Deer Park, près de Hauz Khas (où vivent des paons et des daims), les jardins moghols de Rashtrapati Bhavan, les rives de la Yamuna entre le Fort-Rouge et Purana Qila et le parc de Gandhi.

*Le nilgai, la plus grande des antilopes indiennes.*

कांन्हबिलोकनिकाजसुतांनिफिरैमिसगांनिकेनंददुवारे ॥२२॥
کانہہ بلوکن کاج سُجان پھرے مس ٹھان کی نند دُوارے

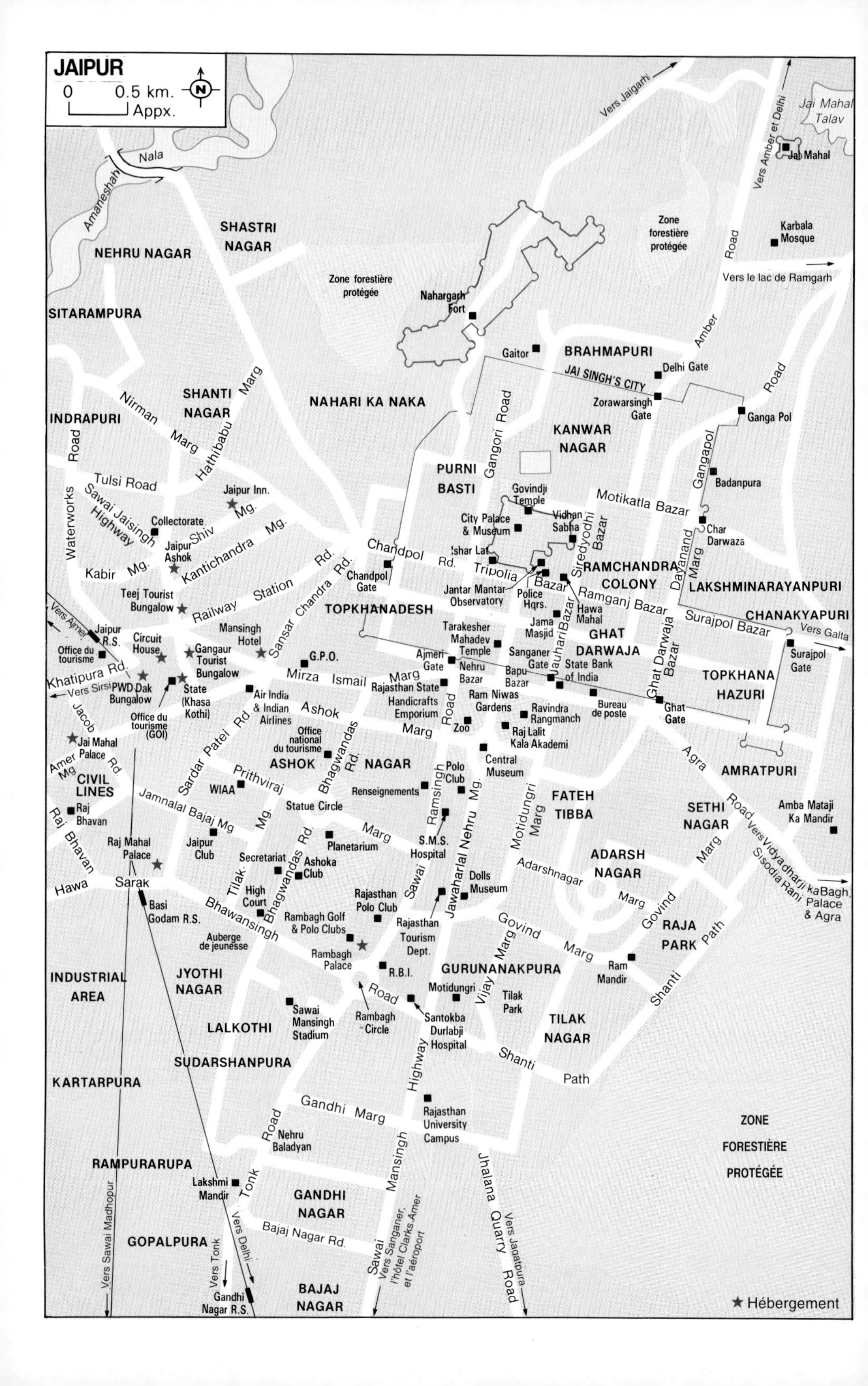
JAIPUR
0 0.5 km. Appx.
N
Vers Jaigarh
Vers Amber et Delhi
Jai Mahal Talav
Jal Mahal
Nala
Amaneshah
SHASTRI NAGAR
NEHRU NAGAR
Zone forestière protégée
Karbala Mosque
Vers le lac de Ramgarh
Zone forestière protégée
Nahargarh Fort
SITARAMPURA
Amber Road
Gaitor
BRAHMAPURI
Delhi Gate
JAI SINGH'S CITY
Zorawarsingh Gate
Ganga Pol
SHANTI NAGAR
INDRAPURI
Nirman Marg
Hathibabu Marg
NAHARI KA NAKA
Gangori Road
KANWAR NAGAR
PURNI BASTI
Gangapol
Badanpura
Waterworks Road
Tulsi Road
Sawai Jaisingh Highway
Jaipur Inn.
Govindji Temple
Motikatla Bazar
Collectorate
Shiv Mg.
Kantichandra Mg.
City Palace & Museum
Vidhan Sabha
Siredyodhi Bazar
Char Darwaza
Jaipur Ashok
Chandpol Rd.
Ishar Lat
Tripolia
Kabir Mg.
Chandpol Gate
Sansar Chandra Rd.
Railway Station Rd.
Bazar
RAMCHANDRA COLONY
Dayanand Marg
LAKSHMINARAYANPURI
Teej Tourist Bungalow
TOPKHANADESH
Jantar Mantar Observatory
Police Hqrs.
Hawa Mahal
Ramganj Bazar
Surajpol Bazar
CHANAKYAPURI
Vers Ajmer
Jaipur R.S.
Mansingh Hotel
Jama Masjid
Jauhari Bazar
GHAT DARWAJA
Ghat Darwaja Bazar
Vers Galta
Office du tourisme
Circuit House
Gangaur Tourist Bungalow
G.P.O.
Tarakesher Mahadev Temple
Surajpol Gate
Khatipura Rd.
Vers Sirsi
PWD Dak Bungalow
State (Khasa Kothi)
Mirza Ismail Marg
Ajmeri Gate
Nehru Bazar
Sanganer Gate
State Bank of India
Bapu Bazar
TOPKHANA HAZURI
Rajasthan State Handicrafts Emporium
Air India & Indian Airlines
Ram Niwas Gardens
Ravindra Rangmanch
Bureau de poste
Ghat Gate
Jacob Rd.
Office du tourisme (GOI)
Ashok Marg
Zoo
Raj Lalit Kala Akademi
Jai Mahal Palace
Sardar Patel Rd.
Office national du tourisme
Agra Road
Amer Mg
Bhagwandas Rd.
Central Museum
CIVIL LINES
ASHOK NAGAR
Polo Club
AMRATPURI
WIAA
Prithviraj Mg.
Renseignements
FATEH TIBBA
Raj Bhavan
Jamnalal Bajaj Mg
Statue Circle
Ramsingh Road
Motidungri Marg
SETHI NAGAR
Amba Mataji Ka Mandir
Raj Bhavan
Jaipur Club
Planetarium
S.M.S. Hospital
Jawaharlal Nehru Mg.
Vers Vidyadharji ka Bagh, Sisodia Rani Palace & Agra
Raj Mahal Palace
Secretariat
Ashoka Club
Sawai
ADARSH NAGAR
Adarshnagar Marg
Hawa Sarak
Tilak Mg.
High Court
Rajasthan Polo Club
Dolls Museum
Govind Marg
Basi Godam R.S.
Bhawansingh Road
Rambagh Golf & Polo Clubs
Rajasthan Tourism Dept.
RAJA PARK
Auberge de jeunesse
Vijay Marg
Rambagh Palace
Ram Mandir
INDUSTRIAL AREA
JYOTHI NAGAR
R.B.I.
GURUNANAKPURA
Motidungri
Tilak Park
Shanti Path
Sawai Mansingh Stadium
Rambagh Circle
Santokba Durlabji Hospital
LALKOTHI
TILAK NAGAR
SUDARSHANPURA
KARTARPURA
Highway
Gandhi Marg
Rajasthan University Campus
ZONE FORESTIÈRE PROTÉGÉE
Nehru Baladyan
Tonk Road
Sawai Mansingh
Jhalana Quarry Road
RAMPURARUPA
Lakshmi Mandir
GANDHI NAGAR
Vers Sawai Madhopur
Vers Delhi
Vers Sanganer, l'hôtel Clarks Amer et l'aéroport
Vers Jagatpura
GOPALPURA
Bajaj Nagar Rd.
Vers Tonk
Gandhi Nagar R.S.
BAJAJ NAGAR
★ Hébergement

# JAIPUR, UN FIEF RAJPOUTE

En 1947, la carte de l'Inde était encore un mélange de « territoires des Indes britanniques » soulignés de rose et de « principautés » aux contours irréguliers. Les premiers étaient directement administrés par les Britanniques, tandis que les secondes avaient gardé leur autonomie. Si l'administration coloniale contrôlait étroitement l'activité politique de ces principautés, en revanche elle n'a pas altéré l'aspect de leurs villes. Voyageant en Inde en 1912, Sydney et Beatrice Webb furent frappés par le caractère de ces petits États, contrastant avec les villes impersonnelles de l'Inde britannique. Cette différence s'estompe car les villes indiennes sont confrontées à une urbanisation galopante. Les anciennes capitales royales ont perdu leur rôle symbolique mais leur activité commerciale s'est constamment accrue. Néanmoins, dans certains États, comme le Rajasthan, la fierté des habitants jointe à une gestion locale intelligente a permis de préserver l'authenticité des villes.

Aux portes du Rajasthan Jaipur, création du maharadjah érudit Jai Singh II, est une ville unique. Elle diffère autant des cités mogholes à structure radiale, autour d'une citadelle, que de ses voisines rajpoutes, dominées par des forteresses perchées sur les collines. Conçu sur le modèle du *mandala*, un ensemble de neuf carrés à l'intérieur duquel s'ordonne la matière chaotique de l'univers, le plan de Jaipur reflète la fascination de Sawai Jai Singh pour l'ordre cosmique. La vigilance constante des autorités a permis de préserver ce plan, l'état des façades et la hauteur des édifices, soumis aujourd'hui encore à un contrôle strict.

Les villes du Rajasthan ont su s'adapter à un environnement et à un climat rigoureux par des techniques qui se sont perfectionnées au cours des siècles. Dans les palais de Jaipur, Amber, Samode et Alwar, des balcons et des kiosques (*chatri*) combattent la chaleur torride, et des panneaux délicatement sculptés (*jali*) filtrent l'intense lumière solaire. Les jardins et les lacs artificiels, véritables oasis, faisaient oublier les étendues désertiques qui les entourent. Le culte que les Rajpoutes vouaient à la beauté a donné naissance à une floraison artistique d'une extraordinaire vitalité. Une promenade dans les bazars de Jaipur et d'Amber, où les peintres de miniatures, les orfèvres, les potiers et les teinturiers travaillent en pleine rue, est un véritable retour au passé médiéval.

Les techniques modernes d'irrigation ont commencé à transformer le désert en détournant les eaux des fleuves du Pendjab vers le Rajasthan. Si, dans certains cas, l'activité humaine a causé des dommages, tant sur le plan écologique que culturel, la lutte pour la protection de l'environnement, menée depuis un quart de siècle, a toutefois ralenti le déboisement et la disparition d'espèces animales. Dans un large rayon à l'est de Jaipur, les anciens territoires de chasse des rajahs ont été transformés en parcs nationaux. Les parcs et réserves de Siliserth, de Sariska, Ranthambore et Keoladeo Ghana abritent la faune très diverse du Rajasthan, dont des espèces menacées comme le tigre. Grâce à cela, on peut encore admirer les forteresses rajpoutes dans leur cadre naturel de déserts, de forêts denses et de lacs paisibles, comme dans les miniatures d'autrefois.

*Pages précédentes : le fort de Nahagarth dominant la ville de Jaipur ; marié à cheval devant le palais des Vents ; miniatures du milieu du* XVIII*e siècle ; une page du* Sarasa-rasa-Grantha *; portrait de Jai Singh par Sahibram.*

# LA CITÉ IDÉALE DE JAI SINGH

Protégée par des forteresses en nids d'aigle, la ville rose de Jaipur se détache au milieu de la plaine aride. Cette cité du XVIIe siècle est la première du Rajasthan à avoir été construite selon un plan préétabli. C'est le rêve réalisé d'un souverain visionnaire.

Lorsque Jai Singh II, succédant à son père Bishan Singh, mort en Afghanistan, devint souverain d'Amber (voir p.173) en février 1700, il n'avait que onze ans. Enfant précoce, Jai Singh avait acquis très tôt une connaissance intime de l'administration politique, de la religion, de la littérature, des mathématiques et de l'astronomie. A l'âge de quinze ans, il rencontra le vieil empereur moghol Aurangzeb. On raconte que ce dernier, méfiant de nature, ne voulait pas laisser le jeune roi vivre à Amber. Il lui ordonna d'aller combattre les tribus marathes dans le Deccan. Comme Jai Singh tardait à partir, Aurangzeb le punit en envoyant les appariteurs impériaux le chercher. Lorsqu'on amena le jeune homme devant lui, l'empereur lui saisit les mains et lui demanda ce qu'il se proposait de faire pour protéger sa vie et son royaume. Le jeune homme répliqua hardiment qu'il s'en remettait à sa protection, puisqu'il lui tenait les mains, comme un jeune marié hindou tient celles de son épouse au moment des noces. Stupéfait, l'empereur apprécia cependant ce trait d'esprit inattendu et déclara que ce jeune roi rajpoute avait du caractère. Il lui conféra le titre de « *Sawai maharadjah* » (grand souverain à cinq quarts). Tous les souverains kachwahas qui ont succédé à Jai Singh II ont porté ce titre et le drapeau de Jaipur est effectivement plus grand que tous les autres.

Sawai Jai Singh devait cependant connaître des revers de fortune après la mort d'Aurangzeb, en 1707. Le nouvel empereur, Bahadur Shah, était mal disposé à l'égard du jeune roi, qui avait ouvertement soutenu son jeune frère Azam Shah dans la guerre de succession au trône. Il l'exila d'Amber, dont le gouvernement fut confié au frère cadet de Jai Singh, Vijay. Cet outrage ne fit que renforcer la détermination du Sawai. En moins d'une décennie, il reconquit le trône d'Amber dont il fit une ville plus forte, plus grande et plus prospère. Il parvint à unir contre le pouvoir central les souverains rajpoutes de cette région, qu'il nommait lui-même et dont il devint le chef de file.

## Une ville idéale

Une fois ces conflits réglés, Jai Singh put se consacrer librement à ses passe-temps favoris. Il invita à sa cour des érudits, des législateurs, des poètes, des peintres, des astronomes et des artisans venus de toute l'Inde. Amber s'avéra bientôt trop petite et mal adaptée aux aspirations grandissantes de son roi. A ces inconvénients s'ajoutait une pénurie d'eau chronique. Jai Singh rêvait d'une ville nouvelle qui porterait son nom. Il trouva rapidement l'architecte capable de donner corps à ses idées : Vidyadhar Chakravarti, un brahmane bengali qui occupait à la cour un poste de fonctionnaire et qui avait déjà

*Pages précédentes : marchand de tissus anciens à Jaipur. A gauche et à droite, étonnants instruments sculptés de l'observatoire astronomique de Jantar Mantar.*

fait la preuve de ses talents d'ingénieur et d'architecte en dessinant des plans de villes. A la demande du Sawai, Vidyadhar esquissa le plan d'une ville spacieuse qui devait s'étendre au sud de la crête de Nahargarh.

Jai Singh posa la première pierre de Jaipur le 18 novembre 1727, au cours d'une cérémonie religieuse dirigée par le précepteur principal de la cour impériale, Jagannath Samrat. En sept ans, sous la direction de Vidyadhar, on transforma les collines, les jungles, les marais et les dunes en une ville fortifiée aux larges rues à angle droit et aux maisons rigoureusement alignées. La ville fut baptisée Sawai Jaipur en hommage au maharadjah, dont le prénom signifie aussi « victoire ».

Avec le temps, une ville moderne s'est développée au sud de la « cité rose ». Mais, après plus de deux siècles et demi d'existence et malgré les négligences et la dégradation des dernières décennies, la ville ancienne demeure inchangée et sa beauté si particulière séduit toujours autant les visiteurs.

Inspiré du *Shilpa Shastra*, un traité d'architecture hindou, le plan de Jaipur se compose de neuf rectangles inégaux, correspondant aux neuf parties de l'univers. Ils sont délimités par des avenues, des rues et des ruelles orientées du nord au sud et d'est en ouest. Entouré de 10 km de remparts percés de dix portes, le palais princier occupe deux des neuf damiers du plan. Il s'élève sur sept étages et comporte de nombreuses cours intérieures. Dans son enceinte s'étend une véritable ville, avec des bâtiments publics, un observatoire astronomique, les palais du harem et de nombreux ateliers et bureaux.

Le plan de Vidyadhar ne laissait rien au hasard. Les sept avenues principales de la ville, larges de 34 m pour permettre le passage des processions, délimitaient des bazars bordés de boutiques dont la taille, la forme et la façade étaient identiques. Les fenêtres, ourlées de blanc, étaient peintes en partie en trompe l'œil et ne laissaient passer qu'un minimum de chaleur. La répartition des classes sociales était très stricte. Dans les quartiers résidentiels réservés aux citoyens prospères,

*Partie de polo à dos d'éléphant.*

aux commerçants et aux nobles (*thakur*), on construisit de spacieuses demeures (*haveli*) aux façades et aux portails imposants. Les commerces, les marchés, les fabriques et les établissements religieux furent regroupés par quartiers selon leurs activités. Dès la naissance de la ville, un contrôle sévère limitait tout désordre de l'expansion urbaine. Les ajouts et les modifications effectués sous les successeurs de Jai Singh II ont été soigneusement adaptés au plan original de Vidyadhar. En revanche, la couleur rose de tous les bâtiments est d'origine plus récente : symbole de bienvenue chez les Rajpoutes, elle est le résultat d'un geste de courtoisie de Ram Singh II, en l'honneur de la visite du prince de Galles en 1876.

## Le City Palace

Le cœur de la vieille ville est le quartier du palais, connu sous le nom de **City Palace**. Certaines parties de l'édifice, léguées en 1959 au musée Sawai Man Singh, sont ouvertes au public. La famille royale actuelle habite le reste du palais et les entrées de Tripolia et Rajendra Pole lui sont réservées.

Les visiteurs entrent par **Gainda-ki-Deorhi** (la porte du rhinocéros), qui donne sur une cour dans laquelle s'élève le magnifique **Mubarak Mahal** (palais de la bienvenue). Œuvre de l'ingénieur Samuel Swinton Jacob, cet édifice carré en marbre et en grès offre un agréable mélange de styles rajpoute et indo-sarrasin. Une galerie extérieure aux colonnes délicatement sculptées fait le tour du premier étage. Sawai Madho Singh II fit construire ce palais vers 1900 pour y recevoir les visiteurs étrangers. Le bâtiment est devenu par la suite le secrétariat royal, puis un **musée** dont le rez-de-chaussée abrite un département des manuscrits (*pothikhana*) et le premier étage une collection de costumes de cour et de riches étoffes provenant de la garde-robe royale de Jaipur. On peut y voir des tentures mogholes brodées, des couvre-lits, des tapis, des châles (*pashmina)* et des couvertures (*shahtush)* du Cachemire, des tissus teints et imprimés et des foulards (*odhni*) de Jaipur, des soies et brocarts de Bénarès, d'Aurangabad, du Bengale, du Gujarat et de Chanderi. La pièce la plus impressionnante de cette collection est la robe (*atamsukh*) de Madho Singh Ier (1750-1768), en soie matelassée rose saumon et aux proportions gigantesques. D'après la légende, ce roi pesait 225 kg et mesurait plus de 2 m. Ses pyjamas sont suffisamment larges pour ne laisser aucun doute sur son volume, mais la taille qu'on lui prête semble exagérée.

On remarquera également la parure noir et or que l'une des épouses de Sawai Ram Singh portait lors des festivals de Diwali. Le voile est orné de broderies d'or pesant plusieurs kilogrammes. Aujourd'hui encore, aucun mariage au Rajasthan n'est considéré comme digne de ce nom si la mariée et les invitées ne portent pas des costumes aussi somptueux.

Le musée possède également une belle collection d'objets d'art : miroirs moghols, magnifiques instruments de musique, jouets en marbre et poteries bleues de Jaipur, le tout appartenant aux anciennes familles régnantes.

*Le rose saumon des murs de Jaipur.*

A gauche de Mubarak Mahal, on a restauré les **anciennes cuisines royales** (*rasoda*) pour créer une nouvelle salle d'exposition. Autrefois, on y préparait les mets les plus divers : plats de viande et plats végétariens, repas légers et entremets, confitures et conserves, sorbets, noix de bétel et mélanges d'épices (*masala*). Chaque repas comprenait plusieurs services pour le maharadjah, sa famille et ses serviteurs, hommes et femmes.

Derrière Mubarak Mahal, en se dirigeant à l'ouest de Singh Pole, la « porte du lion », on arrive devant l'ancienne armurerie, **Sileh Khana**, qui abrite l'une des plus belles collections d'armes de l'Inde. Autrefois, les chanteurs de *dhrupad* et les danseurs de *kathak* de Jaipur s'entraînaient et se produisaient dans ces salles.

Les armes proviennent de l'ancienne armurerie du gouvernement et de la collection privée des souverains de Jaipur. Beaucoup d'entre elles sont de véritables joyaux. Les plus belles pièces en sont cependant les dagues, les couteaux (*katara*) et les épées aux poignées délicatement sculptées en jade, cristal, agate, ivoire, argent et or, ainsi que les extraordinaires casques en or damasquiné en forme de turbans. Une autre pièce renferme une collection de photos de la famille royale.

## Le palais des « mille et une nuits »

Un couple d'éléphants caparaçonnés – chacun est taillé dans un seul bloc de marbre blanc – encadre la superbe **Singh Pole**, en marbre incrusté de pierres précieuses, aux lourds vantaux de bois. Elle mène à une cour dans laquelle s'élève le pavillon de la salle des audiences privées, **Diwan-i-Khas**. Les arcades blanches festonnées de la cour se détachent sur le fond rose saumon des murs du Diwan-i-Khas, un petit pavillon moghol en grès assez simple.

Les **deux urnes** en argent massif exposées à l'intérieur étaient à l'origine destinées à contenir les eaux sacrées du Gange, d'où leur nom de *gangajali*. Leur poids (243 kg) et leur contenance (plus de

*Danse dans les appartements privés du City Palace.*

8 000 litres chacune), en font les plus grands objets en argent du monde. Ces œuvres datent du séjour du maharadjah Madho Singh II à Londres, en 1902. Invité au couronnement d'Édouard VII, le maharadjah devait enfreindre le tabou hindouiste frappant le voyage. Pour éviter d'utiliser de l'eau impure durant son voyage et son séjour, il emporta ces deux urnes remplies d'eau sacrée du Gange. Il fit également construire à bord de son navire un temple pour la divinité tutélaire de sa famille.

A droite de cette cour s'élève l'ancienne salle des audiences publiques, le **Diwan-i-Am**. Conçu à l'origine comme lieu de *durbar* et de cérémonies, il abrite aujourd'hui un **musée**. On y admirera en particulier des tapis moghols à motifs floraux, des manuscrits et des miniatures de l'école moghole et de l'école de Jaipur. La collection du musée comprend également des trônes en or et en argent, des *howdah* (petits trônes servant à monter à dos d'éléphant) peints et incrustés d'ivoire et des autels miniatures incrustés de petits miroirs.

*Serviteur de la maison d'Amber gardant la « porte du paon », au City Palace.*

Le *Ramayana* et le *Mahabharata*, des manuscrits persans illustrés, pièces rares ayant appartenu à l'empereur Akbar, sont exposés seulement lors de grandes occasions.

Depuis peu, une partie de la collection d'attelages, de palanquins, de chariots et de buggys de l'ancien entrepôt royal (Baggi Khana) est rassemblée sous des abris construits autour du Diwan-i-Am. La pièce la plus remarquable, l'**Indraviman**, gigantesque chariot à deux étages tiré autrefois par quatre éléphants, se trouve dans un garage à côté de Naqqara Pole.

De l'autre côté de la cour du Diwan-i-Khas, une autre porte, Ridhi-Sidhi Pole, mène à Pritam Niwas Chowk (la cour de Pritam Niwas) et au **Chandra Mahal** (le palais de la lune). De magnifiques portes peintes, dont chacune symbolise une saison, ornent les murs de cette cour intérieure où le prince et la noblesse assistaient autrefois à des spectacles de danse et à des concerts par les nuits de pleine lune. Les dames pouvaient voir la fête depuis l'étage supérieur, dissimulées derrière les fenêtres en marbre ajouré.

La famille royale actuelle réside toujours dans les pièces de cet étage, fermées au public. L'intérieur en est richement orné : peintures traditionnelles dans le Sukh Niwas, arabesques bleues du Chhavi Niwas et mosaïque d'or et de miroirs du Sheesh Mahal (la salle des miroirs). Au sommet de l'édifice s'élèvent les trois arches d'un pavillon découvert, Mukut Mahal.

## Un musée vivant

Sawai Jai Singh fit construire Chandra Mahal pour vivre à proximité du temple de sa divinité favorite, Govinda Deva, un des noms de Krishna, le dieu au visage bleu. Le « palais de la lune » se trouve en effet à la limite sud de **Jai Niwas Bagh**, le grand jardin moghol dont le temple est le centre. Il ne faut pas manquer la *puja* (prière) de 18 h, si l'on veut avoir une idée de la ferveur qui règne en ce lieu. Les fidèles viennent y faire des offrandes et chanter des hymnes à Krishna. Lors des grande fêtes qui célèbrent l'anniversaire du dieu, ils affluent par centaines de milliers.

A l'ouest du palais, les princesses vivaient à l'abri des regards dans les palais du harem, **Zenana Deorhi**. Les suites, les salles à ciel ouvert, les couloirs aux grilles de marbre, les temples, les ateliers et autres dépendances de cette partie du palais s'étendent sur une superficie supérieure à celle du palais principal.

En repassant par Gainda-ki-Deorhi et en tournant à droite, on arrive à **Jantar Mantar**, l'un des cinq observatoires astronomiques que Jai Singh II fit construire en Inde (voir encadré). Tout près, le célèbre **Hawa Mahal** (palais des vents) a été conçu en 1799 par Sawai Pratap Singh, illustre poète, compositeur et croyant. Cet extraordinaire édifice pyramidal était destiné aux reines et à leurs nombreuses suivantes et servantes, afin qu'elles puissent voir les processions dans le grand bazar en contrebas, tout en restant invisibles derrière les fenêtres ajourées, semi-octogonales et soulignées de blanc. Ce palais de cinq étages en grès rose est en réalité une simple façade : sa largeur n'excède pas celle d'une pièce. Un millier de niches et fenêtres en saillie, aux balcons délicatement sculptés, permettent de capter la brise rafraîchissante, d'où son nom de « palais des vents ». En le contournant, on peut monter sur la terrasse supérieure, d'où l'on a une vue magnifique sur la ville et le palais.

A la sortie de Hawa Mahal, en se promenant dans le **Sire Deorhi Bazaar**, on découvrira d'autres monuments, comme le **temple de Ramchandraji**, construit par l'une des épouses de Sawai Ram Singh II en 1845. L'**hôtel de ville**, plus récent de quelques années, abrite l'Assemblée nationale de l'État du Rajasthan. Un **temple de Kalki**, la dixième incarnation de Vishnou, s'élève dans le voisinage, ainsi que le **théâtre de Ram Prakash**.

Pour retrouver l'atmosphère médiévale de la vieille ville, rien ne vaut une promenade dans les rues de **Johari Bazaar**, **Ramganj Bazaar**, **Chandpole Bazaar** et de **Purana Basti**, où l'on voit travailler les joailliers, les émailleurs, les miniaturistes, les sculpteurs de marbre et les fabricants de bracelets qui font la renommée de Jaipur.

*Photographe, bazar de Jaipur ; à droite, femmes musulmanes voilées, Jantar Mantar.*

# JANTAR MANTAR

Passionné d'astronomie, Jai Singh II fit construire cinq observatoires à Delhi, Jaipur, Matura, Bénarès et Uljain. Le plus grand et le mieux conservé se trouve dans l'enceinte de son palais de Jaipur. Son nom de **Jantar Mantar** – une altération du mot sanscrit *Yantrasala* – signifie « instruments à formule ésotérique ».

En se promenant à Jantar Mantar on découvre en effet de mystérieux édifices dont les formes géométriques évoquent des œuvres d'art contemporain. Tous ces instruments ont été conçus et réalisés par Sawai Jai Singh lui-même.

Après avoir étudié tous les traités d'astronomie en sanscrit, en arabe et en persan avec son précepteur, le célèbre érudit Jangannath Samrat, ainsi que les ouvrages européens rédigés par des pères jésuites, Jai Singh s'intéressa à leur application. Conscient des défauts des astrolabes, des sextants et des cadrans solaires dont il disposait, il décida d'en fabriquer lui-même en se basant sur ses observations personnelles. Les premiers instruments qu'il réalisa étaient en métal et s'avérèrent trop lourds et trop limités dans leur application.

Il conçut alors des instruments gigantesques, en pierre et en maçonnerie, qui devaient l'aider dans l'objectif qu'il s'était fixé, c'est-à-dire la révision des tables astronomiques. Il déclara dans la préface de son ouvrage de synthèse, le *Zii Jadid Muhammed Shahi*, que, puisque personne ne s'était intéressé à ce sujet depuis Ulugh Beg, le grand astronome et souverain timouride de Samarcande, lui, Jai Singh, reprendrait cette tâche ardue.

En parcourant Jantar Mantar, on peut admirer les treize instruments conçus par Jai Singh. A cet ensemble s'ajoutent trois autres instruments en métal de dimension supérieure.

Grâce au **Nari Valaya Yantra**, un cadran solaire hémisphérique, on pouvait déterminer l'heure. Ce cadran se compose de deux cylindres de 3 m de diamètre placés dos à dos. Celui qui fait face au Nord servait en hiver, l'autre en été.

Le **Samrat Yantra**, le plus grand cadran solaire du monde, sert à mesurer avec plus de précision l'heure locale, la distance du zénith, la position et l'altitude des sphères célestes. Haut de 27 m, il est surmonté d'un kiosque en forme de triangle, dont l'hypoténuse de 44 m est un gnomon qui indique le pôle Nord à un angle de 27 °, correspondant à l'altitude de Jaipur. L'ensemble est flanqué de deux cadrans de 15 m de rayon, gradués en heures, minutes et secondes. L'ombre du gnomon se déplace de 4 m par heure autour de ces cadrans.

Les 12 instruments du **Rashi Valaya Yantra** représentent les 12 signes du zodiaque. Les astrologues et les auteurs d'almanachs en font encore usage pour déterminer les relations entre les corps célestes.

L'une des inventions de Jai Singh, le **Jai Prakash Yantra** se compose de deux hémisphères en marbre creusés dans une grande plate-forme rectangulaire en grès. Ils représentent la sphère céleste renversée et leurs bords, gradués à 360 °, l'horizon. Cet instrument permet de déterminer à la fois l'heure et la course du Soleil dans le ciel.

A l'extrémité ouest de l'observatoire, le **Ram Yantra**, qui est formé de deux cylindres gigantesques, sert à calculer l'azimut et l'altitude des corps célestes.

Le **Digansha Yantra** est un énorme compas composé de trois structures concentriques dont le centre est en forme de pilier. Il sert également à calculer les azimuts du Soleil.

Enfin, le Kranti Valaya Yantra et le Yantra Raj sont les instruments de métal les plus remarquables de Jantar Mantar. Le **Kranti Valaya Yantra** comprend deux cadres gradués, reposant chacun sur une base en maçonnerie, l'une inclinée à 23 ° vers le plan de l'équateur, et l'autre, rotative, inclinée vers le plan de l'écliptique. Son usage demeure mystérieux.

Le **Yantra Raj**, le plus ambitieux de tous les instruments en métal réalisés par Jai Singh, est également le plus grand astrolabe du monde.

Tous ces instruments ont été utilisés jusqu'en 1944 pour calculer l'heure locale. Un coup de canon tiré du fort de Nahargarh rythmait ainsi la journée de la population de Jaipur.

# UNE CUISINE HAUTE EN COULEUR

Agréablement variée, la cuisine du Rajasthan comprend aussi bien des viandes que des plats strictement végétariens. Comme la chasse était autrefois l'un des sports favoris de l'aristocratie rajpoute, la plupart des recettes à base de viande ont été élaborées dans les cuisines royales (*rasoda*). Les familles princières de la région et des autres principautés de l'Inde échangeaient volontiers des recettes. Certains princes, comme le maharadjah de Sailana, étaient même de vrais cordons-bleus. On considérait la cuisine comme un art et l'on avait soin d'adapter les plats à toutes les circonstances de la vie. Le menu affiché dans la *rasoda* du fort de Jaigarh, transformé en musée, témoigne de cet extrême raffinement.

## Les plats de viande

Bien que la chasse soit aujourd'hui soumise à des limitations, les Rajpoutes continuent à se distinguer en matière de cuisine. On affirme même que leurs plats végétariens ont autant de saveur que les viandes.

Préparée en currys variés, la viande d'agneau (ou de chèvre) est cuite à la broche, rôtie au four selon la tradition indienne ou émincée en brochettes (*kebab,* ou encore *keema*). Les Rajpoutes apprécient également le poulet, le poisson, le porc, le lapin, la perdrix et même la grouse des sables. Le plat traditionnel le plus prisé est la *sulla*, brochette d'agneau mariné grillée au feu de charbon de bois.

Riche et savoureuse, la cuisine rajpoute utilise abondamment l'oignon, l'ail, le piment rouge en poudre et les épices aromatiques. Mais les Rajpoutes savent manier les épices avec discernement et se flattent de préparer les currys les plus raffinés : le piment en poudre et le curcuma sont par exemple exclus d'un certain curry blanc à base de yoghourt et de noix de cajou. Le *safed mas*, un plat cuit dans un curry blanc, était servi exclusivement lors des cérémonies.

## La cuisine végétarienne

La cuisine végétarienne du Rajasthan est l'apanage des Jaïns, la communauté commerçante dominante dans cette région. Comme on ne pouvait jadis ni cultiver ni importer de légumes, le menu végétarien traditionnel était très réduit. Il consistait essentiellement en *dhal*, un plat à base de pois chiches et surtout de lentilles jaunes. La farine de lentilles jaunes est utilisée pour la préparation de currys délicieux, comme le *kaadhi* ou le *gatta*. Des boulettes sèches de lentilles constituent la base d'un autre curry, le *mangodi ka sag*. Depuis peu l'irrigation de zones désertiques du Rajasthan a rendu possible la culture et l'importation de légumes, ce qui a considérablement accru la variété de la cuisine locale.

L'alimentation de l'homme de la rue demeure cependant très simple. Son menu ordinaire se compose de babeurre et de pain de millet (*bajre-ki-roti*), accompagné d'oignons et d'un chutney de piment rouge et d'ail. Au mieux, son repas comprend du *ker-sangri*, le légume

*Les* sulla, *cuites sur la braise.*

d'un buisson épineux, un curry de pommes de terres (*jhal*), et un pain frit. Riches et pauvres apprécient particulièrement le *dhal bati churma*, composé de lentilles, de boulettes de pain et d'un gâteau de pain broyé, qu'ils mangent généralement dans la rue. Les riches en ont élaboré des variantes qu'ils consomment lors d'occasions spéciales, comme les pique-niques que l'on organise pendant la mousson.

## Les bonnes adresses de Jaipur

Au Rajasthan, on prend traditionnellement ses repas à la maison : les repas en ville sont une habitude culturelle liée à l'influence de régions plus cosmopolites. Mais les bons restaurants ne manquent pas à Jaipur.

Dans la catégorie des hôtels de luxe, on trouve la meilleure cuisine au **Jai Mahal Palace Hotel**, un ancien palais réaménagé par la chaîne hôtelière Taj. Son menu comprend divers plats de viande blanche, de viande rouge et de *sulla*, ainsi que des spécialités végétariennes comme le *gatta* et le *ker-sangri*. Le **Rambagh Palace** est également renommé pour sa cuisine. **Niro's**, sur Mirza Ismaïl Road, propose d'assez bonnes spécialités mogholes, occidentales et chinoises. En face, on vend les meilleurs *lassi* de la ville, servis dans des pots en terre. On trouve également, à côté de Niro's, deux bons restaurants végétariens, le **Surya Mahal** et le **Natraj Vegetarian Restaurant**. Le restaurant du fort de **Nahargarh** mérite une visite, davantage pour la vue spectaculaire sur la ville que pour la qualité de la cuisine.

*Préparation du « bajre-ki-roti », le pain de millet, aliment de base au Rajasthan.*

Dans Johari Bazaar, Lakshmi Mishthan Bhandar (plus couramment **LMB**) est probablement le meilleur restaurant végétarien de Jaipur. Sa cuisine se conforme aux pratiques orthodoxes : tous les plats sont cuits dans le beurre clarifié (*ghi*) et l'ail et l'oignon en sont exclus. On dit que le secret de sa réussite réside dans la pureté des ingrédients utilisés. « Du blé au piment rouge, tout est moulu sur place », explique le propriétaire. Les spécialités comprennent deux currys à base de farine de lentilles, le *kaadhi chokhanwali* et le *gatta*, que l'on peut accompagner de pains variés, comme le *missi roti*. Le savoureux *dahi bara*, un plat à base de yaourt, est également célèbre à juste titre. LMB est aussi renommé pour ses desserts, notamment le *ghewar*, une friandise traditionnelle préparée lors du festival de Teej, et le *ras malai*, boulettes de *cottage cheese* cuites dans du lait parfumé au safran et saupoudrées de pistaches broyées. A côté de la confiserie, on peut acheter des en-cas comme l'*alu tikia* et les *samosa*.

Il est agréable de déambuler dans les **jardins de Ram Niwas** en savourant un repas léger acheté dans l'un des kiosques. Le *kulfi*, la glace indienne traditionnelle, vendue au **kiosque de Kiran**, est particulièrement délectable. Près du cinéma Polo Victory, la confiserie **Rawat** sert également des plats chauds comme le *piaz-ki-kachori*. Le restaurant **Anapurna** se spécialise dans la cuisine végétarienne du Gujarat.

Les plus audacieux pourront goûter la nourriture savoureuse servie dans les *dhaba*, petits restaurants de rue, mais cette expérience est déconseillée aux estomacs fragiles.

# AMBER, LE BERCEAU DES KACHWAHAS

Au cœur des monts Aravalli, la vallée étroite d'Amber est demeurée au fil des siècles un abri sûr pour ses habitants. Bien que l'on ait fait des découvertes archéologiques sur des sites voisins, où l'on a notamment retrouvé des outils de l'époque préhistorique, son origine reste mal connue. Le nom d'Amber vient probablement d'Ambikesvar, une incarnation de Shiva, dont le temple s'élève sur le site, ou d'Amba Mata, une des déesses de la Terre et de la Fertilité.

## Naissance d'une dynastie

Le clan rajpoute des **Kachwahas** règne sur Amber depuis le XIIe siècle. Les Kachwahas affirment descendre de **Kusha**, un des fils jumeaux de Rama, et se donnent le nom de « descendants du dieu Soleil ». Au XIe siècle, ils vivaient encore dans le centre de l'Inde, à Narwar et à Gwalior. En 1128, leur chef Dulha Rai épousa la belle Maroni, fille de Bargujar, chef de Daosa, dans les environs d'Amber. Les Kachwahas prirent la ville d'Amber à la tribu des Minas vers 1150. Pendant les six siècles suivants, elle a été la capitale de leur État, le Dhundar, jusqu'à leur installation à Jaipur. Durant cette période, le souverain Rajdev a achevé les fortifications. Son petit-fils a fondé Kuntalgarh et son arrière-petit-fils a fait construire le temple de Narsingh, qui est resté intact. D'autres souverains ont fait bâtir des temples, des réservoirs et des palais fortifiés, aujourd'hui disparus.

Ils entreprirent aussi de s'allier aux souverains du sultanat de Delhi, leurs proches voisins. Un prince d'Amber épousa la fille du dernier roi hindou de Delhi, Prithviraj Chauhan. Mais celui-ci fut vaincu en 1192 par **Babur**, descendant de Tamerlan et de Gengis Khan et fondateur de la dynastie moghole. Les clans rajpoutes qui avaient réussi à s'unir furent à leur tour défaits à la bataille de Khanua, en 1527. Contrairement à la majorité des Rajpoutes, les Kachwahas tentèrent à nouveau de se concilier les envahisseurs de manière à préserver leur indépendance.

Le rajah Bihar Mal, qui régna de 1548 à 1574, conclut une alliance avec Humayun, le fils de Babur : en effet Amber était une étape obligatoire entre Delhi et Ajmer, où se déroulait un grand pèlerinage musulman. Puis, en 1562, il donna sa fille en mariage au jeune empereur Akbar, successeur de Humayun. Celui-ci, impressionné par la religion de sa femme, établit la liberté de culte et abolit l'impôt que les Moghols percevaient sur les non-musulmans. La princesse allait donner naissance au futur empereur Jahangir.

En retour, les Moghols confièrent aux Kachwahas des postes importants à la cour, dans l'armée et dans l'administration des nombreuses régions de l'empire. La maison Kachwaha constituait l'aristocratie suprême de Jaipur et la plupart d'entre eux ont joué un rôle important dans l'histoire de la ville et dans celle d'Amber. Les imposantes forteresses et les demeures princières (*haveli*) de la région témoignent de ce passé glorieux.

*Pages précédentes : le fort d'Amber se reflétant sur le lac Moatha. A gauche, splendide architecture des forts rajpoutes ; à droite, le canon de Jaigarh, Jai Van, la « voix de la victoire ».*

Bhagwan Das et Man Singh Ier, les successeurs de Bihar Mal, poursuivirent la même politique d'alliance envers le pouvoir en place. Man Singh fut nommé gouverneur du Bengale et l'un des « neuf joyaux » (*Nav ratan*) de la cour moghole, une des plus grandes distinctions de cette époque.

## Un souverain éclairé

Ces bonnes relations ont évidemment contribué à la prospérité d'Amber. **Man Singh Ier** (1589-1614) fit construire à partir de 1592 de nombreux édifices à l'intérieur du vieux fort, notamment un magnifique palais, et aménager un jardin moghol, Dilaram Bagh, sur le lac Moatha. Man Singh était un grand bâtisseur et un fin connaisseur en art. Gouverneur pour le compte d'Akbar dans de nombreuses provinces de l'empire, il fit venir dans sa ville des artistes, des artisans et des érudits de ces régions. Il fonda à Amber de nombreux ateliers grâce auxquels les arts de l'émaillage sur or (*minakari*), de la fabrication du papier, de l'impression sur tissu et de la céramique se sont épanouis. Aujourd'hui encore, ces traditions artisanales se perpétuent à Amber et à Jaipur.

La majeure partie du palais de Man Singh se dresse intacte à côté des constructions raffinées de son successeur, Jai Singh Ier. Man Singh avait en particulier fait faire pour ses douze épouses des suites donnant sur une cour intérieure, avec au milieu un magnifique pavillon. Les vestiges de tuiles de céramique bleue sur les toits et les traces de fresques sur les murs témoignent du raffinement de la décoration d'origine, que les poètes de cour ont décrite en détail dans la biographie du souverain. Des traces similaires sont également visibles dans le cénotaphe de son grand-père, Bihar Mal, bâti dans le nord de la ville, et dans un édifice voisin, Maqdum Shah-ka-Maqbara.

Si Man Singh a été à l'origine de la splendeur du palais d'Amber, la plupart des magnifiques ajouts de ce palais datent de **Jai Singh Ier** qui devint souverain d'Amber en 1621, à l'âge de douze ans,

*Les monts Aravalli et les remparts protecteurs des richesses rajpoutes.*

et qui gouverna pendant quarante-six ans. En bons termes avec l'empereur Aurangzeb, il atteignit le sommet de la puissance et de la gloire en recevant le titre de « commandeur de sept mille troupes », un rang qui n'avait jusqu'alors été octroyé qu'à des membres de la famille impériale moghole.

## Un palais fortifié

On arrive à **Amber** (à 11 km au nord de Jaipur) en cheminant à travers les collines sur une route étroite qui longe le lac de Man Sagar, au milieu duquel s'élève le palais d'été abandonné de Jal Mahal. Dominant la petite ville, les austères remparts jaune doré du fort se reflètent dans les eaux paisibles du lac Moatha. Une rampe escarpée, peuplée de singes et d'écureuils, mène à l'entrée du palais, **Singh Pole** (la porte du lion). Pour revivre l'époque des maharadjahs, on peut faire à dos d'éléphant cette ascension qui s'achève dans la première cour du fort, Jaleb Chowk, où se tiennent souvent des musiciens rajasthani.

A droite de Singh Pole, des marches descendent vers le **temple de Kali**, construit sous le règne de Man Singh. Le maharadjah y fit transporter la statue en basalte noir de Jessoresvari, la déesse-mère, qui venait du temple privé du rajah de Jessore, au Bengale. Adorée sous le nom de Shila Mata, une des incarnations de la terrible déesse Kali, elle attire toujours des fidèles de toutes les régions de l'Inde. Jusqu'à une période récente, on lui sacrifiait chaque jour une chèvre. Seul un brahmane bengali, descendant de ceux que Man Singh fit venir du Bengale, peut diriger les cérémonies. Vidyadhar Chakravarty, l'architecte de Jaipur, descendait de l'un de ces prêtres.

On doit à Man Singh II (1922-1947), le dernier maharadjah régnant, les magnifiques décorations en marbre vert et jaune de ce temple. Rescapé d'un accident d'avion en 1939, il fit également don au temple de deux portes en argent. Elles sont ornées de sculptures représentant les dix incarnations de la déesse-mère, telles que les décrivent les textes religieux hindous.

*Ganesh Pole, entrée monumentale du fort.*

Un escalier mène à la cour du **Diwan-i-Am**, la salle des audiences publiques (XVIIe siècle). Ce pavillon spectaculaire en grès rouge s'élève sur une terrasse de marbre blanc. La salle centrale à ciel ouvert est soutenue par 40 piliers sculptés en marbre gris et bordée d'une galerie à double rangée de colonnes en grès rouge. L'ensemble s'inspirait tellement des pavillons moghols de Delhi et d'Agra qu'il indisposa l'empereur Jahangir, car les courtisans n'étaient pas supposés imiter les constructions de leur souverain. Jai Singh Ier dut faire recouvrir de stuc les colonnes du pavillon et s'engager à ne jamais y donner d'audience officielle.

Sur la droite, **Ganesh Pole** (la porte de l'éléphant) est une entrée monumentale à deux étages, magnifiquement ornée de bas-reliefs en plâtre lissé, de mosaïques de verre coloré et de peintures florales, où dominent le vert, le bleu et l'or. Elle est surmontée d'une effigie représentant Ganesh, le dieu à tête d'éléphant, divinité hindoue du Savoir et de la Bonne Fortune. A l'étage supérieur, des galeries aux fenêtres en pierre ajourée (*jali*) permettaient aux dames de la cour princière d'assister aux cérémonies à l'abri des regards.

Ganesh Pole donne sur une cour intérieure occupée par un élégant petit jardin moghol. A droite de cette cour, **Sukh Mandir** (la salle des plaisirs) était probablement un salon d'agrément où la famille royale venait se reposer pendant les journées les plus chaudes. L'eau d'un réservoir aménagé sur le toit se déversait en cascade à l'intérieur du pavillon, le long de canalisations en marbre noir et blanc. La décoration de ce salon passe pour être la plus belle de tous les palais rajpoutes. Certaines de ses portes en bois de santal incrustées d'ivoire et quelques vantaux sculptés et peints sont demeurés intacts. D'après les récits, le prince passait sans doute ses soirées dans le jardin, sur les tapis de soie aux couleurs éclatantes exposés au musée du Maharadjah Man Singh II.

De l'autre côté de la cour, le **Diwan-i-Khas** (XVIIe siècle) se compose de plusieurs pièces de réception ornées de peintures murales et de fenêtres d'albâtre

*Gardien du fort.*

ajourées. La plus petite, le **Sheesh Mahal**, est semblable à un écrin tapissé de miroirs, de pierres de couleur et de coquillages incrustés dans le plâtre. Si le gardien allume une bougie, on voit les décorations qui ornent les murs et le plafond se refléter à l'infini.

A l'étage au-dessus, **Jas Mandir** (la salle de gloire) combine les plus beaux éléments de l'architecture et de la décoration intérieure mogholes et rajpoutes. Elle est ornée de peintures murales aux couleurs pastel représentant des scènes de la mythologie hindoue et d'une mosaïque de miroirs et de morceaux de verre coloré. Des fenêtres en albâtre ajouré, on a une vue superbe sur les jardins de Dilaram, au milieu du lac Moatha, derrière lequel s'étendent les collines boisées des monts Aravalli. Sur trois côtés, cette salle est flanquée de vérandas où se déroulaient jadis de somptueuses soirées, des concerts et des spectacles de danse. Les pièces à ciel ouvert, rafraîchies par des fontaines, étaient tendues d'étoffes (*durrie*) qui protégeaient les habitants de la chaleur étouffante.

Au fond de la cour, le **zenana** (harem) est un véritable dédale de chambres, d'escaliers et de terrasses, d'où la vue est magnifique. En sortant du fort, on peut visiter, sur les bords du lac près des jardins de Dilaram, le petit **musée d'Archéologie** qui possède une collection de sculptures, de terres cuites et de pièces de monnaie de la dynastie hindoue Maurya, découvertes à Bairat et sur des sites voisins.

## La ville basse

Contrairement à de nombreuses villes anciennes, Amber n'a pas été entièrement désertée après l'expansion de sa voisine Jaipur. Les magnifiques demeures des courtisans illustres et de la noblesse sont des témoignages uniques sur l'architecture urbaine du Rajasthan médiéval.

En repassant l'arche du palais et en descendant le chemin qui mène au village, on arrive au **temple de Sri Jagat Shiromani** (XVIIe siècle), dédié à la mémoire de Jagat Singh, le fils aîné de Man Singh. Cet édifice impressionnant –

*Fenêtres à jali, Jas Mandir.*

en marbre et en grès rouge et gris – possède une magnifique porte en marbre sculpté, flanquée de deux éléphants de pierre. En sortant du temple, on passe devant les tombes des souverains d'Amber. Tout autour, un ensemble de temples et de petits palais abandonnés compose un tableau empreint d'un charme romantique. On remarque **Akbari Masjid**, une petite mosquée de marbre blanc à triple dôme du XVII^e siècle. De là, on peut rejoindre les remparts extérieurs du fort, au pied desquels s'élèvent les *chatri* de divers souverains. Certains portent encore des traces de peintures murales.

## Des richesses bien gardées

Jai Singh II édifia la plus grande forteresse des Kachwahas (3 km de long sur 1 km de large) sur le site d'un petit fort du XI^e siècle, à 1,5 km à l'ouest d'Amber. C'est **Jaigarh** (le fort de la victoire). L'architecte Vidyadhar y fit des ajouts importants vers 1725. Afin de résoudre l'éternel problème de la pénurie en eau, il fit aménager un réseau complexe de canaux et d'aqueducs. Un immense réservoir à ciel ouvert de 27 millions de litres recueillait les eaux de pluie, qui étaient ensuite réparties et stockées dans trois réservoirs couverts (*tanka*). Les parois internes étaient enduites de plâtre afin d'empêcher les fuites par infiltration. Cette installation assurait un approvisionnement permanent en eau potable, y compris pendant les années de sécheresse.

Le palais dominé par une haute tour abrite un passionnant **musée d'Histoire et d'Ethnologie**. Il se compose d'un labyrinthe de salles d'apparat, d'appartements, de temples et de terrasses à *jali*, donnant sur la vallée. Dans la salle de théâtre, on peut voir une démonstration de marionnettes. Une extraordinaire collection d'armes et une fonderie de canons témoignent que le fort était sous bonne garde. Un régiment de Minas (les anciens habitants d'Amber) surveillait les entrées en permanence, si bien que, à l'exception du souverain et du prince régent, nul n'osait franchir ses portes massives. Selon la légende, les Minas étaient les gardiens de l'immense butin des Kachwahas, entreposé dans une salle secrète. On raconte qu'ils conduisaient chaque nouveau souverain, les yeux bandés, dans la salle du Trésor, où il était autorisé à choisir un seul objet. Ces richesses ont disparu, mais la maharani Gayatri Devi a été emprisonnée pendant plusieurs mois en 1975, à la demande du fisc qui la soupçonnait, à tort d'ailleurs, de détournement. Ne pas manquer d'aller voir sur les remparts l'énorme canon **Jai Van**, véritable pièce d'art de 6 m de long qui n'a jamais servi.

A l'autre extrémité des collines qui bordent la vallée, **Nahargarh** (le fort du tigre) peut être atteint à pied par une route escarpée qui part de Jaipur, au bout de Nahargarh Fort Road. En chemin, on a une vue superbe sur le lac de Man Sagar.

Jai Singh a fait construire cette petite forteresse en 1734 pour garder les environs de Jaipur. Ram Singh y fit ajouter douze appartements pour ses principales épouses. De la forteresse, la vue sur la ville est splendide, en particulier au lever et au coucher du soleil. Un restaurant vient de s'ouvrir dans la partie la plus ancienne du palais.

*Ci-dessous, les turbans aux couleurs vives sont typiques du Rajasthan ; à droite, la passion de l'ornementation, Sheesh Mahal.*

# LE ROYAUME DES ARTISANS

« *Les grands bazars sont dans les rues principales de la ville. De chaque côté de ces rues, sous les arcades des palais, des temples et des maisons, s'alignent les boutiques des artisans. On voit travailler dans la rue tailleurs, cordonniers, orfèvres, armuriers, pâtissiers, confiseurs, chaudronniers...* » Telle est la description du vieux Jaipur par Victor Jacquemont en 1832, dans ses *Impressions de Jaipur et d'Amber*.

Peu de villes offrent comme Jaipur ou Amber l'occasion de voir les artisans les plus divers pratiquer leur métier selon des traditions ancestrales. Le mérite en revient aux souverains mécènes de ces deux villes. Non seulement ils invitaient des artisans de pays aussi lointains que la Perse, mais ils leur fournissaient un environnement propice au développement et au perfectionnement de leur art. A peine son palais achevé, Jai Singh II, le fondateur de Jaipur, fit construire des magasins, des marchés et il incita des commerçants, des banquiers et des artisans de Delhi, d'Udaipur et d'autres régions de l'Inde à s'établir dans sa capitale.

Au fil des siècles, l'artisanat de Jaipur est devenu une source importante de devises et a profondément transformé l'économie locale. Une promenade dans les bazars est une expérience inoubliable, aussi bien pour les flâneurs que pour les amateurs et les collectionneurs d'art.

## La ville des joailliers

Entre Sanganeri Gate et Badi Chaupar, la plus grande place de Jaipur, s'étend **Johari Bazar**, le marché le plus ancien et le plus animé de la ville fortifiée. A côté des temples s'étalent les éventaires de légumes, d'épices et... d'émeraudes. Grand marché local, Johari Bazar est aussi un centre international pour le commerce des pierres précieuses. Les principaux marchands sont dans l'allée principale du bazar et dans une ruelle adjacente, **Gopalji-ka-Rasta**. Les pierres et les bijoux comptent parmi les principaux produits d'exportation de l'Inde et la contribution des artisans de Jaipur dans ce secteur est importante. On importe la matière première, qui est taillée à la main et polie avant d'être exportée. Presque tous les tailleurs et polisseurs du Rajasthan habitent dans la ville fortifiée de Jaipur. Au moyen de simples outils traditionnels, ils taillent des angles parfaits et transforment les cailloux les plus grossiers en gemmes limpides qui se vendent plusieurs milliers de dollars.

Jaipur a ses spécialités, comme le *kundan,* un type particulier de bijou en or incrusté de pierres précieuses. Dans **Haldiyon-ka-Rasta**, une autre ruelle de Johari Bazaar, une demeure médiévale abrite l'étonnant **magasin de Bhuramal Rajmal Surana**, l'un des meilleurs bijoutiers de la ville. L'art de l'émaillage sur or (*meenakari*) est arrivé de Perse en passant par le Pendjab et, en particulier, la ville de Lahore. Au XVIe siècle, le souverain Man Singh Ier fit venir à Jaipur trois émailleurs sikhs. L'un de leurs descendants, Sardar Kudrat Singh, perpétue leur art dans une allée étroite du marché, **Jadiyon-ka-Rasta**. Il a reçu plusieurs

*A gauche, tissus traditionnels et mannequins modernes ; à droite, miniaturiste au travail.*

prix internationaux. On peut voir travailler cet artisan affable dans sa boutique qui est également son domicile.

Dans **Manihon-ka-Rasta**, les artisans démoulent prestement des bracelets en laque colorée. Ces bracelets jouent un rôle important dans la vie traditionnelle du Rajasthan : on en offre aux femmes lors des événements heureux comme les mariages ou les naissances. Récemment, les créateurs de bijoux se sont intéressés à cet art, ouvrant de nouveaux débouchés sur le marché international. Dans le dédale des ruelles de la vieille ville, on découvre d'autres objets fascinants comme les incrustations de cuivre sur bois, les broderies de fil d'or, les émaux sur cuivre et les sculptures en bois de santal.

## Les tissus teints

La teinture sur tissu est l'un des artisanats les plus florissants de Johari Bazar. On y pratique en particulier la technique dite *bandhani*, qui consiste à nouer certaines parties du tissu avec des bouts de ficelle enduits de cire pour obtenir des effets de moucheture. Bien que les artisans travaillent dans des quartiers modernes parfois éloignés, les « colonies », le bazar demeure leur principal débouché. On peut les voir travailler dans **Kishanpol Bazar**. Les marchands de tissus teints occupent une place importante dans le bazar. **Jaipur Sari Kendra**, l'un des magasins les plus animés de Johari Bazaar, vend des tissus teints de styles et de matières très variés.

Les Rangrez, les teinturiers de Jaipur, ont assimilé de nombreuses techniques de fabrication mais ils sont surtout célèbres pour la *laharia* (autre technique de teinture par nouage) et la *mothra* (un procédé créant un motif quadrillé). Ces deux sortes de motifs ornent en particulier les vêtements traditionnels portés lors du festival de Teej, qui célèbre le début de la mousson.

La place animée de **Badi Chaupar** est un concentré des commerces de Jaipur : les étalages des marchands de fleurs et de parfums y côtoient ceux des marchands de bijoux traditionnels en argent et de

*A gauche, marionnettes ; à droite, préparation d'une teinture par nouage.*

tissus imprimés. Sur l'un des côtés de la place ombragé par un banyan, des boutiques vendent de beaux bracelets, des chaussures locales et des bijoux fantaisie et des tailleurs peuvent coudre en quelques heures une robe traditionnelle ou copier un vêtement dont on leur fournit le modèle. De là, une rue mène à **Ramganj Bazaar**, renommé pour ses babouches en cuir repoussé ou brodé (*jooti*). On peut y admirer la diversité colorée des chaussures traditionnelles du Rajasthan. Les plus confortables sont en cuir de chameau.

Au-delà de la place, le marché pour touristes s'étend autour de **Hawa Mahal**. On peut y acheter des broderies, des pierres précieuses et des bijoux, des marionnettes, des cerfs-volants et divers objets décoratifs, mais il faut rester vigilant car certains vendeurs sont experts dans l'art de plumer le touriste. Plus loin, à droite de **Subhash Chowk**, le quartier des tisserands occupe un labyrinthe de ruelles. Les tapis et les *durrie*, carpettes en coton tissé, font partie des principaux produits d'exportation de Jaipur.

## Miniatures et sculptures

Du quartier des tisserands, une ruelle sinueuse mène à la **demeure de Banooji**, un miniaturiste renommé. Ses peintures ont été vendues à de nombreux musées étrangers. Grand amateur d'art, Banooji peint aux sons harmonieux de la musique indienne classique. Il utilise des couleurs naturelles à base de plantes et passe plusieurs mois sur une seule miniature.

Les marchés de Jaipur proposent des miniatures sur papier, sur soie et sur ivoire. La plupart du temps, il s'agit de reproductions de chefs-d'œuvre anciens. Il faut avoir un œil de connaisseur pour distinguer l'œuvre d'un artiste accompli d'un produit de fabrication en série. Certains peintres excellent dans la peinture sur ivoire mais les réglementations mondiales les ont contraints à se tourner de nouveau vers la peinture traditionnelle sur papier.

Sculpteurs sur marbre, les Silawats pratiquent leur art depuis la naissance de Jaipur dans une ruelle qui porte leur nom, **Silawaton-ka-Rasta**, ou *Khazne Walon-ka-Rasta*. Ils se distinguent particuliè-

*A gauche, la technique de teinture « laharia » ; à droite, « jooti » brodés.*

rement dans la représentation de divinités du panthéon hindou sur des dalles de marbre, selon les canons traditionnels. Leurs statues trônent dans de nombreux temples hindous, en Inde et à l'étranger. Ils réalisent sur commande des statues, des arches, des balcons et des panneaux et des dessus de table en marbre délicatement sculptés.

## Jaipur hors les murs

D'autres activités artisanales, autrefois encouragées par les souverains de Jaipur, fleurissent au-delà des fortifications de la ville. Le village de Sanganer, voisin de l'aéroport, est renommé pour ses tissus imprimés au tampon et son papier de fabrication artisanale. La ville possède également un atelier de poteries traditionnelles en céramique bleue.

Le célèbre peintre-potier Kripal Singh Shekhawat a largement contribué à la renaissance de cet art, dont l'origine remonte à Ram Singh II. Ses œuvres sont exposées à **Kripal Kumbh**, dans Shir Marg, à l'ouest de la ville fortifiée de Jaipur. Il les peint à la main d'arabesques et de motifs floraux rose, jaune, vert et brun. La céramique bleue est également utilisée dans la confection de bijoux, une initiative intéressante qui a pour cadre le **magasin de Neerja**, dans Bhawani Singh Marg.

Les voyageurs pressés par le temps peuvent faire tous leurs achats à l'**Emporium d'État du Rajasthan**, dans Mirza Ismaïl Road (M. I. Road). Dans ce magasin, les prix des articles sont fixes et modérés. Dans les autres *emporia*, situés dans la même rue, il faut être plus vigilant sur la qualité de la marchandise sans se laisser impressionner par la mention « *Govt. approved* ».

On peut acheter des bijoux en argent au marché de **Chameli**, situé à l'écart de M. I. Road, en face du bureau de poste central. Le choix du magasin **Amrapali** est impressionnant et on peut bénéficier de prix de gros à **Maneka**. A côté de la porte est de Jaipur, le **palais des Arts populaires** abrite une importante collection d'artisanat ancien et moderne du Rajasthan.

*Perles en céramique bleue de Jaipur.*

# ANOKHI

La visite d'un magasin **Anokhi**, mot qui signifie « unique », est un must pour tout visiteur de Delhi ou de Jaipur. A Jaipur, sur Tilak Marg et en face d'Udyog Bhavan, la façade basse du magasin n'est guère engageante. Pourtant, dès que l'on a franchi la porte, le charme opère. Les vêtements, les tissus et les divers accessoires vendus sous le label Anokhi sont beaux et suffisamment novateurs pour attirer des acheteurs du monde entier.

Anokhi se distingue également d'autres entreprises par le soutien qu'elle apporte à l'artisanat traditionnel. Ses débouchés dans de nombreuses grandes villes du monde lui permettent de s'associer avec des artisans pour créer des produits fonctionnels et d'une qualité esthétique élevée.

L'histoire des créateurs d'Anokhi est en elle-même singulière. Jitendra Pal (John) Singh rencontra Faith Hardy à la piscine du Rambagh Palace durant l'été 1968. Après des études à la Doon School, à l'université de Delhi et à Oxford, il avait travaillé dans une plantation de thé puis monté une ferme d'élevage de poulets dans les environs de Jaipur. De son côté, Faith, la fille d'un évêque anglican, était venue en Inde pour apprendre les techniques traditionnelles de l'artisanat du textile. Ils se marièrent et ouvrirent une discothèque qu'ils nommèrent avec optimisme « L'Œuf fertile ».

*Défilé de mode d'Anokhi dans le palais de Samode.*

En 1970, l'influence d'un gourou transforma leur vie. Ils devinrent végétariens et John vendit ses fusils de chasse, sa ferme et sa discothèque. Il décida de fonder un commerce à partir de l'atelier de Faith, qui fabriquait des tissus imprimés au tampon de bois et travaillait en collaboration avec des tailleurs locaux.

Peu à peu, la politique de l'entreprise se précisa : John et Faith souhaitaient aider les artisans en leur apportant des modèles, des capitaux, un contrôle de la qualité et une promotion commerciale. Ils voulaient faire fusionner la gestion moderne avec le savoir-faire traditionnel tout en préservant l'autonomie et le mode de vie de l'artisan. Faith déclare qu'« *Anokhi a cherché à créer un environnement, une relation entre le marché et le produit, entre la compétence technique et la tradition. Dans cet environnement, les textiles traditionnels ont leur place. Cependant, ils doivent également intégrer des motifs et des modèles modernes susceptibles d'attirer les consommateurs dans un marché mondial exigeant et en évolution constante* ».

L'image discrète d'Anokhi et l'absence de « super soldes » dans ses magasins ont contribué à établir sa réputation d'exigence et de raffinement. John et Faith ont ajouté aux vêtements des tissus et des accessoires, afin que les imprimeurs, les tisserands et les teinturiers locaux puissent travailler à plein temps.

L'expansion commerciale d'Anokhi est allée de pair avec la diversification de ses activités. La chaîne a fondé le Digantar Trust, qui gère une école et une clinique vétérinaire gratuites, un centre médical et sponsorise des activités sportives.

En 1988, lors de la plus grande sécheresse du XXe siècle, Anokhi organisa une vente dont la recette fut versée à l'un des projets de développement les plus efficaces de Barmer. John Singh est très engagé dans la protection de l'environnement et de la culture du Rajasthan. L'expérience qu'il a acquise dans sa ferme de Jaipur l'a amené à subventionner divers projets agricoles régionaux, comme le reboisement de régions arides.

# AU-DELÀ DES FORTIFICATIONS

La réputation de la « ville rose » fortifiée de Jaipur a longtemps éclipsé celle des quartiers qui s'étendent au-delà des fortifications, où les monuments historiques côtoient des constructions plus modernes. Ils ne manquent pourtant pas d'intérêt.

Ram Singh II (1835-1880) est le premier souverain qui ait tenté d'agrandir Jaipur au-delà des fortifications extérieures du palais en y construisant des édifices. Il a fait également réaménager les jardins de Kesar, à trois kilomètres au sud de la vieille ville, pour en faire un rendez-vous de chasse, auquel il a donné le nom de **Rambagh**, le jardin de Ram (voir encadré p. 189).

Depuis la mort du maharadjah Ishwari Singh, en 1750, Jaipur était restée coupée du monde extérieur. Les attaques des Marathes poussèrent les souverains à se mettre sous la protection des Britanniques en 1803, ce qui leur permit de garder leur titre et leur pouvoir.

Lorsque Ram Singh accéda au trône, en 1854, il décida d'étendre sa capitale. En tant que membre du conseil législatif impérial, il avait séjourné à Calcutta, capitale politique et intellectuelle du Raj (Inde britannique). Enthousiasmé par la richesse et la culture de cette ville, il décidait de faire de Jaipur une seconde Calcutta.

Il créa dans son gouvernement des ministères de l'Éducation, de la Santé et des Travaux publics et recourut aux services des Britanniques pour moderniser sa ville. Un Anglais, Samuel Swinton Jacob, fut engagé comme ingénieur en chef du royaume de Jaipur. Ram Singh fit installer l'éclairage au gaz dans les rues, et certains édifices furent illuminés de nuit. Le maharadjah encouragea également la construction d'écoles, de collèges, d'hôpitaux et d'un musée.

## Les jardins de Ram Niwas

Conçus sur le modèle des jardins de l'Éden de Calcutta, les jardins de Ram Niwas s'étendent au sud de la vieille ville, à l'extérieur de New Gate. Ram Singh II fit construire sur ce site divers bâtiments et un zoo, l'un des premiers de l'Inde. Tous les lundis soir, les musiciens de l'orchestre royal venaient jouer en tenue de cérémonie dans un très beau kiosque à musique au centre du parc. En 1845, Ram Singh fit également édifier dans l'enceinte de ces jardins une école, le très élitiste *Maharadjah College*, où l'on enseignait l'ourdou, le persan et l'anglais aux enfants des familles princières.

Quelques années après, le maharadjah décida d'y ajouter une salle d'audiences et un musée, conçu sur le modèle du Victoria and Albert Museum de Londres. Le majestueux **Albert Hall** attire de nombreux visiteurs. Œuvre de Swinton Jacob, cet édifice de style indo-sarrasin combine harmonieusement les arches orientales et le foisonnement du style victorien tardif. Le 6 février 1876, le prince de Galles et futur roi Édouard VII en ont posé les fondations. Il a été achevé et transformé en musée dix ans plus tard.

Ce bâtiment abrite le **Musée central**, géré par le département d'Archéologie. Il possède une intéressante collection de peintures, de tapis, de costumes, d'ivoires, d'objets en cuivre, de marionnettes, de bijoux et de poteries. Le tapis de soie du « Jardin persan » (XVIIe siècle), tissé à Kerman, passe pour l'un des dix plus beaux tapis du monde. Dans les jardins, un ancien théâtre, **Ravindra Rang Manch**, abrite une galerie d'art moderne.

Au sud de la route, l'insolite **Takht-e-Shahi**, copie d'un château écossais, s'élève au sommet d'une petite colline, Moti Doongri. Du haut de ses remparts, on a une excellente vue sur la ville. Les trésors de la famille royale y étaient entreposés dans une salle secrète.

## La Jaipur contemporaine

Sous le règne de Ram Singh II, les Britanniques ont développé les communications entre les villes indiennes. Ils ont construit notamment une ligne ferroviaire reliant Jaipur à Agra, Bombay et Delhi. La route d'Agra à Ajmer, qui passait par Jaipur et Bharatpur, a été achevée à la même époque et de nombreuses autres routes carrossables ont été ajoutées et aménagées pour les voyageurs.

Madho Singh II (1880-1922), le successeur de Ram Singh, acheva de nombreux travaux publics commencés sous le règne de son prédécesseur. Son chef-d'œuvre est le barrage d'irrigation de Jamwa Ramgarh, qui devait ravitailler la capitale en eau. Sa construction a duré vingt-cinq ans et suscité de nombreuses controverses.

Parallèlement à ces progrès techniques, Jaipur conservait ses rituels médiévaux : les portes de la ville fortifiée étaient fermées chaque soir à onze heures et personne ne pouvait entrer dans la ville avant leur ouverture, à l'aube. C'est seulement en 1923 qu'on a ordonné de laisser la porte ouest, Chandpole Gate, ouverte la nuit pour les voyageurs venant de la gare.

Man Singh II était encore mineur lorsqu'il accéda au trône et il ne reçut les pleins pouvoirs qu'en 1931. Il favorisa alors l'expansion de la ville au-delà des fortifications du palais, principalement vers le sud. Cette partie de Jaipur a acquis un certain prestige lorsque le maharadjah s'est installé dans le palais de Rambagh.

Kishan Pole, *une des portes d'accès à la vieille ville.*

Néanmoins, les habitants de Jaipur répugnaient à vivre dans cette zone, encore pratiquement à l'état sauvage (de nombreux habitants âgés se souviennent d'y avoir vu des tigres). Il fallut développer l'infrastructure en construisant des routes et en apportant divers aménagements, et proposer des terrains à des prix très bas pour inciter les gens à venir habiter au-delà des fortifications.

Sous le gouvernement du premier ministre Mirza Ismaïl, le développement de la ville reçut une nouvelle impulsion. Il fit aménager l'ancienne rue Hawa Sarak, aujourd'hui **Mirza Ismaïl Road** (M. I. Road), qui longe le mur sud des fortifications, de Sanganeri Gate à l'hôtel Kasa Koti. Bordée d'agences d'automobiles, de magasins, de banques et de restaurants, M. I. Road est restée l'artère principale de la ville moderne.

Parmi les édifices intéressants de cette rue, le **Government Hotel** était autrefois une étape pour les voyageurs qui empruntaient Grand Trunk Road, la grande route de l'Inde, pour se rendre à Ajmer. Il a été temporairement la résidence du premier ministre, puis on l'a transformé en hôtel et réaménagé ensuite en palais. Vers 1909, un officier britannique y notait le développement du tourisme : «*Les attelages et les éléphants* [pour Amber] *sont fournis par la direction et l'on peut toujours y trouver des guides parlant anglais.*»

Man Singh a laissé plusieurs constructions marquantes : le nouveau Maharadjah College, voisin des jardins de Ram Niwas, l'hôpital Lady Willingdon, aujourd'hui SMS Hospital, sur Ram Singh Road, et la caserne des gardes de Man Singh, qui abrite le secrétariat du gouvernement du Rajasthan.

## Mausolées et palais-jardins

Au nord de Jaipur, sur la route d'Amber, les souverains de Jaipur avaient fait bâtir des résidences et des mausolées. Le charmant **Jal Mahal** (XVIII^e siècle) fut construit au milieu du lac de Man Sagar par Madho Singh I^er sur le modèle de ceux qui s'élèvent au milieu du lac Pichola d'Udaipur, sa ville natale.

A environ 4 km à l'ouest de la route principale, dans un vallon peuplé de paons et de singes, **Gaitore** est le site funéraire des souverains de Jaipur. Dans le beau **mausolée de Jai Singh II**, du XVIIIe siècle, on admirera les vingt colonnes en marbre finement sculptées de combats d'éléphants et de scènes de la vie de Vishnou. Ce cénotaphe a été construit par son fils Ishwari Singh, qui s'est suicidé en 1750, lorsque les Marathes envahirent la ville, en cumulant poison et morsure de cobra (ses femmes, elles, observèrent la tradition du *sati*). De là, on peut monter jusqu'au petit **fort de Ganeshwarh** pour contempler la ville.

Sur la route d'Agra, à environ 8 km au sud-est de Jaipur, on peut voir les palais d'été entourés de jardins des familles princières. On admirera le **pavillon** et les **jardins** de **Vidyadhar**, l'architecte de Jaipur, mais le plus charmant est le palais de **Sisodiya**, bâti pour la reine d'Udaipur, que Jai Singh II avait épousée pour renforcer son alliance avec les clans rajpoutes : ses fresques ravissantes dédiées à Krishna et ses beaux jardins moghols en font un lieu idyllique.

*Le palais de Jal Mahal, sur le lac de Man Sagar.*

Au-delà de ces jardins coule la source sacrée de **Galta**. Plusieurs temples bordent le chemin qui y mène, en particulier un sanctuaire de Hanuman, le dieu Singe.

Au sommet de la colline, **Surya Mandir**, un temple au dieu Soleil, unique dans cette région de l'Inde, domine les alentours, entouré de bassins sacrés où les fidèles viennent faire leurs ablutions. De là, on peut redescendre directement vers Surya Pole.

## Une ville en effervescence

Jaipur s'adapte au développement rapide du tourisme. La chaîne hôtelière Taj a réaménagé d'anciens palais, comme le palais de **Raj Mahal**, qui a été autrefois la résidence des autorités britanniques, le palais de **Jai Mahal** et le palais de **Rambagh**. La plupart des *thakur*, les nobles rajpoutes, ont commencé à accueillir des hôtes dans leurs majestueuses demeures, comme le **Samode Haveli** ou le **Samode Palace**, à 42 km de Jaipur.

De grands industriels du Rajasthan ont également fait bâtir dans la capitale. L'un des bâtiments les plus remarquables de Jaipur, le temple en marbre de **Lakshmi**, a été construit par le Hindustan Charitable Trust, qui appartient au plus grand groupe industriel du pays, la famille Birla. Certains le trouvent magnifique, tandis que d'autres jugent sa proximité avec l'étrange « château écossais » de Man Singh du plus fâcheux effet. L'édifice le plus moderne de Jaipur, le **planétarium**, est également l'œuvre des Birlas. On construit aussi une première salle de conférences moderne, qui doit contribuer à faire de Jaipur une ville à vocation internationale.

La ville nouvelle s'étend rapidement dans toutes les directions. L'accroissement continu de la population (1,5 million en 1995) et une forte demande de logements ont entraîné sa prolifération dans un rayon de 16 km. A certains moments de la journée, Jaipur, qui paraissait immense à ses premiers visiteurs, devient un énorme embouteillage composé des véhicules les plus divers, d'animaux en liberté et d'une foule colorée.

# LE RAMBAGH PALACE

Au-delà des fortifications de la « ville rose », au cœur de la Jaipur moderne, le légendaire palais de Rambagh est devenu, depuis 1972, le **Rambagh Palace Hotel**, géré par Taj Hotel, la plus grande chaîne hôtelière indienne. La vocation d'hospitalité de ce lieu remonte à 1887, l'année de naissance du palais.

En 1835, Kesar, l'une des suivantes de la mère de Ram Singh II, créa sur le site de l'actuel hôtel un jardin, que l'on appela « le jardin de Kesar ». Dans ce jardin s'élevait un petit pavillon que le maharadjah utilisait comme rendez-vous de chasse. On rebaptisa l'endroit **Rambagh** (le jardin de Ram), lorsque le prince y fit construire une résidence de 26 pièces. En 1902, au retour d'un voyage en Angleterre, Madho Singh II décidait de le transformer en demeure de prestige. Il fit appel aux services de Swinton Jacob, l'architecte de l'Albert Hall. Passionné de sport, Madho Singh II fit aménager des courts de tennis et de squash, une piscine et un terrain de polo autour du palais. Peu après sa mort, en 1922, on créa dans le palais une école pour son héritier âgé de onze ans, officiellement pour « l'écarter des intrigues du harem », officieusement pour mieux le maintenir sous la tutelle britannique. Trois ans plus tard, Rambagh devint la résidence officielle du maharadjah. Le séjour au palais de Rambagh se révéla heureux pour Man Singh II : deux événements majeurs de son existence s'y sont déroulés. Son premier fils, Bhawani, y est né en 1931. Cet enfant était le premier héritier direct dans la famille royale depuis près d'un siècle.

Le deuxième événement, qui se produisit la même année, ressemble encore plus à un épisode de conte de fées. Le maharadjah avait invité à Rambagh la maharani de Cooch-Behar. Durant ce séjour, Man Singh escorta cette princesse et ses deux filles dans des promenades à travers la région. Frappé par la beauté de la plus jeune, Gayatri Devi, âgée de treize ans, il décida de l'épouser, ce qu'il ne put faire que neuf ans plus tard. La jeune fille devait devenir l'une des plus belles femmes de son temps.

Dans les années qui précédèrent son mariage, Man Singh II entreprit de transformer le palais de Rambagh en une résidence luxueuse. En 1936, il y fit installer une salle à manger victorienne commandée à Londres et des salles de bains en marbre noir. Des fontaines de Lalique furent apportées de Paris en 1940. Le jeune couple occupa deux appartements voisins entièrement rénovés, dont les salles de bains étaient en marbre noir. Ce sont les actuelles « suites du maharadjah et de la maharani », les chambres les plus prestigieuses de l'hôtel.

Gayatri Devi avait été élevée de façon très moderne et avait fait ses études en Angleterre, mais elle dut se plier à certaines traditions hindoues en devenant maharani. Cependant, le couple faisait de fréquents voyages en Europe, où il devint la coqueluche de la « jet-set » internationale. A Jaipur, la maharani avait créé une école et, lorsque son mari abdiqua, elle devint député du parti d'opposition. Les souverains de Jaipur vécurent au palais de Rambagh jusqu'en 1957. Après l'indépendance et l'intégration des États princiers à la République de l'Inde, l'influence des gouvernements démocratiques modifia peu à peu leur mode de vie. Pour des raisons politiques et économiques, il leur devenait de plus en plus difficile de maintenir leur fastueux style de vie. Contre la volonté de sa famille, le maharadjah décida de transformer sa superbe résidence en hôtel.

Man Singh est mort en Angleterre, en 1970, au cours d'un tournoi de polo. En 1975, Gayatri abandonnait la vie politique ; elle vit toujours à Jaipur.

*La garde à cheval du Rajmata au Rambagh Palace.*

# SANGANER, BAGRU ET SAMODE

Le village de Sanganer, à 16 km au sud de Jaipur, a été autrefois le théâtre d'une intrigue de palais qui permit à Jai Singh II d'accéder au trône d'Amber et contribua indirectement à la fondation de Jaipur. A la suite des revendications de son demi-frère et rival Vijay, Jai Singh avait accepté de le rencontrer à Sanganer pour négocier la répartition des pouvoirs. Peu avant, un messager du palais de Sanganer mandait les deux frères auprès de la reine mère, qui souhaitait les voir et assister à leur réconciliation.

Arrivés à Sanganer, les deux frères se donnèrent l'accolade et Jai Singh offrit de satisfaire toutes les requêtes de Vijay Singh. Devant la porte des appartements de la reine, Jai Singh ôta son poignard en demandant : « *Frère, quel besoin avons-nous de porter des armes ?* » Vijay Singh suivit son exemple mais, lorsqu'il pénétra dans la chambre, la porte se referma derrière lui : il était prisonnier. La convocation de la reine était en réalité un complot ourdi par Jai Singh et son vizir qui avaient remplacé la suite royale par des soldats bhatti déguisés. On n'entendit jamais plus parler de Vijay. Jai Singh fonda la ville de Jaipur et devint le souverain le plus compétent, le plus érudit et le plus renommé de ce royaume.

## Sanganer

**Sanganer** est également célèbre pour ses tissus, son papier et ses temples. Selon la légende, la ville fut fondée par Sanga Baba il y a environ 1 500 ans, et ses fabriques de tissu imprimé fonctionnent depuis plus de 1 000 ans.

Le **temple Sanghiji** de la secte jaïn de Digamber (littéralement, « vêtu de ciel », autrement dit, nu) aurait été fondé par Dyuta Ram Sanghi il y a environ dix siècles. Il contient des statues des vingt-quatre *Tirthankara*, les divinités des Jaïns. A l'intérieur, le mur voisin du portail est orné d'un bas-relief sculpté par le premier grand prêtre du temple. En haut des colonnes de la première cour, les peintures de personnages en costumes rajpoutes ont probablement été ajoutées plus tardivement. A l'extérieur du temple, des fresques illustrent l'histoire romantique de Dhola et Maru (en réalité Dhula-Rai, le premier souverain kachwaha d'Amber, et son épouse Maroni). Devant le sanctuaire de Krishna s'élève un « pilier de gloire » (*Kirti Stambha*) en marbre blanc.

La presque totalité des 70 000 habitants de Sanganer travaille dans le secteur de l'artisanat traditionnel. La situation géographique de la ville, proche du fleuve Saraswati, a favorisé le développement de la fabrication du papier et l'impression sur tissu au tampon, deux activités qui nécessitent un abondant ravitaillement en eau.

La fabrication artisanale du papier, à partir de chutes de coton et de soie réduites à l'état de pâte, est un dérivé de la fabrication du tissu. On peut en observer toutes les étapes à **Kagazi Mohalla**, le quartier du papier. Le vaste établissement de **Saleem Kagazi**, sur Gramodyog Road, offre la plus grande diversité de papiers, dont certains modèles sont

*Pages précédentes : le Durbar Hall magnifiquement décoré du palais de Samode. A gauche, couturières de village ; à droite, séchage des tissus teints.*

uniques. Dans d'autres ateliers, les artisans ornent le papier à lettres de dessins peints à la main tandis que des enfants fabriquent des enveloppes avec des feuilles pressées et des fleurs. Il y a également des femmes qui façonnent des cônes de papier rigide pour en faire des haut-parleurs. Près de 50 familles en tout travaillent dans les fabriques de papier. Afin de protéger les secrets de la profession, leurs membres évitent de se marier en dehors de la communauté.

Les tissus imprimés au tampon en bois sont une autre tradition artisanale de Sanganer. Mais, depuis peu, les artisans ont tendance à abandonner la tradition au profit de la technique du pochoir, beaucoup plus rapide.

On réalise aussi l'impression au tampon sur des tissus modernes, en conservant toutefois les motifs traditionnels, beaux et complexes. En flânant dans **Chippa Mohalla**, le quartier des tissus, on a une vision spectaculaire de ces tissus qui sèchent, drapés sur des râteliers de plusieurs étages : des centaines de mètres d'étoffes aux couleurs éclatantes flottent au dessus des cours. La plupart des magasins de tissu sont dans la rue principale, notamment Sanganer Hand Printers, Calico Printers, J. K. Arts, Sopra Bros et Pandey Textiles.

La fabrication de **céramique bleue** de Jaipur est une activité plus récente. Peintes à la main, les poteries sont ornées de motifs floraux bleu, rose et blanc. On peut en acheter à Blue Pottery, sur Malpura Road.

## Bagru

En août 1748, **Bagru**, à environ 35 km de Jaipur sur la route d'Ajmer, fut le théâtre d'une bataille entre les envahisseurs marathes et Ishwari Singh, le souverain de Jaipur. A l'issue de six jours de combats fréquemment interrompus par les pluies de mousson, Ishwari Singh était repoussé dans le fort de Bagru et contraint de négocier. Le **fort**, aujourd'hui désert, constitue le seul véritable monument de la ville.

En dehors de cet épisode historique, Bagru est surtout célèbre pour ses tissus

*Une étape de la teinture des tissus.*

imprimés. Ses artisans utilisent toujours la technique traditionnelle du tampon en bois, avec des couleurs naturelles à base de teintures végétales. Près de cinquante familles de Chippas, la communauté des teinturiers, travaillent dans ce secteur.

Le tampon imprimeur en bois est la technique mécanique la plus ancienne pour les motifs des tissus. L'impression au tampon a connu un essor sous le règne de Sawai Jai Singh, le fondateur de Jaipur, qui invitait les artisans les plus accomplis dans sa capitale. Grâce à sa protection et à celle de ses successeurs, cet artisanat a pu atteindre le degré d'ingéniosité et de sophistication qu'on lui connaît aujourd'hui.

Le vaste **établissement des frères Dosaya** est l'endroit idéal pour observer les différentes étapes de l'impression au tampon. On prépare d'abord le tissu en le faisant tremper puis bouillir, et en le battant à la main. On l'imprime une première fois selon la technique du mordant, qui facilite la pénétration de la teinture. Après l'avoir laissé sécher au soleil, on fait macérer le tissu dans un bain de teinture, dans un pot en cuivre chauffé au feu de bois. Cette teinture, à laquelle on ajoute une fleur connue localement sous le nom de *dhawda*, colore rapidement les parties imprimées au mordant. Avant de commencer l'impression au tampon, l'artisan enduit le tissu d'une « pâte de résistance » (*dabu*) qui protège les couleurs d'origine. Les tampons traditionnels mesurent rarement plus de 7,5 cm sur 10, mais un grand nombre atteignent 15 cm sur 20, de manière à créer des motifs plus grands et plus pleins, conformes aux exigences commerciales.

Après l'impression, on saupoudre la surface imprimée de sciure, pour éviter qu'elle ne se salisse, et on enlève la pâte. On applique alors de la teinture jaune sur les parties bleues, pour obtenir une teinte verte. L'étoffe est ensuite plongée dans une solution d'alun qui fixe la teinte jaune. Un tissu de ce genre peut comprendre jusqu'à six couleurs. Lorsque l'impression est terminée, on le laisse sécher pendant au moins quinze jours. Un artisan expérimenté peut imprimer chaque jour 15 à 20 mètres de tissu.

*Papier artisanal de Sanganer.*

Les connaissances et le savoir-faire se transmettent de génération en génération. Chaque étape du processus se déroule dans un lieu différent de la maison. Les imprimeurs travaillent généralement dans la cour centrale et on peut suivre l'ensemble du processus de fabrication à mesure que l'on monte aux différents étages.

Les tissus de Bagru sont célèbres pour leurs couleurs noir d'encre et ocre. Le noir est préparé avec du fer rouillé, provenant par exemple de fers à cheval et de clous. L'ocre est obtenu à partir d'un mélange d'alun, de gomme et de *geru*, une terre de couleur rouge. La teinture jaune crémeux est à base de curcuma et de peau de grenade. La « pâte de résistance » se compose de blé, de terre, de chaux éteinte et de gomme.

## Samode

A 42 km au nord-ouest de Jaipur, le **palais de Samode**, parfaitement conservé, est un hôtel luxueux, niché au milieu de collines couronnées de forts. C'est le point culminant de l'unique rue du village qui gravit la colline sous une enfilade de portails. Des éléphants caparaçonnés accueillent les visiteurs. Ce décor spectaculaire, surtout quand on arrive le soir, a attiré de nombreux metteurs en scène, ce qui présente certains inconvénients puisque, lors des tournages, l'accès du palais est interdit aux visiteurs.

Samode était autrefois l'un des fiefs du royaume de Jaipur. Le lignage de la famille princière remonte à l'illustre Prithviraj Singh d'Amber (1503-1528), un prince kachwaha. Les seigneurs de Samode sont restés loyaux au maharadjah de Jaipur ; certains furent même ministres et tous portèrent le titre héréditaire de « *Rawai Sahib* ». Leurs descendants vivent encore à Samode, ainsi que dans un autre palais transformé en hôtel, le **Samode Haveli**, à Jaipur.

Bâti sur trois niveaux, le palais s'ouvre sur une succession de cours de taille et d'opulence croissantes. La première cour, agrémentée de pelouses et bordée d'anciennes écuries, forme l'entrée du palais. Sa décoration de style traditionnel,

*Impression au tampon de bois, Sanganer.*

réalisée par Jaya Rastogi, un artiste de Jaipur, lui confère un charme supplémentaire. A l'extrémité ouest, un grand escalier mène à une deuxième cour où s'élèvent un temple et certains des appartements privés.

On accède par un autre escalier imposant à la troisième cour, la plus intéressante. Les murs des chambres qui la surplombent sont incrustés de miroirs étincelants et ornés de miniatures.

A l'étage supérieur, les parois de **Sultan Mahal** sont tapissées d'une mosaïque de miroirs et de peintures aux motifs complexes. On pourrait passer plusieurs heures à contempler ces merveilleuses fresques dans la tradition des miniatures, de la fin du XVIIIe et du début du XIXe siècle. Motifs floraux et scènes mythologiques se mêlent au gré de la fantaisie des artistes.

Le **Durbar Mahal** (salle des audiences), entièrement décoré dans des tons rouge et or, est situé sur la façade sud du palais. A côté, **Sheesh Mahal** (la salle des miroirs), ivoire et bleu, ciselée comme un coffret à bijoux, devient réellement féerique à la lueur des chandelles. La dernière cour diffère totalement des autres : son architecture hindoue laisse supposer que c'est la partie la plus ancienne. Les autres parties dénotent en revanche l'influence progressive du style moghol. Le Durbar Mahal, construit il y a un siècle environ, aurait sans doute fait bonne figure dans un des palais d'Akbar ou de Shah Jahan.

Un dîner au clair de lune sur le toit, d'où l'on a une vue panoramique sur les montagnes environnantes, couronnera parfaitement un séjour à Samode. Les chambres 114 et 116, les plus belles de l'hôtel, ont été rénovées en 1988, à l'occasion du défilé de mode d'Anokhi. Toutes les chambres sont différentes.

Dans la journée, on peut faire des excursions intéressantes, à dos d'éléphant si on le souhaite, aux forts voisins de **Sheogarh** et de **Mahr**. Si on veut faire des achats, les artisans de Samode, dont certains habitent de magnifiques *haveli* décorés de fresques, sont spécialisés dans les tissus teints traditionnels, les bracelets en nacre et, bien sûr, les miniatures.

*Le palais de Samode.*

# LES ENVIRONS DE JAIPUR

Jaipur, capitale d'un État qui a rassemblé les grandes familles rajpoutes, est entourée de sites intéressants. Les anciens palais, plus ou moins abandonnés, sont légion. On ne chasse plus le tigre à dos d'éléphant mais les domaines de chasse sont devenus des réserves. La région à l'est de Jaipur possède une identité culturelle distincte car elle est peuplée en majorité de Jats, une caste de riches paysans qui, au XVIIIe siècle, ont régné sur un royaume qui s'étendait de Delhi à Agra. Ils combattirent victorieusement les Moghols, les Marathes, les Rajpoutes puis les Britanniques.

## Le parc national de Sariska

A 107 km au nord de Jaipur sur la route de Delhi, le **parc national de Sariska** occupe 800 km² dans les collines boisées des monts Aravalli. Jadis terrain de chasse privé des souverains d'Alwar, c'est un parc national depuis 1955 et une réserve de tigres depuis 1979.

Sur ce site s'élèvent plusieurs villages, les temples en ruine de Neelkanth, construits au IXe et au Xe siècle, le fort de **Kankwari**, particulièrement actif sous le règne des Moghols, et le **palais de Sariska**. Ce dernier a été construit en 1902 par Jai Singh d'Alwar, qui l'utilisait comme rendez-vous de chasse. Il abrite un hôtel de charme.

Le parc possède un bon réseau de routes asphaltées qui se ramifient en chemins forestiers en descendant dans les vallées. Il se visite en Jeep avec un guide. Si on y passe la nuit, on pourra observer les animaux du haut des affûts (*machans*) aménagés aux points d'eau. Les ongulés tels que le daim, le caracal (sorte de lynx), le *nilgai* (la plus grande des antilopes indiennes) et le sanglier y abondent. La plupart des prédateurs, comme le léopard, la panthère, le chat sauvage, l'hyène et le chacal, ne sortent qu'à la nuit mais, avec un peu de chance, on arrive à voir des tigres dans la journée. Le parc abrite également de nombreux oiseaux, notamment la pie-grièche, la perdrix grise, le pic doré, le paon et la chouette. La meilleure saison pour les observer va de novembre à juin.

*A gauche, un temple moderne, Alwar ; à droite, le palais de Siliserth.*

## Alwar

A 148 km à l'est de Jaipur, au cœur des monts Aravalli, **Alwar** est un ensemble de palais, de temples, de lacs et de jardins. Les remparts de la **forteresse de Bala Qila**, perchée sur un piton rocheux, dominent la ville, bâtie sur les fondations de l'ancienne cité de Ravana Devra. On y accède en Jeep par un chemin cahoteux. Pour visiter le fort, il faut demander une autorisation au palais d'Alwar.

Le magnifique **palais** (fin XVIIIe siècle) se trouve dans la vieille ville. L'administration locale occupe l'ancienne armurerie, la salle du trésor et la bibliothèque. Autrefois on fermait ses cinq portes massives à la tombée de la nuit et on laissait les tigres rôder dans la ville afin de la protéger des intrusions. Le splendide **Durbar Hall** ne se visite que sur autorisation. A l'étage supérieur du palais, les collections du **musée** témoignent de

l'extravagante richesse des anciens maharadjahs d'Alwar, qui n'hésitaient pas à faire réaliser une salle à manger en argent massif ou une limousine plaquée or. Mais ils attiraient aussi à leur cour les écrivains et les artistes les plus illustres. Le musée possède notamment une magnifique collection de **miniatures** et des manuscrits rares, parmi lesquels figurent un Coran enluminé et une copie du *Mahabharata.* Les autres salles contiennent des armes richement ornées et des objets d'art en jade, ivoire et bois de santal.

Des fenêtres du musée, on a vue sur un lac bordé d'un côté de temples hindous, et, de l'autre, d'escaliers (*ghat*) descendant vers l'eau et de kiosques musulmans (*chatri*). Le **cénotaphe de Moosi Maharani Chhatri** (XIXe siècle) est considéré comme l'un des plus beaux exemples de style indo-islamique. Son dôme de marbre blanc est soutenu par des piliers en grès rouge et son plafond doré est orné de peintures de scènes mythologiques. Il porte le nom de la maîtresse d'un ancien souverain qui s'immola sur un bûcher, selon la tradition hindoue du *sati.* Les plus beaux jardins d'Alwar étaient irrigués par l'aqueduc de Siliserth, qui est hors d'usage.

On peut faire un détour pour admirer les rosaces de pierre de l'ancienne gare et de **Fateh Jung Gumbad**, un tombeau moghol du XVIe siècle. Près de la porte donnant sur la route de Jaipur s'élève la forteresse de **Moti Doongri**, construite au sommet d'une colline par Jai Singh, un souverain excentrique d'Alwar. Les Britanniques l'appréciaient pour son faste et son raffinement. Mais ils finirent par le déposer pour cruauté envers les animaux : il avait fait brûler vif un cheval qui ne lui donnait pas satisfaction au polo. Un parc s'étend à l'emplacement de ce palais disparu.

Les eaux du **lac de Siliserth**, à 13 km au sud d'Alwar, étaient acheminées vers la ville par un aqueduc encore visible de nos jours. Sur ses berges s'élève le pittoresque **palais de Vinay Singh**. Des terrasses, on peut observer le lac et les oiseaux qui le fréquentent. On peut également louer des bateaux à aube pour se promener sur ses eaux paisibles.

*Le réservoir et le cénotaphe d'Alwar.*

## Bharatpur et Keolado Ghana

La ville de **Bharatpur**, à 150 km à l'est de Jaipur, était autrefois une place forte des Jats. En 1805, les Britanniques assiégèrent en vain le fort de Lohagarh durant quatre mois. Les trois palais construits dans l'enceinte de cette forteresse du XVIIIe siècle témoignent de l'influence de l'architecture rajpoute et moghole, dans une forme toutefois plus austère. Le **musée** aménagé dans l'un des palais possède une belle collection de sculptures (notamment une statue de Shiva et de Parvati du VIIIe siècle, et un *lingam* de Shiva en grès rouge du IIe siècle).

A 5 km au sud du fort de Bharatpur, le **parc national de Keoladeo Ghana**, ancien domaine de chasse des maharadjahs, est l'une des réserves d'oiseaux les plus spectaculaires du monde. Parmi les espèces locales, on peut voir le tantale indien, le cormoran, ainsi que différentes variétés de hérons et d'aigrettes. Vers le début octobre, les oiseaux migrateurs (canards, oies et échassiers) arrivent d'Asie centrale et de Sibérie. Ils sont suivis de rapaces tels que l'aigle des steppes, l'aigle royal et la très rare grue de Sibérie, qui y séjournent de novembre à mars. D'autres animaux, comme le *nilgai*, le macaque rhésus, le sanglier, le cerf et le buffle sauvage, fréquentent également le parc. On peut le visiter en bateau, en rickshaw ou à pied.

## Deeg

A 34 km au nord de Bharatpur, **Deeg** était la résidence d'été des princes jats. Ils y construisirent une forteresse, dont les murs dominent de larges douves. Le plus important de ses douze bastions est encore équipé de canons. Dans la première moitié du XVIIIe siècle, les souverains de Bharatpur ont fait ériger dans cette forteresse des palais et des jardins magnifiques.

La façade occidentale du plus grand **palais** donne sur un bassin flanqué de deux pavillons dont les toits ont la forme de barque. Un pavillon à colonnes agrémenté de 500 fontaines s'élève au centre d'un jardin. Lors des grandes réceptions, des jets d'eau colorée en jaillissaient sur fond de feux d'artifice.

*Guêpier d'Orient, réserve de Bharatpur.*

A l'angle sud-ouest du palais, la façade de **Suraj Bhavan**, en marbre blanc incrusté de pierres semi-précieuses, forme un contraste frappant avec les autres édifices en grès.

## Le parc national de Ranthambore

A environ 160 km au sud de Jaipur, le **parc national de Ranthambore** s'étend sur 4 ha entre les monts Vindhya et les monts Aravalli. Depuis 1979, ce parc abrite une réserve de tigres. Vestiges d'un ancien royaume hindou, une forteresse, des temples et des lacs artificiels sont disséminés dans les forêts. Ce mélange insolite produit des images inattendues, comme celles de tigres sommeillant dans des temples en ruine. Le léopard, le caracal, le chat sauvage et la hyène font partie des autres prédateurs et charognards du parc. Des troupeaux de cerfs paissent à proximité des lacs et l'on peut également observer des ours, des crocodiles des marais et des sangliers. Il est possible de loger dans l'ancien pavillon de chasse princier.

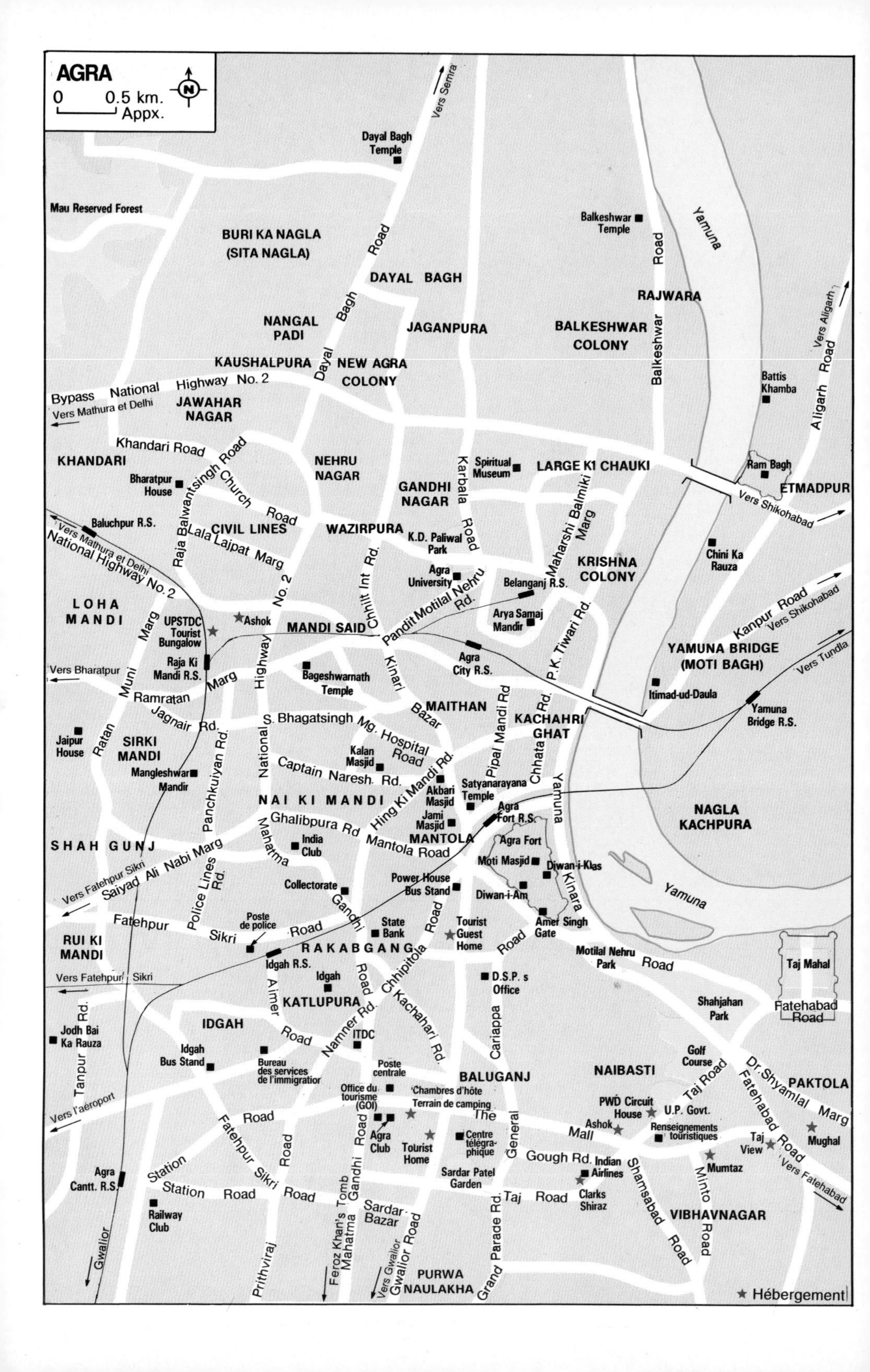
AGRA
0 0.5 km.
Appx.
N
Vers Semra
Dayal Bagh Temple
Mau Reserved Forest
BURI KA NAGLA (SITA NAGLA)
Dayal Bagh Road
DAYAL BAGH
NANGAL PADI
JAGANPURA
KAUSHALPURA
NEW AGRA COLONY
Bypass National Highway No. 2
Vers Mathura et Delhi
JAWAHAR NAGAR
Balkeshwar Temple
Yamuna
Balkeshwar Road
RAJWARA
BALKESHWAR COLONY
Vers Aligarh
Aligarh Road
Battis Khamba
Khandari Road
KHANDARI
Raja Balwantsingh Road
Church Road
NEHRU NAGAR
Spiritual Museum
LARGE KI CHAUKI
Ram Bagh
ETMADPUR
Bharatpur House
GANDHI NAGAR
Karbala Road
Vers Shikohabad
Baluchpur R.S.
Vers Mathura et Delhi
National Highway No. 2
CIVIL LINES
Lala Lajpat Marg
WAZIRPURA
K.D. Paliwal Park
Maharshi Balmiki Marg
KRISHNA COLONY
Chini Ka Rauza
Chhilit Int Rd.
Agra University
Belanganj R.S.
Pandit Motilal Nehru Rd.
Kanpur Road
Vers Shikohabad
LOHA MANDI
Muni Marg
UPSTDC Tourist Bungalow
Ashok
MANDI SAID
Arya Samaj Mandir
P.K. Tiwari Rd.
YAMUNA BRIDGE (MOTI BAGH)
Vers Tundla
Vers Bharatpur
Raja Ki Mandi R.S.
Marg
National Highway No. 2
Kinari Bazar
Agra City R.S.
Bageshwarnath Temple
Itimad-ud-Daula
Ramratan
Jagnair Rd.
MAITHAN
Pipal Mandi Rd
KACHAHRI GHAT
Yamuna Bridge R.S.
Jaipur House
Ratan
SIRKI MANDI
Panchkuiyan Rd.
S. Bhagatsingh Mg.
Hospital Road
Chhata Rd.
Kalan Masjid
Captain Naresh. Rd.
Mangleshwar Mandir
Hing Ki Mandi Rd.
Akbari Masjid
Satyanarayana Temple
Yamuna
NAGLA KACHPURA
NAI KI MANDI
Jami Masjid
Agra Fort R.S.
Ghalibpura Rd
Mantola Road
MANTOLA
SHAH GUNJ
India Club
Agra Fort
Moti Masjid
Diwan-i-Klas
Vers Fatehpur Sikri
Saiyad Ali Nabi Marg
Mahatma Gandhi Road
Police Lines Rd.
Power House Bus Stand
Diwan-i-Am
Kinara
Yamuna
Collectorate
Fatehpur Sikri Road
Poste de police
State Bank
Tourist Guest Home
Amer Singh Gate
Road
RUI KI MANDI
RAKABGANG
Chhipitola Road
Motilal Nehru Park Road
Taj Mahal
Vers Fatehpur Sikri
Idgah R.S.
Idgah
D.S.P. s Office
Aimer Road
KATLUPURA
Kachahari Rd.
Namner Rd.
Cariappa
Shahjahan Park
Fatehabad Road
Tanpur Rd.
Jodh Bai Ka Rauza
IDGAH
ITDC
Idgah Bus Stand
Bureau des services de l'immigration
Poste centrale
BALUGANJ
NAIBASTI
Golf Course
Taj Road
Dr. Shyamlal Marg
PAKTOLA
Vers l'aéroport
Office du tourisme (GOI)
Chambres d'hôte
Terrain de camping
PWD Circuit House
U.P. Govt.
Road
The Mall
Ashok
Renseignements touristiques
Fatehabad Road
Mughal
Agra Club
Tourist Home
Centre télégraphique
Taj View
General
Gough Rd.
Indian Airlines
Mumtaz
Vers Fatehabad
Agra Cantt. R.S.
Station Road
Fatehpur Sikri Road
Sardar Patel Garden
Clarks Shiraz
Shamsabad Road
Minto Road
Taj Road
VIBHAVNAGAR
Railway Club
Feroz Khan's Tomb
Mahatma Gandhi Road
Sardar Bazar
Gwalior Road
Vers Gwalior
Gwalior
Prithviraj Road
Grand Parade Rd.
PURWA NAULAKHA
Hébergement

# AGRA, PERLE MOGHOLE

Du XVIe au XVIIe siècle, Agra a été le témoin de la naissance, de l'épanouissement et de la décadence de l'empire moghol. Fondée par le sultan Sikandar Lodi en 1502, elle fut conquise vingt ans plus tard par Babur, aventurier de haut vol venu d'Afghanistan et fondateur d'une dynastie qui allait marquer profondément tout le nord de l'Inde. Tour à tour, et chacun à sa manière, ses successeurs, Akbar, Jahangir et Shah Jahan, ont embelli la région d'Agra de nombreux palais, mosquées et mausolées.

Akbar (1556-1605) réunit autour de lui des hommes cultivés et des artistes renommés et tenta en vain de créer une religion universelle. Mais son chef-d'œuvre demeure la ville étonnante de Fatehpur Sikri, qui marque la naissance du style indo-moghol. Sous le règne de son fils, Jahangir (1606-1627), le Fort Rouge fut transformé en palais somptueux et on édifia deux tombeaux magnifiques, celui d'Akbar à Sikandra et celui d'Itimad-ud-Daulah à Agra. Le Taj Mahal, tombeau de l'épouse bien-aimée de Shah Jahan (1627-1658), représente l'apogée de cette époque fastueuse. Plusieurs milliers de visiteurs et de pèlerins affluent chaque jour dans ce mausolée de marbre d'un blanc pur. Tous sont les vestiges d'une cour brillante, décrite par les voyageurs européens de l'époque comme une des plus luxueuses du monde. Ainsi, deux fois par an, on pesait l'empereur pour distribuer au peuple l'équivalent de son poids en or et en argent ; le diamant Kho-i-Nor, qui faisait partie du butin de Babur, avait été estimé à deux ans de nourriture pour le monde entier ; le trône de Shah Jahan, qui demanda sept ans de travail, était entièrement en argent massif, diamants et émeraudes ; enfin, les mets raffinés qui étaient servis aux invités étaient recouverts d'une feuille d'or pur...

Durant cette longue période de prospérité, les marchés et les bazars se sont multipliés. Agra devint un des premiers ports fluviaux de l'Inde et un grand centre commerçant et artisanal. Les tapis, les bijoux, les velours brodés d'or, les objets en marbre sculpté et les cerfs-volants qui en font la renommée sont issus d'une tradition de plusieurs siècles.

Peu après la construction du Taj Mahal, Shah Jahan transférait sa capitale à Delhi, et les richesses d'Agra, livrée à elle-même, attirèrent les Jats de Bharatpur qui, au XVIIIe siècle, pillèrent le fort au profit de leur palais de Deeg. Peu après, les Marathes s'emparaient de la ville avec l'aide de mercenaires français. Comme Delhi, Agra tomba aux mains des Britanniques et devint au début du XIXe siècle l'un des principaux avant-postes militaires de la Compagnie des Indes orientales. Le quartier du *Cantonment* , avec ses bungalows, ses jardins et ses cimetières, est chargé de souvenirs de cette période.

Les défenseurs de l'environnement luttent pour protéger l'héritage culturel d'Agra de la pollution des usines et des raffineries de pétrole. Au nord de la ville, on a entrepris de purifier les eaux de la Yamuna et de réparer les *ghat* de Mathura, la ville natale légendaire du dieu Krishna. Un voyage en Uttar Pradesh, creuset des religions de l'Inde, ne serait pas complet sans un détour par cette cité sacrée de l'hindouisme et sa voisine Vrindavan, où le dieu à la peau bleue a laissé le souvenir de ses amours bucoliques.

*Pages précédentes : vue d'ensemble du Taj Mahal ; le tombeau au coucher du soleil ; les colonnades du Diwan-i-Khas, dans le fort d'Agra.*

# LE TAJ MAHAL

Joyau de l'Inde moghole, le Taj Mahal semble flotter comme un mirage à l'horizon d'Agra. Ce mausolée a inspiré une foule de légendes hautes en couleur, moins émouvantes pourtant que son histoire véritable. Le Taj Mahal est un monument à l'amour conjugal, celui qui unissait l'empereur Shah Jahan à son épouse Mumtaz Mahal, « l'élue du harem ». De son vrai nom Arjumand Banu, celle-ci appartenait à une illustre famille perse : elle était la nièce de la seconde épouse de l'empereur Jahangir, père de Shah Jahan, et l'arrière petite-fille de Mirza Ghiyas, pour lequel fut construit le tombeau d'Itimad-ud-Daulah, autre chef-d'œuvre d'Agra.

Le couple resta inséparable pendant toute sa vie conjugale ; Mumtaz Mahal accompagnait même son époux pendant ses campagnes militaires. Après lui avoir donné 13 enfants, elle mourut à la naissance d'un quatorzième en 1631, au cours d'une campagne dans le Deccan. D'après un guide publié en 1854, l'impératrice eut la prémonition de sa fin lorsqu'elle entendit dans ses entrailles le cri d'agonie de son enfant. « *Lorsqu'un enfant meurt avant la naissance*, aurait-elle dit à l'empereur, *la mère meurt toujours aussi, c'est pourquoi je dois me préparer à quitter ce monde* ». Elle lui fit promettre de ne jamais se remarier et de lui faire construire « *le plus beau tombeau que le monde ait jamais vu* ». Shah Jahan se conforma aux dernières volontés de son épouse. Le corps fut transporté à Agra et enseveli dans une tombe provisoire, au milieu d'un jardin, jusqu'à l'achèvement du Taj Mahal.

*Pages précédentes : alvéoles d'un* jali *de marbre ; motif floral. A gauche, une des images les plus célèbres du monde.*

## Une longue édification

La construction du mausolée dura plus de vingt ans, de 1632 à 1653, nécessita au moins 20000 ouvriers et coûta une véritable fortune. Shah Jahan réunit les architectes et les artisans les plus talentueux de l'Inde et des pays islamiques voisins. On ignore le nom du constructeur choisi : Ustad Ahmad, de Lahore, qui avait réalisé le fort d'Agra et Jama Masjid à Delhi, Muhammad Hanif, de Bagdad, ou un mystérieux Persan, Isa Khan. Il est vraisemblable qu'il y a eu plusieurs maîtres d'œuvre car l'empereur était très difficile et considérait le mausolée comme l'œuvre de sa vie. On a avancé aussi les noms d'artistes européens comme le Vénitien Geronimo, ou Austin, un joaillier français de Bordeaux, mais les dates ne semblent pas concorder.

Sous le règne des Moghols, les empereurs étaient généralement les concepteurs des grands travaux. Ils en confiaient la réalisation à des professionnels – architectes, maçons et artisans – qui devaient se conformer fidèlement à leurs décisions concernant le style, la forme et la décoration. Ainsi, l'influence personnelle d'Akbar est visible dans les constructions d'Agra et, plus encore, de Fatehpur Sikri. De même, l'inspiration du Taj Mahal revient sans aucun doute à Shah Jahan, homme cultivé ouvert à toutes les influences artistiques. Il fit d'ailleurs graver sur un des murs du monument ces vers ambigus : « *Le bâtisseur ne vient pas de ce monde, car ce dessin a été inspiré par le ciel lui-même.* »

Cependant tous les souverains déléguaient l'agencement des plans et la surveillance des travaux à un noble de rang élevé, qui servait de maître d'œuvre. Il en fallut deux pour le Taj Mahal, car l'importance et le style de la construction requéraient une attention constante. Sans une coordination rigoureuse entre les plans et la réalisation, entre les architectes musulmans et les artisans hindous qui taillaient les pièces et les assemblaient, il aurait été impossible d'unifier les chefs-d'œuvre que renferme le Taj Mahal. Bien que le modèle persan prédomine dans la forme de l'édifice, l'harmonie des styles et des éléments architecturaux est si parfaite qu'on ne peut isoler aucun élément de l'ensemble.

Le choix même du site relève de la mise en scène artistique. Shah Jahan connaissait bien les alentours d'Agra, le cours du fleuve et le relief du paysage. Il avait, selon toute probabilité, réfléchi à la perspective qu'il aurait depuis le fort. Il fallait que le mausolée soit construit dans la courbe du fleuve, à environ 800 m en aval, pour en avoir une vue presque frontale du haut du fort. S'il était plus proche, on ne verrait que le mur du jardin. En revanche, construit au-delà de cette courbe, il aurait été trop lointain. Shah Jahan décida également de laisser la façade nord ouverte sur la Yamuna. Ainsi l'architecture s'intègre-t-elle harmonieusement au paysage tandis que la lumière de l'aube et celle du couchant ajoutent encore au charme magique du lieu.

## Une double vocation

Les plans détaillés du Taj Mahal, dessinés par l'architecte et ses assistants, ont disparu, probablement lors des invasions et des guerres du XVIIIe siècle. On a retrouvé en 1916 l'un des dessins originaux : il appartenait au descendant de l'un des architectes. Malheureusement, ce dessin a été perdu depuis, ce qui explique les incertitudes sur l'identité du concepteur auquel on doit cette œuvre magnifique.

L'architecture du mausolée a été déterminée par les circonstances de la mort de l'impératrice. Avant tout, le Taj Mahal devait être un lieu de pèlerinage car l'impératrice, morte en couches, était devenue une martyre. Aujourd'hui encore, les religieux et les fidèles récitent des prières sur sa tombe et des versets du Coran dans la chambre du cénotaphe. L'architecte a aménagé cette pièce de manière à favoriser le recueillement ; le murmure des prières s'élève vers le sommet du dôme avant de se répercuter vers le sol. L'empereur décida qu'il serait conçu sur le modèle du Rauza, c'est-à-dire une tombe placée au milieu d'un jardin moghol et symbolisant les jardins du paradis.

Le mausolée devait aussi être un lieu de fête. Pour le premier anniversaire de la mort de l'impératrice, Shah Jahan organisa une cérémonie de commémoration dans le jardin où l'on avait érigé une tombe provisoire. Selon la chronique du *Badshah Nama*, les invités assistèrent à des spectacles et à des divertissements fastueux, assis sous de luxueuses tentes. Les sièges étaient assignés en fonction du rang des invités et les ulemas (membres du clergé), les sheiks et les *huffaz*, qui récitent le Coran par cœur, occupaient une place de choix.

*Porte principale du mausolée.*

Shah Jahan ne put pas toujours assister à ces cérémonies car il s'installa ensuite à Delhi, sa nouvelle capitale, et finit ses jours emprisonné dans le fort d'Agra par son fils Aurangzeb, qui s'était autoproclamé empereur. Néanmoins, on continua en son absence à distribuer les aumônes et à s'acquitter des autres devoirs de piété. La tradition s'est perpétuée sous une autre forme et les jeunes mariés, même de religion hindoue, viennent se faire photographier devant le symbole de l'amour conjugal.

## Les « jardins du paradis »

On pénètre dans l'enceinte du mausolée en traversant une cour bordée de bâtiments administratifs et de boutiques de souvenirs, là où se tenaient autrefois les marchés et les assemblées. En venant de la ville, on peut y entrer par trois portes situées à l'est, à l'ouest et au sud. Les billets sont vendus à la porte ouest. Les venelles étroites de Taj Ganj, l'ancien quartier des artisans, conduisent à la porte sud. De la porte est, une ruelle descend vers la berge du fleuve, d'où l'on découvre le Taj Mahal sous un autre angle.

Au nord de la cour s'élève un magnifique **portail** de style persan à trois étages. Le porche est flanqué de tours octogonales couronnées de kiosques à coupole (*chatri*). Les arabesques et les calligraphies coraniques en marbre blanc s'y détachent sur fond de grès rouge. L'inscription centrale évoque la vocation du lieu : « *Ame qui repose ici, retourne au Seigneur, en paix avec lui et lui avec toi, et pénètre dans son jardin.* »

En franchissant ce portail, on entre dans les **jardins** pour découvrir une vision splendide du mausolée, tout au bout d'un canal rectiligne bordé de grès rouge et orné au centre d'un bassin de marbre surélevé, le **Hauz-i-Kauser**. Lorsque les jets d'eau montent dans les airs, le Taj Mahal apparaît vraiment comme un « rêve de marbre » à travers des nuées de gouttelettes. Ce type de bassin est l'une des caractéristiques des « jardins du paradis » (Bagh-i-Adan). Quatre canaux en partent, divisant le jardin en quatre carrés, qui se subdivisent eux-mêmes en seize parterres. Les canaux orientés d'est en ouest conduisent à des loges (Naubat Khana) où les musiciens jouaient à l'occasion de la fête hebdomadaire et pour saluer l'arrivée de l'empereur. On cultivait alors les fleurs favorites des Moghols : dahlias, narcisses, fuchsias, jasmins, crocus et tulipes. Le jardin moghol est un lieu symbolique, à la signification à la fois divine, royale et humaine : il représente la promesse faite par Allah à tous les croyants, le « jardin des délices » dans la tradition des souverains perses, et l'oasis chère à tout habitant d'un pays désertique.

Le jardin actuel, restauré par le vice-roi, lord Curzon, au début du XXe siècle, est composé plus simplement de pelouses, de buissons et d'arbres en fleurs et se prête mieux aux allées et venues quotidiennes de milliers de visiteurs. On peut voir un plan de l'ancien jardin dans le petit **musée** à côté du Naubat Khana de l'ouest, ainsi que de très belles miniatures.

Du bassin, on a une vue d'ensemble du monument juste avant d'arriver au pied de la terrasse de 5,5 m de haut. Elle est

*Pèlerins devant le tombeau.*

pourtant nettement moins élevée que celle de la tombe de Humayun, à Delhi, qui mesure 6,7 m.

Le choix de la hauteur du socle du Taj Mahal est une réussite à la fois esthétique et technique. Plus élevé, il aurait considérablement alourdi le monument qui reposait sur des fondations fragilisées par l'érosion du fleuve. Les problèmes liés au site furent étudiés avec un soin scrupuleux et efficace, si l'on en juge par les crues de 1924 et de 1978, pendant lesquelles la terrasse resta hors d'atteinte des eaux. De plus, une plus grande élévation aurait détruit la perspective que l'empereur avait du mausolée lorsqu'il arrivait en barque sur le fleuve. Ces exemples montrent que, si les considérations esthétiques étaient prioritaires dans la conception du Taj Mahal, leur application se fonda sur un travail d'ingénierie très rigoureux.

## Une composition raffinée

L'architecture du Taj Mahal est une merveille de grâce et de précision. L'édifice central, un carré de 57 m de côté aux angles rentrants, repose sur une terrasse de 95 m de côté, entourée symétriquement d'une mosquée en grès rouge et d'une maison d'hôte (*mihman khana*) qui lui sert de réplique. Le mausolée, un octogone irrégulier, est encadré de quatre minarets placés à une légère distance de l'édifice. Le dôme en forme de bulbe s'élève sur 26 m de hauteur et 18 m de diamètre ; il est couronné d'un pinacle doré haut de 9 m. Les quatre *chatri* octogonaux, aux arcs polylobés, créent une symétrie supplémentaire. En les plaçant un peu à l'écart du dôme, l'architecte a habilement évité la surcharge et les a mis en valeur. On apprécie mieux cette composition depuis le Hauz-i-Kauser.

Cet équilibre se répète dans les minarets, distants du mausolée, auquel ils semblent pourtant mystérieusement liés. L'architecte a subtilement suggéré ce lien en arrêtant leur sommet au niveau du renflement maximal du dôme. Leurs trois étages de briques plaquées de marbre sont surmontés de coupoles soutenues par huit colonnes. En contraste avec le blanc

*Bas-reliefs et incrustations en pierres précieuses des murs extérieurs.*

absolu du mausolée, les jointures des blocs de marbre sont soulignées d'ardoise noire. Ces minarets sont purement décoratifs puisqu'ils n'accompagnent pas une mosquée.

En s'approchant lentement le long des canaux, on découvre peu à peu l'imposante porte d'entrée et les décorations de la façade. Les tympans des arcs et les bandeaux situés sous la corniche sont ornés d'arabesques florales et de motifs géométriques en pierres semi-précieuses qui rompent l'unité du marbre blanc. Cette décoration a également pour fonction de modérer l'intensité de la réflexion solaire. Un escalier étroit mène à la terrasse qui donne accès au mausolée. Les stalactites en marbre de la porte centrale se répètent sur les porches et les niches des autres façades. L'arc est bordé d'inscriptions coraniques réalisées par Amanat Khan, de Shiraz, qui a su résoudre un problème épineux de perspective. Il a adapté la taille des calligraphies afin qu'elles paraissent identiques sur tout le pourtour, au lieu de sembler diminuer au fur et à mesure qu'elles atteignaient le sommet. C'est sans doute avec une légitime fierté qu'il a apposé sa signature sur son œuvre.

*Alliance parfaite de dimensions monumentales et de détails raffinés.*

En faisant lentement le tour du mausolée, on découvre l'ingéniosité avec laquelle l'architecte a traité les problèmes d'espace, de composition formelle et de décoration. A l'extérieur comme à l'intérieur, l'unité du marbre blanc est égayée par des incrustations de pierres colorées et des reliefs en bosse sculptés à même le marbre. La pureté, l'unité et la mesure de la décoration sont sans faille et ne lassent jamais le regard.

Certains petits détails architecturaux significatifs apparaissent à mesure que l'on fait le tour du mausolée. Des deux côtés de l'entrée principale, d'élégants pilastres à damiers noirs et jaunes s'élèvent le long des pierres d'angle pour s'épanouir en lotus, couronnés d'un dôme miniature. De chaque côté de l'édifice, les niches superposées et surmontées de parapets ménagent une vue en perspective sur les *chatri* d'angle, qui disparaissent dès que l'on s'en rapproche. Cette attention prêtée au plus petit détail est

l'un des traits caractéristiques du Taj Mahal. Le plan, d'inspiration persane, a fourni une ligne directrice pour la composition, sur laquelle les artistes indiens ont improvisé avec fantaisie.

Les agencements de la façade sud se répètent sur les trois autres, qui sont dépourvues d'entrée. En se dirigeant vers le nord, on perçoit immédiatement la relation intime unissant le « poème de marbre » de Shah Jahan au fleuve qui coule à ses pieds.

## Un tombeau translucide

On éprouve un sentiment totalement différent en pénétrant dans **Aina Mahal**, le « palais de verre », salle du cénotaphe de Mumtaz Mahal. Les tombes de l'impératrice et de l'empereur sont dans une chambre funéraire au sous-sol. Dans la salle octogonale d'Aina Mahal règne une atmosphère de recueillement, créée par la combinaison de divers éléments architecturaux, de la lumière tamisée et des sons assourdis. La salle est soutenue par des soffites en forme de stalactites de 24 m de hauteur, à peine visibles dans la faible lumière de ce lieu. Aux quatre coins de la salle, des pièces rectangulaires reliées entre elles par des passages créent l'illusion d'un espace illimité. Une lumière douce, tamisée par de doubles écrans de marbre garnis de verre laiteux, abolit les notions d'espace et de temps. L'écho des récitations du Coran, doucement psalmodiées par les *huffaz*, circule dans les passages, monte sous le dôme et redescend vers le cénotaphe.

Au centre de cette salle, les tombes sont entourées d'un paravent octogonal en marbre ajouré, d'une extraordinaire finesse. Il est orné d'une marqueterie de marbre et d'incrustations en *pietra dura* (voir p. 221), qui représentent des motifs floraux d'une grande fantaisie.

L'exécution de ce chef-d'œuvre a demandé dix ans de travail. Il remplaçait une balustrade en or incrustée de pierres précieuses, fabriquée par les orfèvres qui avaient réalisé le « trône du paon ». On raconte qu'Aurangzeb, le fils de Shah Jahan, la vendit pour financer ses campagnes militaires contre des provinces en

*Brumes matinales sur le village de Taj Ganj.*

rébellion. En tout cas, il est évident que la balustrade actuelle s'harmonise beaucoup mieux avec l'atmosphère du cénotaphe. Des reliefs fluides en marbre et des incrustations de pierres semi-précieuses ornent avec discrétion les murs intérieurs de la salle. On peut demander à l'un des gardiens (*khadim*) de crier « *Allah-u-Akbar!* » pour entendre l'appel s'élever, retomber et se répercuter à travers les passages pendant au moins une dizaine de secondes.

L'art des architectes et des artisans du Taj Mahal a atteint son sommet dans la décoration des cénotaphes. L'agate, le lapis-lazuli, le corail, la turquoise, la cornaline, le jade et autres pierres, taillées et enchâssées dans le marbre, s'épanouissent en arabesques florales et en motifs de tapisserie d'une infinie délicatesse et d'une admirable précision. Ainsi, le coquelicot de la balustrade octogonale se compose de 31 morceaux et la plus grande fleur, sur la face externe, en compte 64.

Le tombeau de Mumtaz Mahal est exactement au centre du mausolée : on y a gravé les 99 noms de Dieu dans une magnifique écriture stylisée. On raconte que Shah Jahan avait prévu pour lui-même une réplique en marbre noir du Taj Mahal, mais sur l'autre rive du fleuve. Cependant Aurangzeb se contenta de faire édifier pour son père un cénotaphe plus grand, à côté de celui de sa mère. Il porte la date de sa mort et la liste de ses noms et titres. Un encrier est posé dessus, tandis qu'une ardoise orne la tombe de Mumtaz Mahal, pour rappeler que la femme est comme une page vierge sur laquelle l'homme écrira. La lumière d'une lanterne suspendue très haut accentue la solennité du lieu. A côté de l'entrée, un escalier mène à la crypte où sont ensevelis les corps.

Il faut se représenter la magnificence de ce mausolée à l'époque des empereurs moghols. Garni de somptueux tapis, l'intérieur était décoré, selon le joaillier français Tavernier, de « *chandeliers et d'autres ornements du même style, et on y voyait toujours des mollahs en prière* ». Le physicien français Bernier, un des premiers Européens à avoir visité le Taj

*Reflet d'un rêve royal sur la Yamuna.*

Mahal, affirmait que « *l'on ne pouvait rien concevoir de plus riche ni de plus somptueux* ».

Tous les voyageurs ne furent pas aussi enthousiastes : le romancier anglais Aldous Huxley écrivit à propos du monument : « *Son classicisme provient d'un manque de fantaisie et d'une pauvreté d'inspiration.* » Il conclut de façon plus objective : « *Au point de vue architectural, ce que le Taj Mahal a de plus laid, ce sont ses minarets.* »

Le Taj Mahal a été pillé par les Jats et les Marathes au moment du déclin de l'empire moghol, à la fin du XVIIIe siècle. Une partie des pierres précieuses qui l'ornaient, ainsi que ses portes monumentales d'argent ciselé, ont disparu. Mais, dépouillée de ses ornements, sa beauté apparaît dans toute sa pureté. Le marbre d'un blanc éclatant de la façade et du dôme reflète les nuances capricieuses du ciel et les jeux de d'ombre et de lumière, aussi bien par les journées ensoleillées que sous les violents orages de la mousson. C'est pourquoi il faut essayer de le voir à différents moments de la journée. Il est particulièrement resplendissant dans l'éclat de la pleine lune, surtout celle d'hiver, *Sharad Purnima*, vers la fin d'octobre.

Cette beauté et cette harmonie des formes prennent un caractère plus mélancolique lorsqu'on évoque la triste fin de Shah Jahan. Vingt-deux ans après la pose de la première pierre, un échafaudage tomba, dévoilant le tombeau de sa femme bien-aimée. Emprisonné par son fils Aurangzeb dans le fort d'Agra, à deux kilomètres de là, il le contempla pour la dernière fois de son lit de mort, dans un petit miroir accroché à un pilier.

Pourtant le Taj Mahal est malheureusement menacé par la pollution des raffineries de pétrole et des usines proches d'Agra. Les défenseurs de l'environnement ont obtenu du gouvernement l'interdiction de toute nouvelle implantation industrielle dans un rayon de 50 km, mais cette mesure ne résout pas pour autant les problèmes actuels. Il faut espérer qu'on prendra au sérieux les dangers qui pèsent sur le Taj Mahal, qui fait partie du patrimoine de l'humanité.

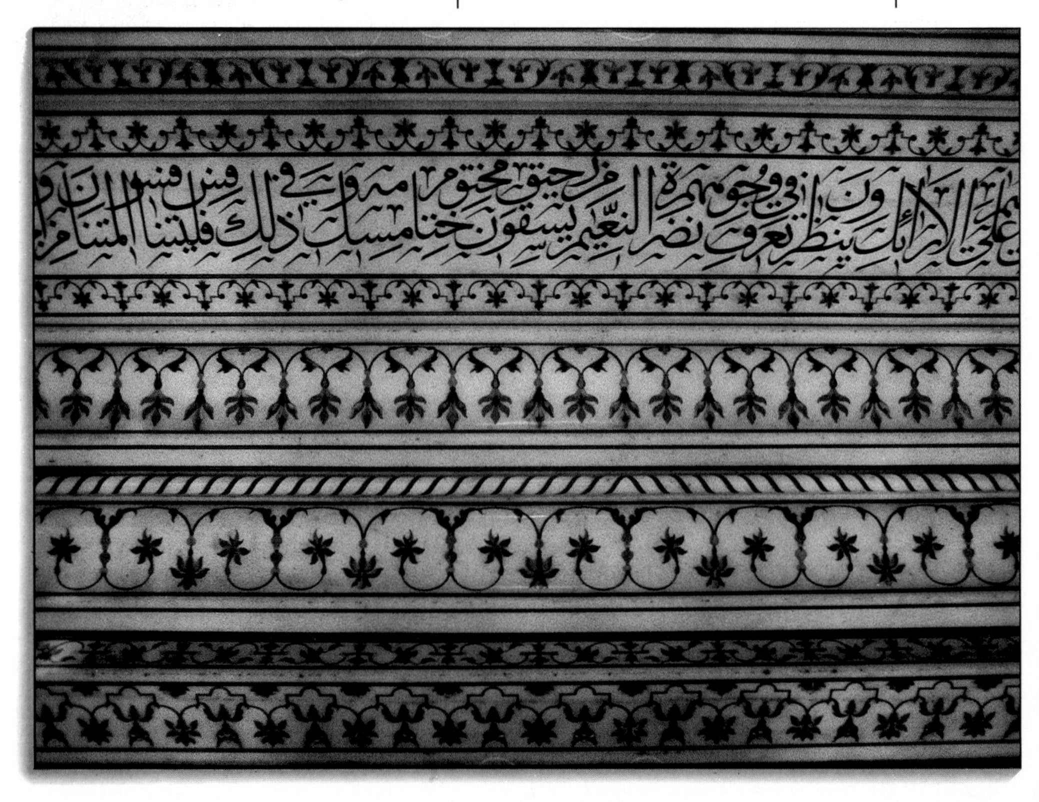

*Détail du cénotaphe de Mumtaz Mahal.*

# LA « PIETRA DURA »

Importé de Perse par les Moghols, l'art de la *pietra dura*, incrustation de pierres précieuses sur du marbre, a trouvé en Inde un terrain favorable à son épanouissement. Dès le XVe siècle, les artisans indiens avaient réalisé des incrustations dans la pierre tendre, notamment des morceaux de marbre sculptés et enchâssés dans le grès. Au début du XVIIe siècle, l'art et l'architecture du nord de l'Inde connurent un nouvel essor sous le règne del'empereur moghol Jahangir. L'incrustation de *pietra dura* évinça alors le travail sur grès.

Cet art est resté une tradition d'Agra et on peut voir, dans le quartier de Nai-ki-Mandir, les artisans spécialisés – tailleurs de marbre et de diamant, sertisseurs et ciseleurs – qui travaillent selon les mêmes techniques qu'il y a trois siècles, avec des outils qu'ils fabriquent eux-mêmes. Le marbre utilisé vient de la région de Jaipur : il a l'avantage d'être non-poreux et de ne pas se salir. On commence par dessiner sur papier le motif choisi puis on le reproduit sur le marbre taillé. Les pierres, choisies en fonction de leur couleur et de leur luminosité, sont taillées, ajustées et polies avant d'être collées et chauffées. Les plus grands motifs sont exécutés en premier. Une simple petite boîte peut demander dix jours de travail.

*Détail de « pietra dura » sur un mur extérieur du Taj Mahal.*

A l'époque des Moghols, seuls les plus riches mécènes pouvaient s'offrir la taille de pierres précieuses, un art séculaire en Inde. Les artisans se conformaient aux goûts de leur commanditaire, c'est pourquoi leurs œuvres en *pietra dura* représentent généralement des fleurs, motif favori de Jahangir. Les botanistes et les historiens d'art ont salué la précision et le fini de leurs décorations florales. Malheureusement, Shah Jahan fit détruire les palais de Jahangir dans le fort d'Agra pour y bâtir les siens, anéantissant ces œuvres magnifiques. En revanche, on peut admirer les fleurs et les coupes en *pietra dura* qui ornent le tombeau de Jahangir, construit près de Lahore par son épouse Nur Jahan. L'art de la *pietra dura* atteignit son apogée sous le règne de Shah Jahan, avec la construction du Taj Mahal. Les motifs étaient les mêmes que sous Jahangir, mais la qualité de leur exécution demeure inégalée.

L'engouement pour la *pietra dura* se répandit chez les nobles moghols. Ils ne pouvaient, ni n'osaient rivaliser avec leur empereur, mais ils furent ravis lorsque des objets, de plus petite dimension mais ornés d'incrustations, arrivèrent de Florence. Le joaillier français Tavernier raconte qu'il apporta, en 1665, au nabab Jafar Khan, oncle de l'empereur Aurangzeb, « *une table composée de dix-neuf éléments qui permettaient de l'utiliser comme un meuble à tiroirs, le tout en pierres précieuses de couleurs variées représentant toutes sortes de fleurs et d'oiseaux. Le travail a été exécuté à Florence et a coûté plus de 2 000 livres* ».

L'art de la *pietra dura* connut en effet une vogue vers la même époque dans la Florence des Médicis. Néanmoins, tant sur le plan de la richesse des matériaux que sur celui du talent des artisans, cet art ne pouvait rivaliser avec celui de l'Inde moghole. L'hypothèse d'une influence florentine doit être exclue. Lorsque, autour de 1640, les artisans indiens ornaient l'intérieur du Taj Mahal de somptueuses incrustations en *pietra dura*, ils avaient déjà atteint une perfection que les Florentins ne purent jamais égaler.

Le goût florentin influença parfois l'art moghol dans le choix des sujets. Dans le Fort Rouge de Delhi, construit dix ans après le Taj Mahal, la niche située derrière le trône du Diwan-i-Am est ornée de *pietra dura* de style florentin, dont l'une représente Orphée charmant les animaux au son de sa flûte.

# LE FORT D'AGRA

Au début du XVIe siècle, Babur, qui devait devenir le premier empereur moghol, quittait l'Asie centrale pour conquérir l'Inde. Il s'empara d'Agra, puis de Delhi, l'ancienne capitale des sultans Lodis. Sous son règne et celui de ses quatre successeurs, on construisit les monuments splendides qui attirent encore des milliers de visiteurs du monde entier. Le Taj Mahal est le plus célèbre mais, si l'on s'intéresse à l'expression artistique et à l'évolution des styles, on se doit de visiter le fort d'Agra, premier jalon vers l'épanouissement de l'architecture indo-persane, qui culmine avec le Taj Mahal.

En fait, c'était déjà une place forte militaire à l'arrivée des Moghols: une dynastie rajpoute y avait construit au Moyen Age le fort de Badalgarh, dont «*les tours se mêlaient au ciel*», si l'on en croit son nom. Puis les sultans de la dynastie Lodi l'occupèrent en 1504, lorsqu'il firent d'Agra leur capitale.

Babur n'eut pas besoin d'apporter des améliorations considérables à Badalgarh après avoir pris la ville, en 1526. Le vieux fort devint le théâtre de somptueuses cérémonies dans la tradition de l'Asie centrale. Les miniatures qui illustrent le *Babur Nama*, le journal de l'empereur, montrent des tentes richement ornées et des terrasses couvertes de tapis colorés. Babur et sa fille Gulbadan ont donné dans leurs mémoires des descriptions très vivantes de festivités au cours desquelles les souverains de Perse et d'Asie centrale et les dignitaires moghols assistaient à des danses, des concerts et autres divertissements.

## Akbar le tolérant

Akbar, l'un des empereurs les plus remarquables de son temps, commença en 1565 la construction d'une grande place forte. Son grand-père Babur, qui ne régna que quatre ans, avait été trop occupé à maintenir son pouvoir tout neuf, et son père Humayun, qui dut passer quinze ans d'exil en Perse, trop accaparé par la tâche difficile de reconquérir son trône, pour entreprendre des travaux aussi ambitieux. Akbar était d'une autre trempe: selon son biographe, Abdul Fazl, il donna des instructions «*pour la construction à Agra qui, de par sa situation, est le centre de l'Hindoustan, d'une grande forteresse digne de ce nom et digne aussi de mon royaume*».

Trois ans auparavant, à l'âge de 20 ans, Akbar s'était lancé dans une série de conquêtes qui étendit son pouvoir dans tout le nord de l'Inde. Malgré sa jeunesse, il comprit que la puissance militaire ne suffirait pas à lui gagner le cœur de son peuple. Rompant avec la tradition des souverains musulmans, il entreprit de créer un climat favorable à la réconciliation. Il abolit les impôts discriminatoires imposés aux non-musulmans et se concilia les souverains rajpoutes en contractant des mariages avec leurs filles et en offrant des postes militaires importants aux chefs les plus illustres. Ces mesures s'avérèrent efficaces: à l'exception des souverains de Mewar, les familles rajpoutes furent étroitement associées au gouvernement d'Akbar et le servirent avec une loyauté exemplaire.

*A gauche, le fort d'Agra, ancien centre de l'empire moghol; à droite, Delhi Gate, une des entrées du fort.*

Le fort et les palais construits dans l'enceinte sont les premières œuvres d'Akbar et portent la marque du syncrétisme culturel qui caractérise son règne. Il demanda au radjah hindou de l'État voisin de Karaoli de prendre part à la cérémonie de pose des fondations, geste qui, croyait-on, protégerait le fort de l'érosion du fleuve. Quatre cent cinquante ans plus tard, on peut constater le bien-fondé de cette superstition. De 1565 à 1673, trois à quatre mille ouvriers travaillèrent jour et nuit pour achever les remparts massifs et les portes imposantes, ainsi qu'une partie des palais. Selon Abul Fazl, ces édifices, entièrement en grès, « *dans les beaux styles du Bengale et du Gujarat* », étaient au nombre de 500. Jodhai Bai d'Amber, l'épouse rajpoute d'Akbar, put s'installer dans son palais, Bengali Mahal, quatre ans seulement après le début des travaux.

## Une forteresse gigantesque

Les murs du fort, hauts de 20 mètres aux points les plus élevés, s'étendent sur environ 2,5 km. La précision avec laquelle les blocs de grès rouge sont assemblés justifie la description d'Abdul Fazl : « *Ils étaient si étroitement joints qu'on n'aurait pu glisser entre eux l'extrémité d'un cheveu.* » Montserrat, un jésuite qui passa deux ans à la cour d'Akbar, n'était pas moins enthousiaste : « *Les pierres de ces édifices sont si ingénieusement assemblées que leurs joints sont à peine visibles, bien que l'on n'ait pas utilisé de chaux pour les ajuster. La couleur uniformément rouge de la pierre contribue également à donner cette impression de solidité.* » La forteresse en effet a résisté à de nombreux sièges : au cours du dernier, pendant la révolte des Cipayes, les Anglais qui s'y étaient réfugiés purent tenir quatre mois.

Le tracé fut déterminé par le cours de la Yamuna qui, à cette époque, coulait en contrebas des remparts : l'axe principal du fort s'aligne sur le fleuve. William Finch, le premier Britannique qui séjourna à Agra sous le règne de Jahangir, le fils d'Akbar, note que l'ensemble « *s'incurve comme une demi-lune en direction de la terre* ».

*Les rives paisibles de la Yamuna.*

A l'époque où Finch découvrait Agra, le fleuve constituait un rempart défensif tandis que ses berges étaient un lieu de détente très prisé de la cour impériale. Par la suite, les canaux d'irrigation drainant ses eaux dans la plaine aride ont diminué sa largeur.

On s'est longuement interrogé sur le sort du vieux fort de Badalgarh. Cette forteresse, qui avait survécu à quatre siècles d'histoire tumultueuse et à un climat rigoureux, semblait s'être tout simplement volatilisée. Abdul Fazl affirme à ce sujet que « *l'ordre formel fut donné de déplacer le vieux fort et de construire à sa place un palais inexpugnable* ». Le biographe d'Akbar raconte, dans un style hyperbolique caractéristique, que les murs du nouveau fort étaient «*percés de quatre portes ouvrant le royaume aux quatre coins du monde*».

Deux de ces portes sont encore visibles. L'entrée principale, Amar Singh Gate, portait à l'origine le nom d'Akbari Gate. La porte de Delhi, au nord-ouest, qui s'ouvre sur un deuxième portail, Hathi Pol (porte des éléphants), donnait sur la ville. C'est là que le peuple se réunissait pour régler ses affaires car c'était le siège du *qazi*, le juge coranique. D'après le récit de Finch, il se tenait devant la porte tous les matins pendant trois heures, afin de régler «*toutes les questions de loyers, de prêts, de terres et de dettes*».

Une troisième porte, au nord, menait à une salle de cérémonies. Devant la quatrième porte, Darshani Gate, orientée à l'est et dominant le fleuve, l'empereur siégeait en audience publique devant son peuple qui n'avait pas accès à la cour. Finch note que cette porte donnait «*sur une belle cour qui s'étendait le long du fleuve et dans laquelle le roi venait chaque matin saluer le soleil levant*». Les courtisans devaient aussi saluer leur souverain et ce rituel était tellement sacré que beaucoup ne se lavaient et ne mangeaient qu'après s'être présentés devant leur souverain.

Devant Darshani Gate, Akbar assistait également à des combats d'éléphants, qu'il prisait particulièrement ; leurs défenses étaient sciées au milieu et recou-

*Le Taj Mahal, vu du fort.*

vertes de fer ou de cuivre. Dans ses jeunes années, il n'hésitait pas à monter sur le dos de l'éléphant le plus féroce. Finch raconte que, chaque semaine, « *il y avait un jour sanglant réservé aux combats d'animaux et aux exécutions, auxquels le roi assistait après avoir rendu son jugement* ».

Dans l'enceinte même, il ne subsiste guère de vestiges de l'architecture de ces premières constructions. Les édifices ont subi des modifications si nombreuses qu'ils sont une véritable vitrine des divers styles nés pendant la période moghole. Ils illustrent la synthèse de traditions hindoues et musulmanes élaborée sous Akbar, l'interlude poétique de Jahangir, durant lequel l'art pictural prédomina, et la floraison d'éléments indo-persans et d'arts décoratifs qui caractérisa le règne de Shah Jahan.

## Les palais d'Akbar

Des nombreux palais construits sous Akbar, il ne reste que **Jahangiri Mahal**, face à la rampe d'accès de l'entrée principale. Sa longue façade rouge à deux étages est ponctuée de hautes arcades soulignées de blanc et bordée d'une véranda, d'un style typiquement hindou. Un portail en forme d'arc brisé, d'inspiration persane, mène à une salle à coupole, délicatement ornée, qui s'ouvre sur une cour centrale. A gauche, le **salon de Jodhai Bai** est une magnifique salle hypostyle, avec un plafond sculpté et des chapiteaux de style rajpoute à volutes et à festons. Du kiosque à coupole, on a une vue splendide sur le Taj Mahal. Au sud de Jahangiri Mahal, les ruines d'un autre bâtiment construit par Akbar surplombent le fleuve.

La conception de l'intérieur des palais de cette époque a probablement été inspirée par celui de Gwalior, et leur réalisation confiée à des artisans de cette ville. Les décorations de grès ciselé n'ont été surpassées que dans un pavillon de Fatehpur Sikri, face au bassin d'Anup Talao. La belle alternance de motifs floraux et d'arabesques possède une fluidité que l'on ne retrouve que dans les plus belles sculptures sur bois.

*Alcôve, dans la salle des audiences publiques de Shah Jahan.*

D'Amar Singh Gate, une rampe mène directement au pavillon du **Diwan-i-Am**, la salle des audiences publiques, ouverte sur trois côtés. Ses quarante colonnes merveilleusement proportionnées sont revêtues d'un stuc au fini satiné, composé de chaux, de coquille d'œuf et de résine. Sur le *jharoka*, une loge qui tenait lieu de trône, on admirera les incrustations de pierres semi-précieuses dans le marbre blanc, typiques du règne de Shah Jahan. Sur les côtés de cette loge, des *jali* en marbre ajouré permettaient aux dames de la cour d'assister aux audiences sans être vues.

Derrière le *jharoka*, un escalier étroit emmène le visiteur dans la cour de **Macchi Bhawan** (palais des poissons), l'ancien entrepôt du trésor royal. Cet endroit était un lieu de rencontre et de fête pour les courtisans, mais le pudibond Aurangzeb fit remplacer le jardin par des étangs à poissons, d'où son nom. On peut en faire le tour en suivant la galerie supérieure. Au-delà de cette cour s'élève le superbe **Diwan-i-Khas**, la salle des audiences privées, dans laquelle Shah Jahan recevait ses ministres et ses dignitaires. Il avait fait revêtir la façade en grès rouge de plaques de marbre blanc. La salle est ornée de mosaïques de marbre multicolore et de *jali*. Les doubles rangées de piliers sont incrustées de motifs floraux en pierres semi-précieuses. Sur le mur sud, on peut lire les vers suivants :

« *L'érection de ce palais altier*
*et magnifique*
*A exalté Akbarabad*
*jusqu'au neuvième ciel.* »

Ces vers confirment qu'Agra portait encore le nom d'Akbar, même après sa mort. Sur la terrasse du pavillon, Jahangir fit ériger en 1605, année de la mort d'Akbar, un trône en marbre noir surplombant le fleuve, auquel fait pendant le trône en marbre blanc de Shah Jahan.

## L'œuvre de Shah Jahan

Shah Jahan, le petit-fils d'Akbar, ajouta sa touche personnelle au fort. Il fit construire derrière le Diwan-i-Khas d'admirables palais et pavillons de

*A gauche, détail d'un pilier du Diwan-i-Khas ; à droite, fontaine d'une mosquée.*

marbre, aux coupoles en cuivre doré, aux marqueteries de marbre polychrome et aux luxueuses incrustations de pierres précieuses. Les plus beaux sont les appartements royaux où il vécut avec Mumtaz Mahal, au sud du Diwan-i-Khas. Le palais central, le **Khas Mahal**, surélevé par un socle, s'ouvre sur une cour de marbre : de chaque côté s'élèvent deux petits pavillons, l'un en grès rouge recouvert de stuc, l'autre en marbre, aux élégants toits rajpoutes recourbés. Les deux filles préférées de l'empereur, Jahanara et Rosashana, y auraient habité. A l'intérieur, on peut admirer des plafonds peints en bleu et or, restaurés en 1875. Tous les murs qui donnent sur le fleuve sont une véritable dentelle de marbre. Au nord du Khas Mahal, une tour octogonale, **Musamman Burj**, domine le fleuve. C'est de là que Shah Jahan, emprisonné par son fils Aurangzeb en 1658, contempla jusqu'à sa mort, en 1666, sa plus belle œuvre, le Taj Mahal.

Devant le Khas Mahal, une plate-forme débouche sur une cour où l'on avait aménagé un jardin moghol, **Anguri Bagh** (le jardin des raisins), orné d'un bassin. Un pavillon de marbre sculpté à arcades combine les styles rajpoute et indo-musulman. L'intérieur, incrusté de pierres précieuses, a été pillé par les Jats en 1761. On n'y verra plus l'admirable treille de rubis et d'émeraudes qui, selon le voyageur français du XVIIe siècle Jean-Baptiste Tavernier, représentait des raisins verts et rouges, accrochés à des ceps d'or.

A l'est d'Anguri Bagh, les **bains royaux**, construits pour Jahangir, formaient un ensemble d'édifices, pillés par les Britanniques au début du XIXe siècle. Ils envoyèrent notamment au prince régent les colonnes de marbre incrusté et sculpté du hall. On peut néanmoins visiter le féerique **Sheesh Mahal** (palais des miroirs). Il se compose de deux petites salles ornées d'une mosaïque de morceaux de verre, qui abritaient respectivement un bassin d'eau chaude et un bassin d'eau froide. Par un dispositif ingénieux, l'eau passait devant des lampes et coulait en cascade dans ces bassins où l'on jetait des pétales de fleurs. On dit que c'est Nur Jahan, l'épouse de Jahangir, qui inventa le secret de la fabrication de l'essence de rose.

Les deux mosquées du palais sont situées à proximité du Diwan-i-Am. Aurangzeb fit construire **Nagina Masjid**, petite mosquée à triple dôme, pour son père emprisonné. Un peu plus loin, **Moti Masjid** (la mosquée de la perle), œuvre de Shah Jahan, se dresse dans une cour surélevée, face à un grand bassin de marbre, comme un bijou dans un écrin. Elle était réservée exclusivement à l'empereur et à son entourage. Des mosquées similaires ont été construites dans les forts de Delhi et de Lahore, mais celle d'Agra les surpasse en pureté de lignes. Le dôme conjugue les nuances les plus délicates de blanc, de bleu et de gris perle et le sol est dallé d'une marqueterie de marbre blanc et jaune. Ce fut la dernière œuvre architecturale de Shah Jahan à Agra. Une grande cour à l'ouest de la mosquée, **Mina Bazar**, abritait les « bazars » des dames de la cour, jours de fête où elles jouaient à vendre leurs bijoux aux courtisans. C'est ainsi, dit-on, que Jahangir et Shah Jahan rencontrèrent leur épouse...

*A gauche, une façon originale de tondre le gazon, dans le fort d'Agra ; à droite, détail d'un bas-relief de marbre.*

# DE L'AUTRE CÔTÉ DU FLEUVE

Lorsque Babur arriva à Agra, il y trouva certes une forteresse digne de sa condition royale, mais aucun remède à la chaleur intolérable de l'été. Dans la demeure de ses ancêtres à Fhargana (aujourd'hui dans le Turkestan chinois), des rivières cristallines coulaient au milieu de collines verdoyantes. Cette image est récurrente dans ses *Mémoires*, autant que le thème des jardins. Babur considérait l'Hindoustan comme un pays peu attrayant et il se lamentait sur « *le manque de beaux fruits, de glace et d'eau fraîche* ». Il combattait la chaleur en se baignant quotidiennement, mais son âme aspirait à être revigorée.

C'est pourquoi, aussitôt après avoir partagé entre ses partisans le trésor de son rival vaincu, le sultan Ibrahim Lodi, Babur traversa la Yamuna à la recherche d'une villégiature d'été. Sur l'autre rive, où les eaux du fleuve rafraîchissaient agréablement l'atmosphère, Babur fit aménager deux jardins, auxquels il donna les noms évocateurs de Gul Afshan (semeur de fleurs) et de Zar Afshan (semeur d'or). Sa cour l'imita et, bientôt, la rive gauche de la Yamuna se couvrit de jardins. «*Les gens de l'Hindoustan*, écrivit fièrement Babur, *qui n'avaient jamais vu de perspectives de jardins aussi symétriques, donnèrent bientôt à la rive de la Yamuna où s'élevaient nos résidences le surnom de Kaboul.*»

Ces charmantes retraites tombèrent dans l'abandon après la fin précoce de Babur, en 1530, quatre ans seulement après sa victoire sur les Lodis. Son corps y fut d'abord enseveli avant que son fils Humayun, détrôné et chassé par Sher Shah, ne le transporte avec lui à Kaboul. Les jardins d'Agra furent redécouverts un siècle plus tard sous le règne du quatrième empereur moghol, Jahangir. Les nobles de la cour y firent aménager palais, jardins et mausolées, dont le plus beau est celui d'Itimad-ud-Daulah.

*Itimad-ud-Daulah, tombeau du père de Nur Jahan.*

Récemment, on a entrepris de restaurer ces sites, dont certains étaient remarquablement novateurs sur le plan de l'architecture et de la décoration. Après l'agitation d'Agra, une promenade de l'autre côté du fleuve est un agréable moment de détente.

## Le jardin de Rambagh

A l'emplacement de l'une des anciennes retraites de Babur s'étend un nouveau jardin, connu sous le nom plus prosaïque de **Rambagh**, ou «jardin de loisir». Malgré de premiers travaux de rénovation, la plus grande partie est encore enfouie sous les décombres et la végétation, et l'expansion urbaine a empiété sur les trois côtés qui ne donnent par sur le fleuve.

Autrefois, les jardins étaient irrigués par un mécanisme d'élévation qui remplissait un réservoir. L'eau coulait ensuite à travers les canaux et se déversait en cascade au-dessus de rochers que l'on avait rainurés pour simuler le jaillissement d'une source. Ce système d'irrigation est devenu l'un des éléments caractéristiques des nombreux jardins artificiels aménagés en Inde par les successeurs de Babur. En raison des contraintes liées à l'irrigation, ils ont été aménagés au bord des rivières, pour que l'une des faces donne sur l'eau. Des murs bordaient les trois autres côtés, isolant le jardin du monde extérieur.

Babur s'était empressé de faire importer et cultiver les fleurs et les fruits de son pays natal. La dégustation des fruits semblait produire sur lui un effet proche de celui de la «madeleine» sur Proust. Selon les chroniques de l'époque, lorsqu'on apportait à Babur un melon de Balkh, il «*éprouvait une profonde émotion tandis qu'il le découpait et le mangeait et fondait littéralement en larmes*».

La beauté et l'harmonie des jardins de fleurs semblaient tout aussi nécessaires à Babur et à ses contemporains. «*Dans cette Inde dépourvue de charme apparurent l'ordre et la symétrie de jardins aux angles agrémentés de de parterres et aux bordures harmonieusement composées de roses et de narcisses.*» Et il est vrai qu'on lui doit l'introduction en Inde du concept du *char bagh* (quadruple jardin), inspiré par le jardin du Paradis de Tabriz, en Iran, où la rencontre des eaux au confluent des canaux préfigurait celle de l'homme avec Dieu.

Les encorbellements alvéolés des petits pavillons à terrasse dominant le fleuve abritent des peintures particulièrement révélatrices sur l'évolution de l'art moghol en Inde : elles représentent des personnages, des oiseaux et des canards. Certains personnages ailés suggèrent une influence de l'art persan, tandis que d'autres ont des traits typiques de l'Asie centrale. Cet art pictural ne présente aucun lien avec l'art de la miniature développé par la suite à la cour d'Akbar.

## Chini-ka-Rauza

**Chini-ka-Rauza**, un petit mausolée au milieu d'un jardin, se trouve à 2 km au sud de Rambagh. C'est la tombe du poète perse Alami Afzal Khan, devenu premier ministre de Shah Jahan. Bien qu'il ait vécu et soit mort à Lahore, il avait fait bâtir son tombeau, en 1639, dans ce site qu'il affectionnait. Comme la plupart des mausolées de cette époque, il réunit les sépultures du mari et de la femme. Il a été restauré récemment : on a réussi en particulier à préserver certaines de ses tuiles en céramique. La fabrication de ces tuiles cuites au four avait atteint un degré de perfection à Lahore, où l'on peut en admirer plusieurs beaux échantillons. A l'intérieur, les murs en plâtre émaillé sont ornés de calligraphies du Coran et de motifs floraux aux délicates nuances turquoise, bleu nuit, mauve, jaune et vert. On remarquera également le soffite de l'encorbellement à double dôme, divisé en sept cercles concentriques.

## Itimad-ud-Daulah

A trois kilomètres plus au sud s'élève **Itimad-ud-Daulah**, le tombeau du père de l'impératrice Nur Jahan, Mirza Ghiyas Beg, qui connut une ascension fulgurante. Lorsque cet émigré perse arriva à la cour de Jahangir, il ne possédait pour tout bien que sa fille Mehrunissa, jeune et belle veuve particulièrement ambitieuse. L'empereur succomba immédiatement à son charme et l'épousa en 1611. Cet événement entraîna la prééminence de la culture perse à la cour moghole. Jahangir préférait les plaisirs de la vie à l'exercice du pouvoir et sa femme, énergique et audacieuse, devint rapidement toute-

*La mosaïque géométrique des murs extérieurs d'Itimad-ud-Daulah.*

puissante. De nombreux courtisans perses obtinrent des postes importants. Ghiyas Beg fut nommé premier ministre, avec le titre de Itimad-ud-Daulah (pilier de l'État). Sa petite-fille épousa le troisième fils de Jahangir, le prince Khurram qui, après une longue guerre de succession, accéda au trône sous le nom de Shah Jahan. Elle devint ainsi l'impératrice Mumtaz Mahal.

La tombe de Ghiyas Beg fut bâtie entre 1622 et 1628 sur l'ordre de sa fille, alors au sommet de son pouvoir. Ce mausolée constitue une transition entre les constructions en grès des premiers Moghols, nettement influencés par la tradition indienne, et les bijoux délicatement sculptés de leurs successeurs. Itimad-ud-Daulah est le premier édifice entièrement en marbre fait à Agra et le premier où l'on utilisa la technique de la *pietra dura*. Contrairement au Taj Mahal, élevé quelques années plus tard, il se trouve exactement au centre du jardin. Il a la forme d'un coffret à bijoux posé sur un socle, avec une toiture en terrasse couronnée d'un dôme aplati. Des tours octogonales à kiosque soulignent les quatre angles du bâtiment, à la manière hindoue. Une exquise balustrade dentelée entoure le toit et les murs extérieurs sont incrustés de motifs géométriques d'une grande délicatesse. Certains estiment même que leur graphisme surpasse en beauté celui du Taj Mahal.

L'intérieur du mausolée est un déploiement fascinant de marqueteries de marbre et d'incrustations en *pietra dura* agrémentées de motifs en arabesque. Les artisans ont tiré parti des diverses nuances de pierres polychromes comme le marbre et le jaspe. La teinte ocre des cénotaphes donne une note apaisante à toute cette profusion. Des *jali* extraordinairement délicats filtrent la lumière du soleil, illuminant doucement les teintes des coupes de fruits, des aiguières et des vases de fleurs peints sur les murs et le plafond. Du jardin, on a une vue magnifique sur le Taj Mahal, de l'autre côté du fleuve. Au coucher du soleil, la beauté de ce lieu est inoubliable, tandis que, comme au Taj, les saris colorés des visiteuses indiennes se détachent sur l'orfèvrerie des murs.

*Entrée de la chambre du cénotaphe.*

Drawn by W. Purser.

Sketched by

FUTTYPO

FISHER, SON

R. Elliot, R.N. Engraved by W. Brandard.

E SICRI.

ONDON. 1834.

## Plan de Fatehpur Sikri

60m

1 Diwan-i-Am
2 Trône
3 Diwan-i-Khas
4 Cour du Pachisi
5 Jardin des Hommes
6 Bassin d'Anup Talao
7 Palais de l'Empereur
8 Palais de Jodhai Bhai
9 Palais de Birbal
10 Palais de Mariam
11 Ateliers
12 Jardin des Femmes
13 Panch Mahal
14 Daftar Khana (bureaux des archives)

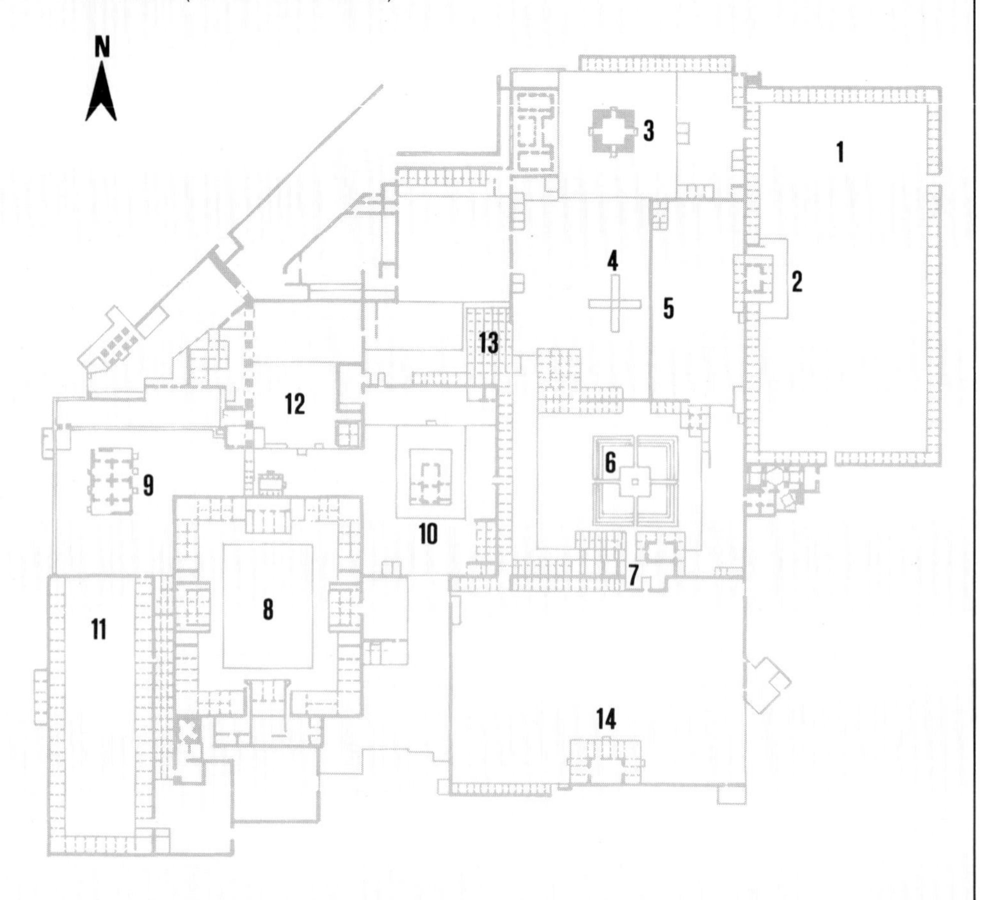

# FATEHPUR SIKRI

*Pages précédentes : gravure anglaise du XIXe siècle, représentant Buland Darwaza, une des neuf portes de Fatehpur Sikri.*

A 37 km à l'ouest d'Agra, les dômes et les minarets de grès rouge de Fatehpur Sikri se profilent sur le ciel au sommet d'une crête rocheuse. Fondée il y a un peu plus de quatre siècles, au moment où Michel-Ange esquissait les plans de Saint-Pierre de Rome, Fatehpur Sikri est née du génie d'Akbar. Elle constitue un exemple presque unique de syncrétisme architectural à l'échelle d'une cité, auquel s'ajoute le plaisir visuel : la ville épouse avec art les contours du paysage, dont elle semble faire intimement partie. La succession de ses cours en grès rouge, imbriquées sur plusieurs niveaux, semble obéir à un ordre naturel. La juxtaposition des palais, à la fois informelle et harmonieuse, donne une sensation de paix et de liberté, où chaque tournant ménage une surprise.

Dès sa naissance, Fatehpur Sikri a été enveloppée de mystère et de merveilleux. Elle émane d'un élan spirituel et son atmosphère doit beaucoup au charisme de son créateur. Depuis toujours, elle soulève une multitude de questions. Pourquoi l'a-t-on construite avec une telle hâte et pourquoi a-t-elle été désertée quinze ans à peine après sa conception ? Pourquoi des édifices aussi disparates ont-ils été réunis dans une seule enceinte et dans quelle intention ont-ils été érigés ? Enfin, pourquoi Fatehpur Sikri est-elle une ville hors du commun ?

La plupart des villes indiennes sont l'œuvre de plusieurs générations de souverains, dont chacun a ajouté sa touche personnelle. Fatehpur Sikri se démarque des autres dans la mesure où elle est au contraire l'œuvre d'un seul homme – qui, à l'époque, n'avait pas encore vingt-huit ans – pendant une courte période de sa vie. Elle a été construite d'un seul élan et avec toute l'énergie de cette impulsion, pour être complètement abandonnée peu de temps après, ce qui l'a sans doute préservée.

## Un souverain exceptionnel

Lorsque Akbar monta sur le trône en 1555, à l'âge de treize ans, son père et son grand-père avaient fermement implanté le pouvoir moghol dans le nord de l'Inde et fait d'Agra leur capitale. Brillant, compétent et clairvoyant, Akbar fit bien plus que consolider et agrandir cet empire : il parvint à l'unifier en forgeant des alliances avec les maisons royales hindoues et en lui donnant une structure administrative très centralisée. Il développa un corps de fonctionnaires et de militaires, auquel les notables hindous étaient intégrés ; chacun était rémunéré par les revenus des terres qui lui étaient confiées mais non octroyées, ce qui supprima toute velléité de sécession.

Il demeure également un souverain unique par sa tolérance religieuse et par sa curiosité intellectuelle. Son règne a été marqué par un épanouissement artistique et intellectuel sans précédent. Cet illettré a su attirer à sa cour érudits et artistes de tous les horizons : il recevait aussi volontiers des jésuites européens, des confucianistes et des taoïstes chinois, des bonzes du Sri Lanka, des parsis, des brahmanes hindous et des poètes soufis. Grâce à lui, le style moghol, synthèse artistique correspondant à son projet politique d'unification, a pu se développer.

Conséquence de ses victoires politiques et militaires, les années 1560 furent une période de paix relative, la plus propice à l'instauration de réformes et au développement artistique. A cette époque, Akbar disposait d'un budget important et de loisirs suffisants pour concrétiser enfin dans une œuvre personnelle les influences culturelles dont il s'était imprégné.

## L'intervention de Dieu

Néanmoins, il y avait une ombre au tableau : en 1568, Akbar n'avait toujours pas d'héritier. Il avait fait plusieurs pèlerinages et rendu visite à de saints hommes auxquels il avait demandé leur bénédiction pour la naissance d'un fils, en vain. Il entendit faire l'éloge d'un mystique soufi, Shaikh Salim Chisti, qui vivait à Sikri. L'empereur fit le chemin à pied pour voir ce saint, dont l'aura l'impressionna et qui lui prédit la naissance prochaine de trois fils. Akbar fit donc rapidement construire quelques palais à proximité de l'oratoire. Sa première épouse, Jodhai Bai, mit au monde l'année suivante un garçon qui reçut le nom de Muhammad Salim (le futur Jahangir), en hommage au saint. Elle s'installa à Sikri où, comme par magie, naquit en 1570 le deuxième fils d'Akbar, Mourad, et, en 1572, le troisième, Daniyal. Rayonnant, Akbar décida de transférer sa cour d'Agra à Sikri, peu de temps avant la mort de Salim Chisti, en reconnaissance des bienfaits qu'il lui attribuait.

## La « cité de la victoire »

Grand bâtisseur, Akbar avait commencé à cette époque la construction des forts d'Agra et de Lahore. Il entreprit cependant immédiatement l'édification de **Fatehpur Sikri** (la cité de la victoire), qu'il concevait comme une capitale jumelle d'Agra, sa place forte militaire. Cette décision n'est pas sans analogie avec celle de Louis XIV qui établit, un siècle plus tard, sa cour à Versailles, à l'écart de Paris, afin de pouvoir mieux contrôler la noblesse française. La taille réduite de Fatehpur Sikri et la faiblesse de ses défenses militaires suggèrent que cette ville était habitée essentiellement par Akbar et une petite partie de sa cour. Au-delà de sa fonction politique, Fatehpur Sikri symbolisait à la fois une victoire, un heureux événement et une profession de foi. Pendant quelques années, elle fut également un centre culturel remarquablement vivant, vers lequel affluaient les artistes les plus divers.

Lorsque Akbar décida d'y construire sa nouvelle résidence, Sikri était un lieu encore sauvage et pratiquement désert, à l'exception de quelques cabanes de pierre construites par le saint et ses fidèles. Le fondateur de la dynastie Lodi avait encouragé l'installation d'une petite colonie d'Afghans, à laquelle appartenait le père de Salim Chisti. Les Chisti étaient une famille de soufis vénérés depuis le XIIIe siècle. Comme on exploitait à Sikri des carrières pour la construction des édifices d'Agra, les tailleurs de pierre avaient érigé une petite mosquée pour le saint.

Au XIIe siècle, la crête rocheuse qui domine la ville avait été une place forte

*Les escaliers monumentaux de Buland Darwaza.*

des Rajpoutes Sikarwar qui lui donnèrent le nom de Sikri. Plus tard, elle servit de poste frontière stratégique pendant les sultanats de Delhi. A partir de 1526, Babur, le fondateur de l'empire moghol, l'utilisa comme lieu de rassemblement de ses troupes, dont la base était à Agra. Grand amateur de jardins, il en fit aménager sur les versants de la crête. Il entreprit également l'édification d'un barrage pour créer un lac ; c'est là que Akbar avait choisi de faire construire un premier palais.

## Une dimension nouvelle

Dans la plupart des villes de cette époque, les résidences royales étaient strictement gardées et isolées par des remparts élevés et de larges fossés. Une fois ces précautions prises, on laissait souvent les maisons s'étendre anarchiquement, à mesure de l'expansion.

Fatehpur Sikri, au contraire, était une ville ouverte, d'une circonférence totale de 11 km ; la citadelle, qui s'élevait au sommet de la colline, était dépourvue de fortifications. On ne voit de traces de remparts que sur environ 6 km. La silhouette imposante de Jama Masjid se détachait en arrière-plan à l'ouest, le palais d'Akbar, bâti sur un promontoire rocheux, surplombait le lac au nord-ouest, tandis que la ville s'étendait en contrebas vers le sud.

Fatehpur Sikri était de surcroît dotée d'un plan préétabli, œuvre d'un architecte novateur. Des recherches récentes ont en effet montré que toute la ville, la courbe de ses murs, l'emplacement de ses portes principales et le tracé de ses rues suivent un plan quadrillé d'une rigueur mathématique.

Des plans similaires, établis selon les proportions sacrées de l'islam, ont été employés sous les règnes de Babur, d'Akbar et de Jahangir. Shah Jahan les a abandonnés pour retourner à la tradition persane.

## Une ville de nomades

D'origine mongole (leur nom en est une déformation), les Moghols menaient

*A gauche, fils votifs noués par les pèlerins autour de la tombe de Chisti ; à droite, détail de grès ciselé.*

traditionnellement une existence nomade et ils dormaient sous des tentes de toile fine que l'on dressait en quelques heures. A l'intérieur, seuls de magnifiques tapis et tentures de brocart rappelaient la splendeur des palais de Perse et d'Afghanistan où leurs ancêtres avaient mené des vies plus sédentaires. Lorsqu'ils se fixèrent en Inde, à Delhi, à Agra, à Lahore et dans d'autres villes, leurs constructions ressemblèrent d'abord à leurs anciens campements.

En moyenne, Akbar passait plus de quatre mois par an en déplacement afin de contrôler les postes stratégiques de son empire. Dans la plupart de ces expéditions, il était accompagné de la noblesse, des princesses avec leur suite, de ses administrateurs, de son trésor et, bien sûr, de son armée, composée en majorité de cavaliers et de cantonniers. A chaque halte, on dressait un campement, qu'un jésuite de cette époque a décrit comme une immense « ville de tentes ». Il fut frappé par le sens de l'organisation qui présidait à chaque étape de l'installation et du démontage de ces campements.

Organisateur-né, Akbar avait tracé un plan qui représentait de manière schématique les divers espaces d'un campement, soigneusement déterminés en vue d'un maximum de fonctionnalité. Cette structure était néanmoins suffisamment souple pour s'adapter à la topographie de chaque nouveau site. Elle comprenait quatre enceintes alignées sur un axe central. Dans la première, l'empereur recevait ses sujets, ses soldats et les gens du peuple. Seuls les nobles, les hauts fonctionnaires et les amis intimes avaient accès à la deuxième. Là, une tente à deux étages abritait l'état-major, où l'empereur prenait ses décisions et où il recevait les rapports de ses espions. La troisième enceinte était un espace privé, avec le palais et la chambre de l'empereur. La quatrième, sévèrement gardée, était réservée aux femmes.

Leur alignement sur un seul axe assurait à l'empereur et à son entourage le maximum d'intimité et de sécurité. Tous les services, ateliers et magasins du palais, étaient disposés autour de cet axe central et accessibles par une route

*La tombe de Chisti.*

extérieure. Jour et nuit, un cordon de sentinelles gardait les appartements royaux.

Des recherches récentes ont prouvé que cette organisation d'ensemble est probablement à l'origine du plan de Fatehpur Sikri. La crête rocheuse qui s'étendait en diagonale vers le nord-est était toutefois trop étroite pour que le palais puisse être construit d'après le plan linéaire d'Akbar. Il fallut le conformer à la forme et à la topographie de la crête, tâche dans laquelle le génie des architectes impériaux s'est illustré.

Disposées parallèlement à Jama Masjid, les quatre cours du palais, calquées sur les enceintes d'un camp, s'emboîtent à la manière des pièces d'un puzzle. Leurs différences de niveau, dues au relief et aux contours du paysage, génèrent une hiérarchie dont les architectes ont su tirer habilement parti dans l'organisation du palais. La première enceinte, la plus ouverte au public, est au niveau le plus bas, tandis que les palais du harem, lieu privé par excellence, sont au sommet. La pente était ingénieusement utilisée pour contrôler le flux de l'eau canalisée recueillie dans un grand réservoir. Les larges murs de retenue étaient surmontés de pavillons qui dominaient le lac et captaient le vent frais de la colline.

Pour des raisons de commodité, les bâtiments de services, tels que le Trésor, les ateliers, les cuisines et les bains, ont été construits à flanc de colline, au-dessous des appartements royaux. On favorisait ainsi une économie de mouvements qui facilitait la tâche de coordination.

La combinaison de dispositions parallèles et en diagonale créait autour du palais des espaces insolites et irréguliers. Cette architecture donnait une impression de mouvement et de naturel, fondamentalement différente de celle du Fort Rouge de Delhi, dont les palais s'alignent sur un même axe.

Pour accroître l'efficacité et la rapidité de la construction, Akbar avait inventé une méthode de « préfabriqué » : les blocs de grès extraits dans les carrières étaient taillés sur place en panneaux et en colonnes, pour être assemblés sur le lieu des travaux.

*Intérieur de la mosquée d'Akbar.*

## Promenade dans une ville fantôme

Hormis la mosquée, l'architecture de Fatehpur Sikri n'a rien de monumental. Son charme réside dans l'élégance paisible des pavillons et l'infinie variété des formes. L'unité sobre du grès rouge est égayée çà et là par des ornements de marbre blanc et un toit de tuiles bleues cannelées. Cette subtilité et cette grâce, alliées à la géométrie informelle du plan et à la synthèse des arts hindou et musulman, distinguent nettement Fatehpur Sikri des constructions mogholes de la même époque.

En arrivant d'Agra, on pénètre à Fatehpur Sikri par **Agra Darwaza**, l'une des neuf entrées percées dans les remparts de la ville, la mieux conservée, encadrée de deux hautes tours. On aperçoit ensuite, sur la droite, les vestiges de l'ancien caravansérail.

En continuant sur la route, on passe sous une entrée à triple arche pour arriver dans une première cour, **Naubat Khana**, où des musiciens jouaient pour saluer les départs et les arrivées de l'empereur. Plus loin, on longe des bâtiments en ruine qui abritaient autrefois des ateliers (**Khar Khana**) et le Trésor (**Khazana**). Après avoir traversé une esplanade, on passe sous un portail menant à la première enceinte du palais où se trouve, dans une grande cour entourée d'une colonnade, le **Diwan-i-Am** (**1**), le pavillon des audiences publiques.

C'est là que, assis sur un trône surélevé et relié au palais par un passage couvert, Akbar recevait chaque jour son peuple en audience publique, écoutant les doléances et rendant la justice. Le pavillon, orné de tapisseries et de tentures, servait également de lieu de réception et de fête, voire, à certaines occasions, de salle de prière publique. Le mariage de Jahangir et de Nur Jahan y fut célébré.

## Le palais de l'empereur

A l'ouest du Diwan-i-Am, la deuxième et la troisième cour forment un grand rectangle orienté du nord au sud. Cette partie du palais, qui était un domaine exclusi-

*Le bassin d'Anup Talao.*

vement masculin, renferme les édifices les plus célèbres de Fatehpur Sikri. Dans l'axe de ce rectangle s'étendent le Diwan-i-Khas au nord, la cour du Pachisi au centre, le Panch Mahal à l'ouest, le bassin d'Anup Talao au sud, et Daulat Khana à l'extrémité sud. Toute personne qui pénétrait dans cette enceinte devait en embrasser le seuil.

A l'instar des camps militaires moghols, une vaste cour ouverte, le **Pachisi** (4), sépare les bâtiments officiels des appartements privés. Au centre de cette étendue de grès rouge, des dalles forment un échiquier cruciforme imitant celui du jeu indien du *pachisi*. On raconte que les pions étaient des êtres humains, prisonniers, courtisans ou jeunes esclaves nues. Cette cour, ornée d'écrans de marbre, de tentures de brocart et de rangées de flambeaux, était probablement aussi un lieu de divertissement et de spectacles pour les courtisans de haut rang et les ambassadeurs.

L'élégante façade du **Diwan-i-Khas** (3) (appelé aussi pavillon des joyaux) dissimule une salle étonnante. Un pilier central richement sculpté soutient un chapiteau insolite, composé de trois rangs de consoles superposées qui semblent se subdiviser à l'infini. Elles supportent un balcon circulaire relié aux angles de la salle par d'étroites passerelles bordées de balustrades de pierre ajourée. Le pilier et le chapiteau sont entièrement ornés de sculptures représentant le plus souvent des créatures monstrueuses. Si l'empereur s'était assis au sommet, comme suspendu au milieu de la salle, il aurait dominé le palais et les alentours. En fait, la fonction de cette structure très originale demeure mystérieuse : on ignore si c'était une salle d'audience privée, une chambre des débats ou, plus vraisemblablement, la salle où l'on entreposait les bijoux royaux, comme semblent le prouver les nombreuses niches creusées dans les murs.

A côté, un pavillon, **Ankh Michauli** (les yeux fermés), orné de chimères sculptées, aurait abrité des parties de colin-maillard entre l'empereur et ses favorites. Un petit kiosque carré soutenu par des colonnes de style jaïn servait sans

*Le palais de Birbal.*

doute de loge aux astrologues dont la consultation tenait une place de choix dans la vie quotidienne des Moghols.

A l'angle sud-ouest s'élève un bâtiment à deux étages, couramment nommé **Abdar Khana**. La présence de nombreux abris et niches et les références à ce lieu dans les chroniques suggèrent qu'il servait probablement d'entrepôt pour « l'eau d'immortalité » et les fruits préférés d'Akbar. Il faisait peut-être également fonction d'office, où l'on réchauffait les plats venus des cuisines, assez éloignées dans l'enceinte du palais.

## Une intimité préservée

Au sud d'Abdar Khana, dans la troisième enceinte du palais, **Daulat Khana** (7), les appartements privés de l'empereur, sont disposés autour d'un bassin carré, **Anup Talao** (6). La façade sud abrite au rez-de-chaussée les deux salles, autrefois richement peintes, qui servaient à Akbar de bibliothèque privée et de lieu de travail.

Assis en tailleur sur une haute plate-forme couverte de tapis, il recevait des poètes et des théologiens avec lesquels il conversait souvent tard dans la nuit. Il se faisait lire quotidiennement les ouvrages les plus variés et il favorisa à sa cour une émulation culturelle extraordinaire. Il fonda même une religion syncrétique, Din-i-Illahi, révolutionnaire en son temps, bien qu'elle n'eût que dix-sept disciples. Selon Richard Lannoy, si Fatehpur Sikri fut « *un échec politique tragique, en revanche son architecture demeure l'expression la plus accomplie d'une société libérale* ».

Au rez-de-chaussée, une fenêtre donne au sud sur la cour des bureaux des archives, **Daftar Khana** (14), dans laquelle Akbar s'entretenait avec ses fonctionnaires et ses administrateurs. Selon la saison, de l'eau chaude ou froide coulait le long de canaux creusés dans le sol, réchauffant ou rafraîchissant l'atmosphère.

A l'étage, l'empereur pouvait se reposer dans une petite chambre ornée de calligraphies et de magnifiques peintures persanes, qu'il appelait **Khwabgah** (lieu des rêves). Ses femmes venaient lui

*Le Diwan-i-Khas.*

rendre visite en empruntant un passage fermé par des *jali*, aujourd'hui partiellement détruit, qui reliait le harem à la chambre. De là, Akbar avait une vue d'ensemble sur son palais, du Diwan-i-Khas à ses bureaux. Les eaux vertes d'Anup Talao, le « bassin sans pareil », formaient un agréable contraste avec le grès rouge environnant. Le soir, Akbar venait souvent s'asseoir sur la plateforme centrale, à laquelle menaient quatre passerelles.

Dans l'angle sud-est de la cour s'élève le **pavillon de la Sultane**, minuscule mais ravissant, entouré d'un portique sculpté. En dépit de son nom, sa situation dans une partie exclusivement masculine du palais laisse supposer que ce pavillon était plutôt une salle de débats privés ou de repos. A la différence d'autres salles du palais, ornées de peintures murales et de tapisseries, les sculptures en grès composent une unité pleine de richesse. Les motifs (palmiers-dattiers, grenades, animaux exotiques et nuages floconneux) révèlent des influences persanes, turques et même chinoises.

La silhouette la plus remarquable de Fatehpur Sikri est cependant sans conteste le célèbre **Panch Mahal (13)**, un pavillon de cinq étages de dimensions décroissantes, à la manière d'un temple bouddhique, entièrement ouvert. Le dernier étage est une terrasse soutenue par quatre piliers. Ses 176 colonnes sculptées, toutes différentes à l'exception de quelques paires, constituent un véritable inventaire de styles dans lequel l'inspiration hindoue prédomine. Placé dans un coin, entre le quartier des hommes et celui des femmes, ce pavillon était un lieu de détente et de rendez-vous ; sans doute y dormait-on par les chaudes nuits d'été, comme cela se pratique en Inde. Surplombant le lac, il offre une vue magnifique sur le palais impérial, en contrebas.

## Les palais du harem

A l'ouest de la partie du palais réservée aux hommes, on accède au domaine des femmes, qui comprend le palais du harem, les résidences des reines mères et

*Décoration du chapiteau du Diwan-i-Khas.*

un jardin privé. Dans la cour du bassin, une petite porte mène au **palais de Mariam** (**10**), sans doute la demeure de la mère d'Akbar, qui porte également le nom de « maison dorée ». Selon une croyance populaire, Mariam était une reine chrétienne venue de Goa, mais aucune des chroniques de l'époque n'en fait mention. La façade austère dissimule de merveilleuses peintures, dans le style des miniatures, qui gardent quelques traces de dorure. Des anges s'élancent à travers les nuages et une multitude d'oiseaux et d'animaux s'ébattent dans des champs de fleurs. On peut lire sur un mur cette inscription :

« *Les jardins peints sur ce mur peuvent se comparer aux jardins du Paradis.* »

Malheureusement, le temps et le climat rigoureux de Fatehpur Sikri ont dégradé ces peintures qui ont perdu leur éclat d'origine. On admirera également les consoles sculptées de motifs typiquement hindous, tels que Rama, le dieu-singe Hanuman, ainsi que des éléphants et des oies.

Dans la cour la plus haute, au sud-ouest de cette demeure, s'élève la résidence principale du harem, le **palais de Jodhai Bai** (**8**). C'est le plus grand édifice du palais. Des murs massifs et une entrée à chicane, ainsi qu'une garde rajpoute et une armée d'eunuques, garantissaient son intimité et sa sécurité. Le linteau au dessus de la porte d'entrée porte un des symboles de l'Inde aryenne, deux étoiles hexagonales entrelacées. La façade est ornée d'un balcon à encorbellement soutenu par des piliers de marbre et recouvert d'un dôme.

Les appartements des 300 épouses d'Akbar étaient disposés autour d'une grande cour centrale. Une partie aurait été aménagée en temple pour les princesses hindoues. C'est dans ces chambres que la fusion des styles est la plus remarquable : des éléments de décoration hindous dans le style du Gujarat, de Mandu et de Gwalior se mêlent aux motifs islamiques traditionnels pour former la synthèse moghole si caractéristique de la première période. On remarquera notamment l'élégant motif de la tulipe, propre à Sikri. Les

*Jeune femme dans les rues désertées de Fatehpur Sikri.*

tuiles en céramique bleu turquoise du toit sont l'unique note de couleur vive de tout le palais.

Au nord, une petite tour, **Hawa Mahal** (le palais des vents), exposée à la brise du nord-ouest, rafraîchissait la chambre délicatement sculptée où l'empereur passait les soirées d'été. Une passerelle à *jali* reliait la façade nord du harem à la mosquée des femmes, aux pavillons sur les berges du lac et au marché qui s'étendait au pied du palais.

A gauche en sortant de la résidence de Jodhai Bai, on voit le très beau **palais dit de Birbal** (9). Birbal était un poète rajpoute plein d'esprit très apprécié d'Akbar, mais il semble peu probable que lui ou tout autre homme ait pu vivre au cœur du harem. Il s'agissait donc plus vraisemblablement de la demeure de princesses royales. Les voyageurs de l'époque considéraient ce palais comme le plus bel édifice domestique de Fatehpur Sikri, exception faite de celui de Jodhai Bai. Effectivement, sa richesse, le raffinement des sculptures et la magnifique vue qu'il offre sur le lac justifient pleinement cette opinion. Chaque centimètre des murs et du plafond est orné d'entrelacs de fleurs minuscules, d'octogones imbriqués et de fleurs de lotus, d'un fini si délicat et d'une telle abondance que l'ensemble crée l'illusion d'une tapisserie de pierre. Le style hindou prédomine nettement dans cette décoration.

Abandonnant le grès rouge et brûlant, on arrive devant une étendue de pelouses qui descendent en pente douce vers le lac. C'est tout ce qui reste d'un jardin moghol (12), conçu sur le modèle des jardins du Paradis. Entouré de murs, il s'étendait au centre des trois palais du harem.

Il y avait aussi un petit établissement de bains, divers pavillons et un bassin à poissons, dans lequel des aqueducs acheminaient les eaux du lac qui se déversaient en cascades par-dessus un mur percé de niches où l'on plaçait des lampes à huile. L'eau qui coulait par-dessus les flammes formait un voile étincelant.

Dans la chaleur et la poussière de Sikri, des sous-sols auraient offert un abri bienvenu pendant l'été, mais il était

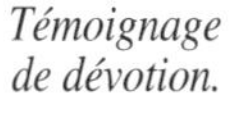
*Témoignage de dévotion.*

impossible d'en creuser dans la chaîne rocheuse. On les remplaça donc par des tours à colonnettes, ouvertes à la brise, dont les formes gracieuses s'élancent vers le ciel. Tandis que le palais occupait le niveau supérieur de la crête, les dépendances s'élevaient sur ses pentes. On distingue encore les cuisines et les bains au sud, les ateliers (Khar Khana) et le Trésor au nord-est, et le système d'irrigation voisin du lac.

Le deuxième accès au palais, au nord, était probablement l'entrée impériale. L'empereur et sa suite arrivaient à dos d'éléphant et à cheval, contournaient le lac et, après avoir gravi une longue rampe d'accès, passaient sous la monumentale **Hathi Pol** (porte de l'éléphant). Il n'en reste qu'un couple de splendides éléphants de 3 mètres de hauteur en moellons recouverts de pierre, très délabrés. Une fois cette porte franchie, les dames retournaient discrètement au harem par un passage à *jali*, et l'empereur à ses bureaux par une entrée située au nord. L'atmosphère de ce site, les vues dégagées de la citadelle, ses larges rampes d'accès et ses portails élevés rendent cet accès spectaculaire. Malheureusement, il est aujourd'hui impraticable car ses connections avec le palais ont été complètement détruites au cours des dernières années.

Les bords du lac étaient autrefois aménagés pour la détente : on y avait construit des pavillons, des bains et même un champ de polo, un sport d'origine mongole que l'empereur prisait particulièrement. Une curieuse construction, le **Hiran Minar** (tour du cerf), surplombe le lac. Haute de 21 mètres, elle est garnie de cylindres de pierre incurvés vers le haut un peu comme des défenses d'éléphants. Son nom laisse planer le doute sur sa fonction. Sa hauteur, qui la rend visible de loin, suggère qu'elle servait peut-être de repère indiquant l'entrée royale.

Le grand lac artificiel permettait de résoudre l'éternel problème du ravitaillement en eau. Un système d'irrigation soigneusement élaboré acheminait l'eau vers un grand puits, l'élevait au moyen de roues hydrauliques que des attelages de

*Grès sculpté à la manière du bois.*

bœufs faisaient tourner, et des aqueducs la répartissaient entre les différentes parties du palais. L'eau était ensuite évacuée, stockée et recyclée par un système de drainage souterrain, ingénieusement adapté aux différences de niveau des cours. Les grands établissements de bains, sur le versant sud de la crête, derrière le Daftar Khana, rappellent, à une échelle plus réduite, les thermes romains de Caracalla.

## Jama Masjid

Au sud-ouest du palais, le plus haut édifice de Fatehpur Sikri est la mosquée, dont la construction, en 1572, marqua la naissance véritable de la ville, qui se développa autour d'elle. Bâtie sur le modèle de celle de La Mecque, elle peut accueillir 10 000 fidèles. On y accède par trois entrées, à l'est, à l'ouest et au sud. Les cellules monastiques dans lesquelles Chisti prêchait donnent sur une vaste cour en grès rouge. Au centre, un bassin destiné aux ablutions rituelles était alimenté par un réservoir souterrain.

La porte occidentale mène à une immense salle de prières qui était somptueusement peinte de motifs persans bleu et or. Elle est ornée de trois *mirhâb* incrustés de faïence émaillée. Les deux ailes qui la bordent sont soutenues par des piliers sculptés de style hindou. Akbar y aurait prononcé son fameux discours résumant sa « religion universelle ». Peut-être désirait-il s'identifier implicitement à Dieu : les premiers mots de l'appel à la prière, «*Allah-u-Akbar*», peuvent en effet se traduire soit par «*Dieu est grand*», soit par «*Akbar est Dieu*». Ces mots étaient également gravés sur la monnaie impériale.

A l'angle nord de la cour, la **tombe de Shaikh Salim Chisti**, qui date de 1580, est la seule construction entièrement en marbre de Sikri. On pense que le grès d'origine a été recouvert de plaques de marbre sous le règne de Jahangir. Les panneaux et consoles de la chambre funéraire dateraient également de cette époque. En revanche, le dôme du mausolée a été recouvert de marbre blanc en 1866. Les motifs géométriques de la

*Terrasses étagées du Panch Mahal.*

balustrade, d'une admirable délicatesse, composent une véritable dentelle de marbre. Les croyants y nouent des fils de laine pour demander la naissance d'un fils, comme Akbar l'avait fait autrefois. Dans la chambre funéraire, le catafalque d'ébène marqueté de nacre ainsi que les incrustations de topaze et de lapis-lazuli forment un contraste superbe avec le marbre blanc. A côté de la tombe de Salim Chisti, on peut voir celle d'Islam Khan, gouverneur du Bengale sous Jahangir, et les sépultures de parents et de disciples du saint.

Un escalier de 56 marches conduit à **Buland Darwaza** (la sublime porte), à l'entrée sud de la mosquée. Cette porte est en réalité un arc de triomphe qu'Akbar fit ériger au retour de sa campagne dans le Deccan, en 1575. Haute de 41 mètres, cette arche en grès rouge incrusté de marbre est couronnée de petits kiosques à colonnes. A droite, on voit un puits octogonal profond de 40 m, dans lequel les jeunes garçons du village s'amusent à plonger en échange de quelques roupies.

## L'abandon d'un rêve

Cette cité fabuleuse, avec sa superbe mosquée, ses pavillons, ses jardins et ses cours, ne connut pourtant qu'une gloire éphémère. Quinze ans après la pose de ses fondations, la cour d'Akbar, qui se composait de 5 000 femmes, 1 000 gardiens et 1 200 chevaux, l'abandonna, ne laissant derrière elle que les descendants de Shaikh Salim Chisti et les palais de grès rouge. Les raisons supposées de cet abandon sont multiples. On pense que l'épuisement de la nappe phréatique rendit les conditions de vie à Sikri trop difficiles. En définitive, Akbar jugea impossible d'entretenir deux cours, l'une à Sikri et l'autre à Agra. On peut affirmer avec certitude qu'en partant, Akbar obéissait à un motif politique : il devait rejoindre sans tarder Lahore, à la frontière nord-ouest de son empire, pour conquérir une place forte.

Durant son règne d'un demi-siècle, Akbar n'a plus jamais fondé de capitale permanente, se déplaçant chaque fois qu'il le jugeait nécessaire. Il existait toujours un lien étroit entre le site de sa capitale et les intérêts stratégiques de l'empire. La part relativement peu élevée des dépenses de construction dans le budget impérial rendait cette mobilité aisée : l'édification de Fatehpur Sikri représentait seulement un cinquantième du revenu total net.

La brève existence de Fatehpur Sikri en tant que capitale ne fait que refléter le caractère provisoire du mode de vie des Moghols. La nature transitoire de toute chose, et celle de l'homme en particulier, a été soulignée dans de nombreux textes sacrés. Sur Buland Darwaza, une citation du *Hadith* illustre cette pensée :

*« Le monde est un pont :*
*Traverse-le*
*Mais ne construis pas dessus.»*

Lorsqu'on se promène dans les cours désertes de Fatehpur Sikri, on est transporté quatre siècles en arrière. Chaque matin, le muezzin continue à lancer l'appel à la prière, mais les fresques ont pâli, le lac s'est asséché et les massifs de fleurs ne sont plus qu'un souvenir. Fatehpur Sikri, née de l'optimisme d'un roi, est seulement le témoignage émouvant d'une grandeur passée.

*A gauche, Akbar surveillant la construction de sa ville ; à droite, l'empereur recevant l'*Akbarnama.

# SIKANDRA

Contre toute attente, le grand empereur Akbar choisit pour sa dernière demeure un petit hameau, Sikandra, à 10 km au nord d'Agra, dont le nom vient du sultan Sikandar Lodi qui y avait fait construire un palais, en 1495. Les travaux avancèrent lentement du vivant d'Akbar. Ses astrologues lui ayant prédit qu'il vivrait jusqu'à cent vingt ans, il était sans doute peu pressé ou assez superstitieux pour craindre que la fin des travaux n'entraîne sa mort avant l'heure. En fait, il mourut en 1605, à l'âge de soixante-trois ans, après un règne de presque cinquante ans. Son fils Jahangir reprit les travaux – achevés en 1613 – en apportant au monument sa touche personnelle.

Le mausolée d'Akbar s'élève au milieu d'un vaste parc de 50 ha, dans une enceinte carrée fermée par quatre portes monumentales en grès rouge, incrustées de motifs polygonaux en marbre blanc. Elles sont surmontées de minarets à trois étages plaqués de marbre. Lorsqu'ils ont occupé Agra en 1764, les Jats ont emporté les coupoles de ces minarets, qui ont été remplacées par la suite. Héritage de l'éclectisme culturel d'Akbar, chacun des quatre portails de l'enceinte possède son propre style architectural : musulman, hindou, chrétien et... « akbarien ».

Le mausolée est une pyramide de 22 m de haut, entourée de galeries de cloître et de *chatri*. Ce monument colossal est digne d'un souverain exceptionnel. Le choix de la pyramide ouverte a probablement une signification mystique. On y a vu certaines affinités avec le Panch Mahal, le pavillon ouvert à cinq étages qu'Akbar avait fait construire à Fatehpur Sikri. Les trois premiers étages en grès rouge contrastent avec le marbre blanc du dernier. Cette discontinuité est due à l'intervention de Jahangir, qui s'était montré peu satisfait des travaux entrepris avant la mort de son père.

Au rez-de-chaussée, une chambre funéraire voûtée abrite la tombe d'Akbar, une simple dalle de marbre blanc. Sur les murs, des fresques assez abîmées

*Le tombeau d'Akbar, commencé en grès et achevé en marbre par son fils Jahangir.*

représentent des motifs floraux et géométriques. L'Italien Manucci, qui visita le tombeau au début du XVIIIe siècle, raconte avoir vu aussi des représentations de la Vierge et des saints, mais ces images peu musulmanes ont été recouvertes de chaux, sur l'ordre d'Aurangzeb. A mi-chemin dans l'escalier, entre le troisième et le quatrième étage, une ouverture étroite permet de se glisser dans une chambre basse de plafond qui contient une fausse tombe.

Au quatrième étage, une porte ouvre sur une terrasse en marbre. C'est l'une des rares œuvres architecturales de Jahangir qui aient survécu, puisque la plupart des constructions réalisées sous son règne dans le fort d'Agra ont été détruites par son fils Shah Jahan.

Dallée de marbre noir et blanc, la terrasse est entourée d'une galerie de cloître aux panneaux de marbre blanc délicatement sculptés de motifs géométriques. Selon Ferguson, certains indices montrent que cette terrasse était destinée à soutenir un dôme léger. Finch, qui visita Sikandra en 1611, fut encore plus emphatique et déclara que la tombe devait être «*couverte du marbre blanc le plus étonnant qui soit, et l'intérieur revêtu de feuilles d'or pur richement travaillées*». Lors de sa seconde visite, il vit sur la terrasse «*une tente richement ornée*». Les anneaux en marbre qui se trouvent à chaque angle servaient, semble-t-il, à fixer une tente que l'on dressait lors de la fête de l'Urs.

Au centre de la terrasse, un pavillon de marbre à triple dôme abrite le cénotaphe, sculpté dans un seul bloc de marbre blanc sur lequel sont gravés les 99 noms de Dieu. En revanche, il n'y est fait aucune mention du Prophète, omission que l'on a pu attribuer à la religion singulière et très personnelle d'Akbar, qui se proclamait d'essence divine. Les panneaux des extrémités sont ornés de nuages d'inspiration probablement chinoise, un élément décoratif rare dans les tombes mogholes.

On peut voir aussi dans le jardin un bâtiment en grès rouge datant des Lodis, le **tombeau de Mariam**, dans lequel Jahangir a fait inhumer sa mère, d'origine rajpoute.

# MATHURA ET VRINDAVAN

L'Uttar Pradesh, un des États les plus peuplés de l'Inde, est considéré comme un creuset de cultures. Les trois grandes religions indiennes – l'hindouisme, le bouddhisme et le jaïnisme – y ont connu un épanouissement extraordinaire. Deux des cités les plus anciennes et les plus vénérées de l'Inde, Mathura et sa voisine Vrindavan, jalonnent l'ancienne route de Delhi à Agra. Déjà mentionnée par Ptolémée, Mathura a été la capitale d'hiver de la dynastie des Kushans, qui ont régné du Ier au IIIe siècle. Des pèlerins chinois comme Fa Hian au Ve siècle et Xuan Tsang au VIIe siècle, aussi bien que des voyageurs européens comme Tavernier et le père Tieffenthaler au XVIIe-XVIIIe siècle ont noté l'importance culturelle et religieuse de cette région. Malheureusement sa prospérité et sa facilité d'accès ont attiré aussi des pillards comme Muhammad de Ghazni et des destructeurs fanatiques comme le sultan Sikandar Lodi et l'empereur moghol Aurangzeb. Comme d'autres villes saintes de l'Inde, Bénarès ou Pushkar, Mathura et Vrindavan sont des lieux uniques où l'on approche au plus près la ferveur et les coutumes des Indiens : elles n'offrent pas de monuments exceptionnels mais permettent de découvrir une culture vivante.

*Pages précédentes : jeune acteur du* Rasa Lila. *A gauche, bain rituel dans le bassin de Govardhana, pour la fête de Gurupurnima.*

## Un centre bouddhique

Les preuves historiques de l'existence de Mathura remontent au VIe siècle av. J.-C., époque de l'hégémonie du bouddhisme dans cette région. Le Bouddha lui-même serait venu y prêcher, peu avant d'aller à Sarnath, près de Bénarès. L'empereur maurya Ashoka y fit construire plusieurs stupas au IIIe siècle av. J.-C. et les religions bouddhiste et jaïn y connurent leur apogée sous la dynastie des Kushans, du Ier au IIIe siècle.

Ces souverains indo-scythes convertis au bouddhisme ont été de grands mécènes et ont favorisé un épanouissement généralisé des arts et surtout l'émergence d'une grande école de sculpture. Mathura, située sur les routes du commerce et protégée par le pouvoir royal, devint un important centre culturel et économique. Il y avait à cette époque plus de vingt monastères, où vivaient des milliers de bonzes. L'école de Mathura se caractérise par ses sculptures en grès rouge et beige, qui ont conservé un style indien face à l'art gréco-romain de Gandhara introduit par les souverains kushans. Le musée (voir p. 260) possède la plus grande collection de sculptures et d'objets d'art de cette école. A côté de très belles représentations du Bouddha et d'autres pièces bouddhiques, on peut y voir des œuvres jaïns et hindoues ainsi que des terres cuites encore plus anciennes. Beaucoup d'objets viennent des fouilles archéologiques effectuées à Sonkh, près de Mathura.

## L'enfance d'un dieu

Pourtant ce n'est pas au bouddhisme que Mathura doit sa célébrité actuelle, mais à l'hindouisme. Elle se trouve en effet au cœur de la région mythique du **Brajbhumi**, qui s'étend sur 70 km de long et 45 km de large de part et d'autre de la Yamuna. Brajbhumi est la terre sainte des hindous adorateurs de Vishnou, le symbole protecteur de leur trinité. Selon la légende, il se réincarna dans cette région sous la forme de Krishna, le dieu espiègle à la peau bleue. Après avoir délivré Mathura des démons, celui-ci révéla au monde le *Bhaghavad Gitâ* (chant du Seigneur), un des grands textes sacrés de l'hindouisme, considéré également comme un chef-d'œuvre de la littérature philosophique. C'est un dialogue entre Arjuna, un des frères Pallava, et Krishna, qui a emprunté la forme d'un conducteur de char. Le thème principal est une définition des devoirs de chaque individu envers lui-même et envers sa caste. Par ailleurs, les badinages du jeune dieu avec les bergères de Vrindavan ont inspiré certains des plus beaux poèmes, peintures et chants lyriques de l'Inde. Krishna est habituellement représenté sous les traits d'un jeune homme à la peau foncée, paré de bijoux et des attributs de Vishnou, lotus, conque et massue.

Ce culte est apparu assez tardivement dans la région, mais il est profondément enraciné dans la conscience des habitants de Brajbhumi. Chaque étang, chaque colline sont liés à un épisode de la vie de Krishna. On ne peut comprendre l'atmosphère qui règne à Mathura et à Vrindavan si l'on ne connaît pas cette légende.

Rédigé probablement au Xe siècle en Inde du Sud et diffusé dans le nord vers le XIIe siècle, le *Bhagavata Purana*, sorte de vulgarisation védique destinée aux plus humbles des fidèles, relate la jeunesse du dieu dans le Brajbhumi.

Environ 3 000 ans av. J.-C., le roi Kamsha s'empara du trône de Mathura et son règne fut tellement tyrannique que ses sujets priaient pour être délivrés de lui. Un prophète lui prédit que son châtiment s'incarnerait dans le huitième enfant qui naîtrait de sa sœur Devaki et de son époux Vasudeva. Le roi fit emprisonner le couple et tuer tous les enfants qu'ils mirent au monde en prison. Néanmoins, la nuit de la naissance de Krishna, Vasudeva réussit à échanger le bébé contre une fille et le confia au berger Nanda et à sa femme Jasoda, qui vivaient sur l'autre rive du fleuve. Krishna grandit dans la demeure de ses parents adoptifs et devint bientôt célèbre dans le pays pour ses dons surnaturels : il tua de nombreux démons et sauva le village de Govardhana d'une inondation en soulevant la colline sur laquelle il était bâti. Mais ses frasques aussi défrayaient la chronique et on raconte qu'il volait le beurre et charmait les vachères (*gopi*) au son divin de sa flûte. Sa favorite était Radha (une incarnation de la déesse Lakshmi) et leurs rendez-vous galants à Vrindavan ont donné lieu à d'innombrables variations poétiques.

Kamsha entendit parler de ce berger extraordinaire et reconnut aussitôt en lui l'instrument de sa punition. Il l'invita à un tournoi en espérant qu'il y trouverait la mort. Mais Krishna vainquit tous ses adversaires puis exécuta le roi. Il traîna le corps du tyran sur la rive de la Yamuna pour l'incinérer et passa quelques heures à Vishram Ghat (*ghat* du repos), devenu l'un des lieux sacrés de Mathura.

Ensuite, ayant accompli sa mission, Krishna se rendit à Dwarka, dans l'ouest

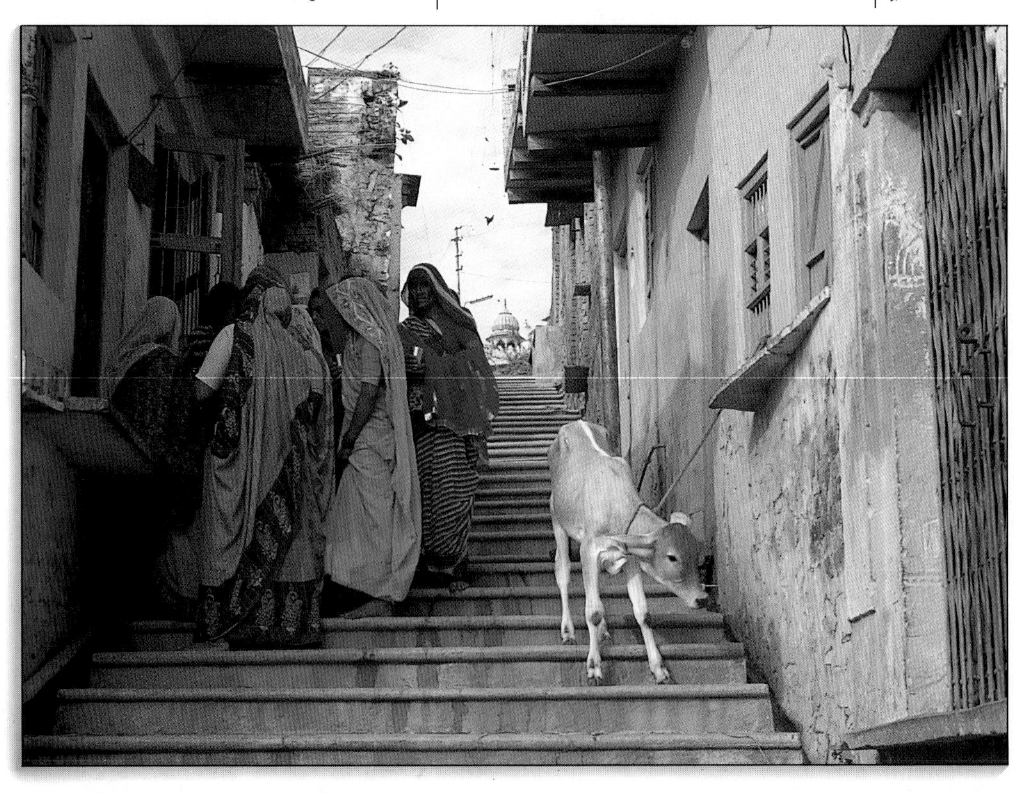

*Ruelle escarpée de Barsana.*

de l'Inde, où il devint adulte et prit part à la grande guerre relatée dans le *Mahabharata*. C'est là qu'il trouva la mort, atteint, comme Achille, par une flèche au talon, son seul point vulnérable.

A Mathura, Vrindavan et dans d'autres lieux associés à des épisodes de la jeunesse du dieu, les habitants continuent de croire à sa présence et à celle de Radha : les danses appelées *rasa lila* mettent en scène l'union du « bouvier divin » et de sa bergère bien-aimée. Cette légende a donné naissance à l'atmosphère de ferveur qui caractérise le Brajbhumi.

On peut voir à Vrindavan le siège de l'opulente « Association internationale pour la conscience de Krishna », fondée dans les années 60, qui a bâti 140 temples à travers le monde, dont 40 aux États-Unis. Ses fidèles font des processions en psalmodiant le mantra « *Hare Krishna, Hare Rama* ». Ils viennent d'élever un luxueux mausolée pour son fondateur, mort en 1977. De très nombreuses sectes et sous-sectes vishnouistes vivent également dans la région, comme celle des Nimbarka, qui sont reconnaissables aux deux traits verticaux et au point noir dessinés sur leur front.

## Vrindavan, une forêt sacrée

Contrairement à d'autres lieux de pèlerinage hindous, Vrindavan, à 10 km au nord de Mathura, était à l'origine une forêt et non une ville. Son nom signifie en effet « forêt de basilic ». Presque tous les hindous font pousser chez eux cette plante, à laquelle ils rendent quotidiennement hommage et qui est censée apporter la paix au corps comme à l'esprit.

Vrindavan était encore une forêt lorsque Chaitanya (1486-1533), un grand saint du Bengale et l'un des principaux diffuseurs du culte de Krishna, s'y rendit avec plusieurs de ses disciples et leur donna l'ordre d'y bâtir des temples. Chaitanya était un réformateur qui admettait toutes les confessions et toutes les castes. Il appartient à un grand courant religieux qu'on appelle en Inde *bhakta* (dévotion) et qui privilégie cette forme de piété, les deux autres étant la connais sance (*jnana*) et l'action (*karma*). Il composa de nombreux mantras chantés et est à l'origine des sectes regroupées sous le nom de « Fous de Dieu ». Deux de ses disciples, Sanatana et Rupa, ont construit le premier temple, dont il ne subsiste aucune trace, et sont devenus par la suite prêtres du temple de Govinda Deva. C'est eux qui composèrent les *rasa lila*.

L'empereur Akbar, remarquable par son éclectisme religieux, contribua également au développement de la ville. On sait que sa religion personnelle se voulait une synthèse d'islam, d'hindouisme, de jaïnisme, de bouddhisme et de christianisme. Il vint à Vrindavan pour rencontrer le saint Haridas qui avait été le gourou de son plus célèbre musicien de cour, Tansen. A cette occasion, on décida de la construction de quatre temples, dont celui de Govinda Deva. S'il n'y a plus de forêts à Vrindavan, il reste des milliers de sanctuaires, mais les plus anciens ont disparu, rasés par des souverains musulmans moins tolérants qu'Akbar.

Le **temple de Govinda Deva**, détruit par Sikandar Lodi et reconstruit par Man Singh d'Amber en 1590, comprenait sept étages. Aurangzeb en fit raser quatre, au XVII$^{e}$ siècle, et on emporta la statue du

*Temple à Krishna, dans une maison de Vrindavan.*

# LE MUSÉE DE MATHURA

Le musée d'État possède une collection unique d'œuvres de l'école de Mathura, qui fut florissante dans cette région il y a environ 2 000 ans et joua un rôle fondamental dans le développement de l'art indien. Les pièces les plus prestigieuses sont des œuvres d'art populaire et des sculptures archaïques d'inspiration jaïn et bouddhiste.

Il existe peu de témoignages sur cette civilisation bouddhiste. En 1837, des découvertes fortuites lors de travaux de construction attirèrent l'attention de l'administration coloniale. Alexander Cunningham, le premier directeur de l'Institut d'archéologie de l'Inde, entreprit des fouilles qui aboutirent à d'importantes découvertes. En 1874, F. S. Growse, un administrateur érudit, décidait d'endiguer l'hémorragie des trésors de l'art indien à destination de la Grande-Bretagne en fondant un musée à Mathura.

La collection est centrée sur les terres cuites et les sculptures en grès. Les premières révèlent plus clairement l'évolution de la sculpture dans cette région. Les premières déesses mères du IV^e siècle av. J.-C. étaient simplement modelées en pinçant la terre et leurs ornements façonnés au poinçon, tandis que les œuvres des périodes sunga et kamadeva (II^e et I^er siècle av. J.-C.) sont savamment moulées. Ce savoir-faire évolua encore lorsque les artistes commencèrent à privilégier le grès, comme on peut le constater en regardant les superbes productions de la période kartikeya (IV^e siècle).

Le musée est célèbre pour ses sculptures en grès, de l'école de Mathura. Peu après la naissance du bouddhisme (VI^e siècle av. J.-C.), la ville devint un centre de culture prestigieux et un creuset dans lequel les traditions artistiques locales et étrangères fusionnèrent pour produire un style unique, notamment durant les périodes **kushana**, du I^er au III^e siècle, et **gupta** (IV^e-V^e siècles). L'art kushana de Mathura différait fondamentalement de celui du Gandhara, dans le nord-ouest de l'Inde, où l'influence étrangère, notamment hellénistique, était beaucoup plus présente. L'école de Mathura était un prolongement des traditions indiennes de Bharhut et de Sanchi. Les représentations du Bouddha ont des visages ronds, des lèvres pleines et des robes monastiques, très différents de ceux des Bouddhas « apolloniens » de Gandhara. On admirera également dans les sculptures de *yakshi* (nymphes des forêts) l'éventail des traditions esthétiques locales, en particulier la triple flexion (*tribhanga*) caractéristique de l'art indien.

L'école de Mathura est à l'origine de deux innovations majeures. Elle réalisa une fusion entre les arts populaires archaïques et l'art de cour, basé sur la tradition iranienne et indo-bactrienne de l'élite au pouvoir. Cette fusion suscita dans les arts bouddhique et hindou de nouvelles représentations iconographiques qui s'étendirent par la suite à toute la statuaire indienne. Par ailleurs, elle remplaça le culte symbolique du Bouddha par sa représentation humaine, un changement qui opéra une révolution dans l'art indien.

Cette évolution atteignit son apogée pendant la période gupta, de 325 à 600. La salle qui lui est consacrée renferme un admirable Bouddha debout, vêtu d'une draperie fine, au visage empreint d'une indicible sérénité. A partir du VII^e siècle, la statuaire de l'école de Mathura devint plus formelle, avec des ornements plus chargés et des compositions plus complexes, comme dans les statues de Vishnou assis et de Surya debout du X^e siècle. Avec l'essor du brahmanisme, l'art refléta de nouvelles croyances religieuses.

Curieusement, l'émergence de Krishna comme divinité locale de Mathura coïncida avec la fin de la prééminence de la statuaire, que les artistes locaux délaissèrent au profit d'autres moyens d'expression. Le musée de Mathura conserve des témoignages de la perfection classique atteinte par cet art.

*A gauche, Bouddha en grès rouge de l'école de Mathura ; ci-dessous, chants rituels dans un temple de Mathura.*

dieu à Jaipur afin de la soustraire à son fanatisme religieux (elle a été remplacée récemment). Ce sanctuaire présente un mélange remarquable de styles : la coupole est musulmane mais l'architecture rappelle celle des temples du Sud par la présence d'un *mandapa*, grande salle à piliers sculptés.

Le **temple de Radha Raman** abrite une statue de Krishna qui échappa à la fureur iconoclaste d'Aurangzeb grâce à sa petite taille (30 cm de hauteur). Parmi les principaux temples de la ville, on mentionnera le temple de **Radha Balabh**, construit au XVIIe siècle, ainsi que ceux de **Rangaji** et de **Shahji**, qui datent de la fin du XIXe siècle. Rangaji est un étonnant mélange d'architecture traditionnelle du Sud et de Renaissance italienne : à côté d'une colonnade florentine s'élève un *gopura*, haute tour pyramidale entièrement sculptée. A l'entrée, on peut s'initier à la geste de Krishna grâce à un système de marionnettes électroniques. Dans tous ces temples, les non-hindous ne sont pas admis dans la dernière enceinte.

Vrindavan ne compte que 40 000 habitants, mais ce chiffre peut doubler ou même tripler avec l'arrivée des touristes et des pèlerins. Les adorateurs de Vishnou viennent y finir leurs jours, notamment les veuves. On croit en effet qu'en mourant à Vrindavan, on échappera au cycle des réincarnations. La ville abrite plusieurs maisons d'accueil pour les pèlerins (*dharamsala*) et des demeures pour les veuves, fondées et entretenues par de riches et pieux marchands de la région.

Vrindavan surplombait autrefois la Yamuna, où les fidèles viennent se baigner, mais le fleuve s'en est écarté. Une trentaine de *ghat* (escaliers) descendent vers la rive, sur une longueur de 2,5 km. Les *ghat* de Kesi et de Pandawala, au nord-est de la ville, sont bordés de très beaux palais de style jat.

## Mathura

**Mathura** est une ville de 250 000 habitants. Sa grande raffinerie de pétrole et les industries voisines ont attiré beaucoup

d'habitants d'autres États de l'Inde et la population est assez hétérogène. Néanmoins, la vie se déroule toujours au rythme des rituels religieux et des festivals.

L'actuelle Mathura est une ville relativement jeune. Après le passage dévastateur de Muhammad de Ghazni, la cité fut de nouveau pillée par Nadir Shah en 1739 et par Ahmad Shah en 1757. Les édifices que l'on peut y voir datent des souverains marathes et jats de Bharatpur. La ville s'aligne le long du fleuve, large à cet endroit de plus de 300 m, vers lequel descendent les *ghat*. Contrairement aux escaliers désertés de Vrindavan, ceux de Mathura sont demeurés très vivants. Un dédale de marches mène aux temples, aux magasins, aux *dharamsala* et aux arbres saints. Les pèlerins et les habitants vont et viennent au milieu des vaches sacrées, des singes et des tourterelles.

L'endroit plus fréquenté de la ville s'étend entre **Vishram Ghat** et **Sati Burj**, une haute tour en brique, elle aussi démolie par Aurangzeb et reconstruite depuis. Elle avait été élevée en 1527 par le radjah de Jaipur pour commémorer le *sati* de sa mère, qui s'immola sur le bûcher de son défunt époux selon la coutume hindoue, aujourd'hui interdite. Au lever du soleil, des bateaux permettent aux pèlerins et aux visiteurs de longer les *ghat*, comme à Bénarès. Les corps sont exposés à Vishram Ghat avant d'être emportés vers les sites de crémation, au sud du pont. Le soir, les brahmanes font l'offrande du feu en lançant sur la Yamuna des esquifs miniatures portant des bougies.

Le **temple de Dwarkanath**, le plus important de Mathura, construit en 1814 par le maharadjah de Gwalior, commémore le séjour de Krishna à Dwarka. Vers 10 h du matin, les fidèles viennent y déposer leurs offrandes (*puja*) et on dévoile devant eux la statue de Krishna.

A l'emplacement de Jama Masjid, au centre de la ville, se trouvait le **temple de Kesava Deo**, démoli par Aurangzeb. Ce lieu particulièrement sacré marquait le site de la prison de Kamsha, où Krishna serait né. Tavernier, qui le visita en 1650, le considérait comme l'un des édifices les

*Les* ghat *de Vrindavan inondés au moment de la mousson.*

plus somptueux de l'Inde. A l'extrémité de Swami Ghat s'élèvent les ruines de la **forteresse de Kans Qila**, construite par Man Singh d'Amber. Jai Singh II y avait fait aménager l'un de ses cinq observatoires astronomiques, aujourd'hui disparu.

On peut voir aussi le temple moderne de Gitâ Mandir, bâti par la riche famille Birla. Il renferme une colonne, la *Gitâ Stambh*, sur laquelle est transcrite tout le *Bhagavad Gitâ*. Mais on vient surtout à Mathura pour assister à l'un de ses nombreux festivals.

*Ci-dessous, bain rituel au pied d'un* ghat *de Mathura. Page suivante, les portes d'argent du temple d'Amber.*

## Pèlerinages et festivals

Les pèlerins affluent toute l'année à Mathura et Vrindavan pour entreprendre la visite rituelle des lieux saints (*parikrama*). Le *parikrama* peut se réduire à quelques temples importants ou s'étendre à toute la région de Brajbhumi, un circuit qui dure plusieurs jours. Les fidèles commencent et finissent généralement leur pèlerinage par un bain rituel à Vishram Ghat. Néanmoins, bien que ce bain soit perçu comme une purification, de nombreux fidèles l'évitent en fin de pèlerinage en croyant qu'il pourrait les laver du mérite acquis durant le *parikrama*.

Les festivals de Mathura et de Vrindavan sont si nombreux que la vie des habitants apparaît comme une longue suite de célébrations. Il serait vraiment dommage de ne pas assister à l'une des fêtes les plus célèbres.

Certaines dates rituelles, comme le *Poornima* (jour de pleine lune) et l'*Ekadasi* (onzième jour du cycle lunaire), considérées comme favorables, attirent particulièrement la foule tout au long de l'année. Les festivals majeurs se déroulent à la pleine lune de certains mois. Il faut citer le festival de Holi, en février-mars, le festival de chars de Sri Ranji, en mars-avril, et le festival de Janmashtami, qui célèbre l'anniversaire de Krishna, en août-septembre.

Célébration du printemps, le **festival de Holi** est une sorte de saturnale pendant laquelle les gens chantent et dansent en s'aspergeant d'eau colorée, généralement rose. Dans le Brajbhumi, la mort de l'hiver signifie également la destruction des démons par Krishna enfant. On célèbre cet événement par des processions, des feux d'artifice et un bain rituel dans la Yamuna. Chacun revêt ses plus beaux atours et même les vaches sont décorées. Les rôles sont inversés et les femmes ont le droit de faire la cour aux hommes ce jour-là. Barsana, la ville natale de Radha, est le théâtre de combats simulés entre les hommes du village voisin de Nandgaon et les femmes de Barsana. Cette lutte est généralement accompagnée de poèmes grivois.

Lors du **festival de Janmashtami**, les fidèles entreprennent des *parikramas* et on joue des *rasa lila*, drames religieux qui mettent en scène les épisodes les plus célèbres de la vie de Krishna. Le cycle entier des représentations s'étend sur plus d'un mois et chaque scène est jouée sur le lieu d'origine mentionné dans la légende.

A la différence des autres *tirtha*, on ne vient pas à Mathura et Vrindavan pour faciliter son voyage vers l'autre monde mais plutôt pour trouver la paix dans celui-ci en communiant dans une atmosphère de foi extatique. C'est peut-être là le testament de Krishna.

# INFORMATIONS PRATIQUES

## PRÉPARATIFS ET FORMALITÉS DE DÉPART

### PASSEPORT ET VISA

Pour se rendre en Inde, il faut avoir un passeport valide six mois après la date de retour. Un visa est également nécessaire : il est délivré dans les ambassades ou les consulats. Il est recommandé, si on souhaite visiter des pays voisins au cours du séjour, de se procurer un visa à entrées multiples, dont le prix est un peu plus élevé.

Les visas touristiques sont valables six mois et permettent un séjour de 3 mois. Les demandes de prolongation doivent être présentées au Foreigner's Registration Office de New Delhi (*Hans Bhavan, Indraprastha Estate, tél. 331 9489* ou *331 8179*). Les voyages d'affaires font l'objet de visas à entrées multiples, valables 90 jours, pendant une période d'un an.

Il est interdit aux ressortissants de pays étrangers de s'approcher à plus de 50 km de la frontière. La seule exception à cette règle est la ville de Jaisalmer, au Rajasthan. On obtiendra une autorisation écrite auprès de la police ou du District Collector.

### AMBASSADES DE L'INDE

- **France**
*15, rue Alfred-Dehodencq, 75016 Paris*
*tél. (1) 40 50 70 70*
Consulat
*20-22, rue Albériq-Magnard, 75016 Paris*
*tél. (1) 40 50 71 71*

- **Belgique**
*Chaussée de Vleuagat, 217, 1050 Bruxelles*
*tél. (2) 640 9140*

- **Suisse**
*Effingerstrasse, 45, CH-3008 Berne*
*tél. (31) 26 3111*

- **Canada**
*Springfield Road 10, Ottawa KIM IC9*
*tél. (613) 744 3751*

### OFFICES DE TOURISME

- **France**
*8, boulevard de la Madeleine, 75009 Paris*
*tél. (1) 42 65 83 86*

- **Belgique**
*S'adresser à l'ambassade de l'Inde à Bruxelles*

- **Suisse**
*1 rue Chantepoulet, 1201, Genève*
*tél. (22) 732 18 13*

- **Canada**
*Royal Trust Tower, Suite 1016, Toronto*
*tél. (416) 962 37 87*

### SANTÉ

Les voyageurs venant d'Afrique et d'Amérique du Sud doivent se munir d'un certificat de vaccination contre la fièvre jaune. Aucun autre vaccin n'est exigé, mais certains sont conseillés : choléra, typhoïde, tétanos, poliomyélite, hépatites A et B. Consulter son médecin pour le traitement antipaludéen.

Il est recommandé d'emporter une trousse médicale personnelle pour les maladies mineures. Elle doit contenir des médicaments antidiarrhéiques, des antibiotiques, de l'aspirine, du collyre et des médicaments contre les infections de la gorge et les allergies. Il faut ajouter des bandages, de la crème antiseptique, des produits contre les piqûres d'insectes et des crèmes solaires. Si on craint la déshydratation, on peut emporter des tablettes de sel. Une poudre que l'on peut acheter sur place, *Vijay Electrolyte*, contenant des sels et de la dextrose, est un additif idéal à l'eau, en été ou en cas de diarrhée.

Moyennant quelques précautions, on peut éviter le «*Delhi Belly*» (ou *tourista*), en prenant un repas léger le jour de l'arrivée : des plats végétariens, un *thali* d'Inde du Sud et des fruits par exemple. La plupart des maux d'estomac proviennent d'un excès de viande, souvent cuite avec d'importantes quantités d'huile et d'épices. Le corps doit s'habituer à ce régime nouveau.

Il vaut mieux éviter les aliments crus tels que les salades et les fruits pelés et découpés. La nourriture doit être bien cuite et mangée chaude. Il faut boire beaucoup d'eau, mais jamais d'eau non bouillie ou non purifiée. L'eau ordinaire contient toutes sortes de microbes contre lesquels les Indiens sont immunisés, à la différence des étrangers. En cas de doute, mieux vaut s'en tenir à l'eau minérale, au thé, au soda ou aux boissons gazeuses. Les jus de fruits vendus en bouteilles et en packs sont de bons substituts à l'eau potable. Dans les petites villes, il faut éviter la glace, car elle est souvent fabriquée à partir d'eau non bouillie. On peut boire de l'eau sans danger dans les bons hôtels.

### CLIMAT

Le climat de la région comprise entre Delhi, Jaipur et Agra est assez uniforme. Les étés sont en moyenne chauds et secs et les hivers froids et secs. L'écart de température annuel est élevé, de 7° en janvier à plus de 43° en mai ou juin. En juillet et août, la seule période humide de l'année, les pluies de mousson apportent un répit à la chaleur torride. La meilleure période pour visiter les trois villes se situe entre septembre et mars. Voici les températures moyennes à Delhi, Jaipur et Agra :

Septembre : 27 °C
Octobre : 26 °C
Novembre : 21 °C
Décembre : 16 °C
Janvier : 14,5 °C
Février : 18 °C
Mars : 24 °C

### CE QU'IL FAUT EMPORTER

En hiver, dans le nord de l'Inde, les écarts de température entre le jour et la nuit peuvent être élevés : il faut donc prévoir un pull et une veste ou un anorak léger. Pour l'été, on choisira des vêtements en coton ou en soie. Les tenues décontractées en fibres naturelles sont bon marché en Inde, si bien qu'il n'est pas nécessaire d'emporter plus que le strict minimum. Pour les femmes, les bermudas sont préférables aux shorts ; éviter les minijupes, les débardeurs et les grands décolletés. Les espadrilles et les sandales sont les chaussures les plus pratiques, car il faut se déchausser pour entrer dans les temples.

Si l'on s'écarte un peu des principales villes et sites de villégiature, il vaut mieux emporter des cadenas, une trousse à couture et une lampe de poche. Un chapeau et des lunettes de soleil sont indispensables. Les serviettes de bain sont également utiles dans les petits hôtels qui, généralement, ne les fournissent pas.

### MONNAIE

La roupie indienne est basée sur le système décimal, 100 *paise* équivalant à une roupie. Les pièces de monnaie sont de 5, 10, 20, 25, et 50 *paise*. On utilise également des pièces de 1, 2 et 5 roupies. Les billets sont de 1, 2, 5, 10, 20, 50, 100 et 500 roupies. Bien que beaucoup de billets soient en mauvais état, ceux qui sont déchirés ne sont pas acceptés. En 1995, 1 FF = 6 roupies.

Les cartes de crédit les plus courantes sont acceptées dans la plupart des hôtels et dans certains restaurants et magasins. Bien que les chèques de voyage et l'argent liquide permettent d'obtenir un taux de change plus avantageux (mais illégal) dans les petits établissements, il vaut mieux s'adresser aux banques et aux bureaux de change officiels. Il peut être difficile d'encaisser les chèques de voyage et il est conseillé de changer suffisamment d'argent pour plusieurs jours, si possible en petites coupures.

Il est important de garder à l'esprit les règles diverses qui président à l'usage du change de devises étrangères. Tous les encaissements de chèques de voyage doivent être inscrits sur le formulaire de déclaration de devises ou sur les reçus que l'on conservera, car les notes d'hôtel, les billets d'avion et autres dépenses du même genre ne peuvent être réglées qu'en devises locales faute de preuve de change légal.

Les certificats d'encaissement sont également nécessaires pour changer les roupies indiennes avant de partir. Ceux qui font un séjour de plus de 90 jours devront produire des attestations d'encaissement de chèques de voyage et de devises pour être exemptés de la taxe sur le revenu et pour prouver qu'ils ont suffi à leurs besoins.

### DÉCALAGE HORAIRE

Malgré sa taille, l'Inde a adopté une heure uniforme sur l'ensemble du subcontinent. L'heure locale avance de 5 heures 30 sur le méridien de Greenwich, en hiver (4 heures 30 en été). Lorsqu'il est midi à Paris, Bruxelles et Genève, il est 17 h 30 à Delhi, mais 1 h 30 à Montréal (-10 h 30).

### LANGUES PARLÉES

Il y a en Inde 15 langues officielles (dont 13 figurent sur les roupies), chaque État ayant choisi une langue prédominante pour l'administration et l'éducation. Dans le Nord, à Delhi et Agra, l'hindi et l'anglais sont les langues les plus répandues. Au Rajasthan, on parle aussi le rajasthani, qui regroupe de nombreux dialectes. L'anglais est parlé partout dans les villes mais rarement dans les villages.

### RELIGIONS

L'Inde a vu naître deux grandes religions : le bouddhisme et l'hindouisme, auxquelles il faut ajouter les religions parsi, jaïn et sikh. On y trouve 80 % d'hindouistes, 11 % de musulmans, 2% de sikhs, 1 % de bouddhistes, 4 millions de jaïns, 150 000 parsis et 16 millions de chrétiens.

## SE RENDRE EN INDE

### EN AVION

La plupart des visiteurs arrivent en Inde par avion. Le pays possède quatre aéroports internationaux à Delhi, Bombay, Calcutta et Madras, mais l'Indira Gandhi International Airport de Delhi est assurément la meilleure voie d'accès au triangle Delhi-Agra-Jaipur.

Étape aérienne importante entre l'Europe et l'Asie, Delhi est desservie par des vols à destination du monde entier. La plupart des vols long-courriers arrivent malheureusement entre minuit et 6 h du matin, apparemment pour se conformer aux règlements d'atterrissage des villes d'Europe et d'Extrême-Orient. Il est donc important de réserver une chambre d'hôtel, au moins pour la première nuit.

**Principales compagnies desservant l'Inde**

**Air India**
*1, rue Auber, 75009 Paris*
*tél. (1) 42 68 40 10*

**Air France**
*119, av. des Champs-Élysées, 75008 Paris*
*tél. (1) 44 08 22 22*

**British Airways**
*12, rue de Castiglione, 75001 Paris*
*tél. (1) 47 78 14 14*

**Emirates**
*38, avenue des Champs-Élysées, 75008 Paris*
*tél. (1) 44 95 95 44.*

**KLM**
*36, avenue de l'Opéra, 75002 Paris*
*tél: (1) 44 56 18 90*

**Lufthansa**
*21-23, rue Royale, 75008 Paris*
*tél. (1) 42 65 37 35*

### EN BATEAU

Quelques navires de croisière tels que le *Queen Elizabeth II* de la compagnie Cunard font escale en Inde, mais ce pays ne fait pas partie des destinations régulières de croisières. Certains cargos prennent des passagers et offrent d'excellentes conditions de confort.

### EN VOITURE

La « route des hippies » à travers la Turquie, l'Iran, l'Afghanistan et le Pakistan a été abandonnée ces derniers temps, en raison de l'insécurité qui règne dans ces régions. La frontière avec le Pakistan n'est ouverte qu'à Wagah, à l'ouest d'Amritsar, au Pendjab. L'entrée par le Népal se fait à Bairwa, Birgani-Raxaul et Kakarbitta-Naxalbari.

## À L'ARRIVÉE

### DOUANE

Les aéroports nationaux et internationaux ont tous des guichets spéciaux pour les étrangers. Les touristes ont rarement des problèmes. De temps en temps, les douaniers peuvent demander à inspecter une valise et le font rapidement. Parmi les articles prohibés : certains médicaments, les plantes, les pièces de monnaie et les lingots en or et en argent. Pour les armes à feu, il faut se faire délivrer un permis valable 6 mois dans les consulats indiens à l'étranger ou chez un District Magistrate à l'arrivée. Pour plus de détails, s'informer auprès des autorités compétentes. A Delhi, tous les bagages passent aux rayons X.

Le plafond des importations hors taxes est fixé à 200 cigarettes ou 50 cigares, 0,95 litre d'alcool, un appareil photographique avec 20 rouleaux de pellicule, une caméra vidéo avec 12 films et une quantité raisonnable d'effets tels que des jumelles, une machine à écrire portative, des magnétophones, etc. L'équipement professionnel et les articles de grande valeur doivent être déclarés ou signalés sur un formulaire à l'arrivée, ce qui équivaut à un engagement écrit de les remporter. Le formulaire et les articles doivent être présentés au départ.

Les formalités sont souvent longues, à l'arrivée comme au départ, c'est pourquoi il faut prévoir du temps pour les remplir. Pour les bagages perdus par la compagnie aérienne, ne pas oublier de se procurer un certificat d'atterrissage à la douane.

Pour éviter les problèmes de dernière minute avant un départ, rappelons que l'exportation d'antiquités de plus de 100 ans, de produits animaux, de bijoux valant plus de 2000 roupies pour l'or et plus de 10000 pour les autres matériaux est interdite. En cas de doute sur l'âge d'objets anciens, contacter le Director Antiquities, Archaeological Survey of India, *Janpath, New Delhi, tél. 301-7220.*

Pour des sommes en liquide supérieures à 1 000 dollars, il faut remplir un formulaire de déclaration de devises à l'arrivée.

### A L'AÉROPORT

Après les formalités de douane à l'arrivée, on est souvent assailli par les porteurs, les chauffeurs de taxis et les rabatteurs d'hôtels. Dans ce cas, il vaut mieux choisir un porteur et s'y tenir. Les porteurs sont payés à un prix fixe par bagage avant de quitter le terminal : un pourboire de 10 roupies est suffisant une fois que les bagages sont dans le bus ou le taxi. On peut changer de l'argent dans la salle d'arrivée pour prendre un taxi ou un bus.

Delhi emploie des taxis « prépayés » pour emmener les passagers en ville. Ce système empêche les chauffeurs peu scrupuleux de gonfler la note ou de prendre une route plus longue. A Jaipur et à Agra, se renseigner au service des informations sur le prix de la course et s'assurer que le compteur du taxi est à zéro avant de partir. En fonction des accords sur les tarifs syndicaux, certains taxis peuvent avoir des tableaux de prix correspondant aux montants du compteur. Pour les courses de nuit, on paie généralement un supplément de 10 % entre 23 h et 6 h du matin et un supplément de quelques roupies par bagage.

Certains grands hôtels ont des navettes et l'aéroport de Delhi est desservi par des bus publics EATS (*Ex-Serviceman's Transport Service*) qui s'arrêtent aux principaux hôtels et à divers endroits sur la route vers le centre-ville. L'aéroport est à 21 km de la ville.

### POUR LE RETOUR

Ne pas oublier de reconfirmer les réservations pour le retour bien à l'avance afin d'éviter tout problème de dernière minute. Les contrôles de sécurité peuvent être intensifs et longs, si bien qu'il faut prévoir deux heures pour l'enregistrement. Ceux qui partent pour l'Afghanistan, le Bangladesh, le Bhoutan, la Birmanie, les Maldives, le Népal, le Pakistan et le Sri Lanka auront à payer une taxe d'aéroport de 150 roupies par personne ; pour toutes les autres destinations, elle est de 300 roupies par personne. Il faut s'assurer que les références du vol figurent sur le reçu des taxes. Ceux qui ont des permis d'entrée doivent se procurer les formulaires de sortie au bureau dans lequel ils ont été enregistrés.

Si un séjour excède 90 jours, il faut demander un certificat d'exemption de la taxe à la section étrangère de l'Income Tax Department de New Delhi.

## À SAVOIR SUR PLACE

### POIDS ET MESURES

Le système métrique est utilisé dans toute l'Inde pour les poids et mesures. Les métaux précieux, notamment l'or, se vendent souvent sur la base du *tola* traditionnel, qui équivaut à 11,5 grammes. Les pierres précieuses sont estimées en carats (0,2 gramme). Les chiffres élevés sont souvent exprimés en *lakh*, l'équivalent de 100000, et en *crore*, soit cent *lakh* ou dix millions.

### VOLTAGE

Le courant électrique est de 220 volts, mais les prises sont de type américain. La plupart des hôtels importants fournissent des adaptateurs : s'informer en arrivant à la réception. Dans les petites villes du Rajasthan, il peut y avoir des coupures de courant : prévoir une lampe de poche.

### HEURES D'OUVERTURE

Les bureaux de l'administration à Delhi et Agra sont ouverts du lundi au vendredi de 10 h à 17 h. Dans le Rajasthan, ils sont ouverts également un samedi sur deux.

Les bureaux de poste sont ouverts de 10 h à 16 h 30 en semaine et jusqu'à midi le samedi. Dans la plupart des grandes villes, le bureau de poste central est ouvert jusqu'à 18 h 30 en semaine et 16 h 30 le samedi. Certains sont ouverts le dimanche jusqu'à midi. Néanmoins, certains guichets ferment plus tôt. Les bureaux de télégraphe sont ouverts en permanence.

Les magasins sont généralement ouverts de 10 h à 19 h. Certains ferment pendant l'heure du déjeuner. Bien que le dimanche soit le jour officiel de congé, les magasins sont ouverts dans certains quartiers des grandes villes. La plupart des restaurants restent ouverts jusqu'à 23 h et certaines boîtes de nuit ferment beaucoup plus tard. Les bars des hôtels sont souvent ouverts en permanence.

La plupart des banques (indiennes et étrangères) sont ouvertes de 10 h à 14 h du lundi au vendredi et le samedi jusqu'à midi. Certaines banques ont des succursales ouvertes en soirée et d'autres restent ouvertes le dimanche. Quelques-unes sont équipées de distributeurs automatiques d'argent liquide. Toutes sont fermées les jours fériés ainsi que le 30 juin et le 31 décembre.

### JOURS FÉRIÉS

Communauté multiconfessionnelle, l'Inde ne manque pas de jours fériés. Les fêtes religieuses, qui suivent le calendrier lunaire, sont variables (les offices de tourisme publient chaque année les dates des fêtes lunaires).

Jour de la République : 26 janvier
Fête des Cerfs-volants : 14 février
Shivarati : février-mars (fête shivaïste)
Holi : février-mars (nouvel an hindou)
Vendredi saint : variable
Mahavir Jayanti : mars-avril (fête jaïn)
Buddha Purnima : mai-juin (fête bouddhiste)
Janmashtami : août-septembre (fête de Krishna)
Jour de l'Indépendance : 15 août
Dussehra : septembre/octobre
Anniversaire du Mahatma Gandhi : 2 octobre
Diwali : septembre/octobre
Guru Nanak Jayanti : novembre (fête sikh)
Noël : 25 décembre

### FÊTES NATIONALES

L'Inde offre une grande diversité de fêtes et de festivals. Certains sont célébrés dans tout le pays, d'autres sont des fêtes locales hautes en couleur. Dans la région assez peu étendue du triangle Delhi-Agra-Jaipur, on peut assister à un nombre étonnant de festivals.

La parade du **Jour de la République**, célébrée le 26 janvier, est un événement majeur où sont représentées toutes les cultures de l'Inde. Des versions plus réduites de cette célébration se déroulent dans la plupart des grandes villes, mais on peut regarder la retransmission télévisée de cette parade à New Delhi, sur l'avenue impériale de Raj Path. Elle commence par un défilé militaire comprenant des corps de cavalerie et de chameaux, des chars de procession de toutes les régions de l'Inde, des troupes de danseurs folkloriques et des reconstitutions d'événements historiques. Les appareils photographiques et les valises sont interdits. On peut s'informer sur les réservations de billets à l'office national du tourisme. Les plus grands hôtels organisent des fêtes durant cette semaine.

**Holi**, sorte de carnaval de printemps, est le festival le plus coloré et le plus exubérant de tous. On le célèbre par des danses, des chants et beaucoup de bruit. On allume des feux de joie et on se jette des poudres et de l'eau colorée contenue dans des seringues et des ballons. Si on veut se joindre aux festivités, il vaut mieux porter des vêtements dont on pourra se défaire ensuite.

**Dussehra** est une fête hindoue célébrant la destruction du méchant roi Ravana par le dieu Rama. Elle dure dix jours et se compose de représentations théâtrales et de concerts retraçant la vie et les aventures de Rama, tirées de l'épopée du *Ramayana*. Le dixième jour, une procession se rend sur le site de la fête, où l'on brûle des effigies géantes de Ravana, de son frère et de son fils, remplies de pétards. Dussehra est célébrée en septembre-octobre, en fonction du calendrier lunaire.

Le festival de **Diwali** (fête des Lumières), qui correspond au nouvel an hindou, commémore le retour triomphal de Rama dans sa capitale Ayodhya. C'est aussi la fête de Lakshmi, la déesse de la Prospérité. Célébré dans toute l'Inde, c'est l'un des festivals les plus gais. Les immeubles sont illuminés de lampes à huile (*diya*), de bougies et d'ampoules électriques et les pétards explosent dans toutes les villes pendant cinq jours. De nombreux hôtels organisent des fêtes (*mela*) à cette occasion.

### FÊTES LOCALES

**• Delhi**

**Sonnerie de la retraite** : 29 janvier à New Delhi. Parades et fanfares, illuminations et feu d'artifice
**Surajkund Crafts Mela** est la fête des artisans et des artistes de toute l'Inde. Elle se déroule en février pendant une semaine, à Surajkund, un site de pique-nique près de Delhi, au bord d'un lac.
**Festival de musique ourdou Tansen**, février
**Festival de Dhrupad** (musique classique) en février

**Festival de Kathak** (danse de cour) en février
**Exposition florale** à Pragati Maidan en février-mars
**All India Rose Show**, Pragati Maidan en mars
**Buddha Purnima** : on célèbre en même temps l'anniversaire de la naissance, de l'illumination et de la mort au monde du Bouddha, en mai. Des prières collectives sont organisées à Ladakh Buddha Vihar, sur Bela Road.
**Gandhi Jayanti** commémore la naissance du Mahatma Gandhi, le 2 octobre. Des séances de chants et des cérémonies ont lieu à Raj Ghat et à Birla House.

**• Jaipur**

Au Rajasthan, les fêtes sont l'occasion d'activités variées telles que le polo à dos de chameau, la musique et la danse. Ces festivals se distinguent souvent de leurs équivalents dans les autres régions de l'Inde. S'informer auprès du ministère du Tourisme du Rajasthan (*Jawaharlal Nehru Marg, 100, Jaipur, tél. 74 857, 73 873* ou *69 713*). La liste qui suit détaille les principaux festivals. Tous ne se déroulent pas à Jaipur, mais il valent le détour si on en a le temps. Les dates varient d'une année à l'autre.
**Festival de l'Éléphant** : à Jaipur, en mars-avril, pendant le festival de Holi. Récemment créé et dédié au dieu Ganesh, il comprend des processions, des parties de polo entre éléphants et des courses.
**Festival de Gangaur** : fête traditionnelle du printemps dans tout le Rajasthan (mars-avril). Elle est célébrée principalement par les femmes pour commémorer l'amour du dieu Shiva et de son épouse Parvati et comporte des défilés d'éléphants et de chameaux caparaçonnés.
**Festival de Teej** : on fête le début de la mousson, en juillet-août. Nombreuses danses exécutées par des femmes.
**Foire de Pushkar** : à Pushkar, à 11 km d'Ajmer, pendant le mois de *Kartik* (octobre-novembre). Des milliers de pèlerins aux costumes colorés y affluent pour prendre un bain rituel dans le lac. Une foire de bétail, de chevaux et de chameaux a lieu pendant les quatre jours qui précèdent. On peut y voir des courses de chameaux.
**Festival de Brij** : à Bharatpur, quelques jours avant Holi. Il comprend des représentations théâtrales, les *ras lila*, qui retracent l'histoire d'amour du dieu Krishna et de la bergère Radha.
**Festival d'été du mont Abu** : il dure trois jours, du 1er au 3 juin, et comprend des spectacles de danse et des concerts de musique du Rajasthan et du Gujarat.
**Festival de Marchwar** : danses et concerts à Jodhpur pendant la pleine lune d'octobre

**• Agra**

**Sheetla** : près de Delhi Gate, entre juillet et août. Cette fête était destinée à chasser la petite vérole, aujourd'hui disparue.
**Sawan** : fête de Shiva marquée par des processions aux temples (juillet-août)
**Kailash** : dans la petite ville du même nom à 12 km d'Agra, entre août et septembre
**Janmashtami** célèbre la naissance du dieu Krishna, entre août et septembre. Des hymnes et des prières sont psalmodiés toute la nuit dans les temples, et on y danse des *ras lila.*
**Sharad Purnima** : fête dans le cadre du Taj Mahal, pendant la nuit de la pleine lune d'octobre

**• Mathura**

La ville de Mathura, entre Delhi et Agra, est célèbre pour ses nombreux festivals. Ville natale du dieu Krishna, elle fut également un important centre de culture bouddhiste. Elle est à une heure de voiture d'Agra.

Mathura célèbre **Holi** de manière légèrement différente des autres villes. Les femmes de Barsana, le village de Radha, et les hommes de Nandgaon se livrent à des combats ludiques et à des improvisations de chansons grivoises et l'eau qu'on se jette est colorée de roses véritables. A l'occasion de **Diwali**, une magnifique cérémonie de prières (*puja*) se déroule à Vishram Ghat, sur les bords du Gange, et se termine par l'offrande de milliers de lampes à huile flottantes au fleuve sacré.

## POSTES ET TÉLÉCOMMUNICATIONS

Le service de la poste est généralement efficace. Le taux d'affranchissement pour le courrier national est de 1 roupie pour une lettre de 10 grammes et de 50 *paise* supplémentaires tous les 10 grammes. Pour le courrier à l'étranger, les lettres par avion coûtent 12 roupies pour les premiers 10 grammes, et les aérogrammes 6,5 roupies.

Il est recommandé de coller soi-même les timbres sur les lettres et cartes postales et de les porter à la poste afin qu'elles soient immédiatement envoyées plutôt que de les déposer dans une boîte aux lettres. Il est souvent laborieux d'envoyer un colis à l'étranger : il faut l'envelopper dans un tissu et le sceller. Généralement, des gens assis à l'extérieur des grands bureaux de poste proposent ce service. On doit également remplir deux formulaires de douane. Une fois le colis pesé et affranchi, il faut se faire délivrer un récépissé. Les objets volumineux ou de valeur doivent toujours être signalés par écrit. De nombreux magasins proposent de poster leurs marchandises mais certains ne sont pas fiables. Il vaut mieux s'adresser aux *emporia* qui appartiennent à l'État.

Le transport par avion est possible mais également contraignant : on doit présenter la facture, le certificat d'encaissement de change, le passeport et le billet d'avion. Des agents de transport peuvent aider pour ces formalités, ainsi que les agences de voyages.

La plupart des villes ont des bureaux de poste restante. Il est important que votre nom de famille soit écrit lisiblement, en capitales. Le bureau central de New Delhi est près de Connaught Circus et celui de Old Delhi entre le Fort-Rouge et Kashmiri Gate.

Les lignes téléphoniques sont souvent très encombrées. Néanmoins, dans les grandes villes, l'implantation de lignes électroniques a beaucoup amélioré la situation. Les appels à longue distance sont directs ou branchés par un standardiste. Il est possible de demander des appels rapides mais ils coûtent huit fois plus cher que les appels ordinaires.

Les services de télex sont efficaces et à des prix raisonnables. On peut trouver des fax dans les grandes villes, mais en nombre limité. La plupart des grands hôtels en ont, ainsi que beaucoup de magasins de Delhi.

### SANTÉ ET URGENCES

Delhi possède la meilleure infrastructure médicale de l'Inde. Elle compte de nombreux hôpitaux bien équipés, parmi lesquels **All India Institute of Medical Science**, considéré comme l'un des meilleurs hôpitaux du pays.

Pour les problèmes de moindre gravité, on trouve de nombreux médecins dans toutes les villes importantes, ainsi que des cliniques et des dispensaires. Certains hôtels possèdent leur propre médecin.

### SÉCURITÉ

Delhi, Jaipur et Agra sont des villes où règne une relative sécurité. Néanmoins, il vaut mieux prendre certaines précautions. Si l'on séjourne dans un hôtel bon marché, il faut fermer systématiquement la porte à clef et surveiller attentivement ses affaires, en particulier les passeports et la monnaie, dans les aéroports, les gares aux heures d'affluence et pendant les voyages en train : la ligne de Delhi à Agra possède à cet égard une assez mauvaise réputation.

Les policiers sont souvent courtois et obligeants. Si l'on signale à la police le vol ou la perte d'effets personnels, il faut conserver une copie du rapport pour demander un remboursement à l'assurance.

### MÉDIAS

L'Inde diffuse de nombreux quotidiens en anglais et plusieurs centaines de journaux dans 80 langues différentes, qui donnent un compte-rendu complet et critique des événements internationaux.

Les quotidiens en anglais les plus renommés sont *The Indian Express*, *The Times of India*, *The Telegraph*, *The Hindoustan Times*, *The Hindu* et *The Statesman*. Il existe également deux journaux du dimanche, le *Sunday Observer* et le *Sunday Mail*, et les plus grands quotidiens ont une édition dominicale. Les principaux magazines d'information sont *India Today*, *Sunday*, *The Illustrated Weekly* et *Frontline*. On peut aussi acheter d'excellents magazines, comme *The Indian Magazine*. Les journaux étrangers arrivent à New Delhi en 24 heures.

La télévision et la radio appartiennent à l'État, bien que l'on tente actuellement d'introduire une plus grande autonomie dans ces deux médias. Elles couvrent d'immenses réseaux avec des programmes en hindi, en anglais et dans les nombreux dialectes régionaux. La compagnie de télévision Doordarshan gère deux chaînes dans les grandes villes et une chaîne dans le reste du pays. Des informations radio en anglais sont diffusées dans tout le pays à 7 h 30 et à 21 h 30. Un excellent magazine d'informations étrangères, *The World This Week*, est diffusé tous les vendredis à 22 h. Un service télétexte fonctionne également.

Akashvani ou All India Radio diffuse sur ondes courtes et moyennes, et sur FM à Delhi. Les fréquences varient, c'est pourquoi il vaut mieux se renseigner auprès de l'hôtel.

La vogue est actuellement aux magazines vidéo mensuels qui font contrepoids aux médias gouvernementaux. On peut en acheter ou en louer dans la plupart des villes. Le plus populaire est incontestablement *Newstrack*, produit par les éditeurs d'*India Today*. Il donne des informations que l'on ne pourrait jamais voir à la télévision gouvernementale.

### Services religieux

Il existe peu de villes indiennes sans temples, mosquées et églises. New Delhi possède une synagogue. Se renseigner à l'hôtel sur les institutions religieuses que l'on cherche.

### Photographie

L'Inde est un paradis pour les photographes. Il vaut mieux emporter une provision de films, car ils sont plus chers en Inde et pas toujours de bonne qualité. Il faut acquitter une taxe pour photographier à l'intérieur des monuments et dans les réserves. Partout ailleurs, on ne rencontre aucune difficulté pour prendre des photos, à condition bien sûr de se montrer courtois.

### Pourboire

Un pourboire en reconnaissance d'un service, par exemple aux guides et aux chauffeurs, est toujours apprécié (entre 100 et 150 roupies par jour). En fonction du service et du type d'établissement, le pourboire peut varier entre 10 à 15 %. Les grands hôtels ajoutent une taxe de service de 10 % à leur note et le pourboire est évidemment facultatif. Il n'est pas d'usage de donner un pourboire aux taxis et aux rickshaws, mais on peut verser 10 % de la course ou laisser la monnaie. Dans les gares et les aéroports, les porteurs demandent entre 5 et 10 roupies par bagage.

Si on a logé chez l'habitant, on peut consulter son hôte sur la possibilité de donner un pourboire à l'un de ses domestiques et sur le montant de ce pourboire.

### Mendicité

En dehors des religieux qui vivent traditionnellement d'aumônes, on ne rencontre de mendiants que dans les lieux très touristiques. Beaucoup d'Indiens réprimandent les enfants qui mendient : si on souhaite leur apporter une aide, il vaut mieux, en effet, faire des dons, même modestes, aux organismes caritatifs et dans les écoles ou encore donner en partant aux femmes de ménage de l'hôtel les vêtements et objets de toilette dont on n'a plus besoin.

## COMMENT SE DÉPLACER

### En avion

**Indian Airlines** (qu'il ne faut pas confondre avec la compagnie internationale Air India) possède l'un des plus grands réseaux nationaux du monde. Elle transporte chaque jour plus de 30 000 passagers vers 78 destinations en Inde ainsi que dans les pays asiatiques voisins. Les Airbus A300 ont une classe affaires, en revanche, les Boeing 737, les Airbus A320 et les autres avions n'ont qu'une classe économique.

Des ordinateurs reliés au réseau international abrègent les délais de réservation. Cependant, si l'on voyage pendant la saison touristique, de septembre à mars, il vaut mieux effectuer les réservations assez longtemps à l'avance car les vols sont souvent remplis. Les procédures d'enregistrement et de sécurité étant généralement longues, il est recommandé d'arriver à l'aéroport au moins une heure avant le départ.

**Indian Airlines**
*113, Gurudwara Rakabganj Rd., New Delhi*
*tél. (011) 371 57 44*
Réservations : *(011) 371 89 51*

A bord, le service est en général bon. On sert des repas et des collations mais l'alcool est réservé aux vols internationaux. Pour les vols à destination de pays voisins, l'aéroport prélève une taxe de 150 roupies. Le poids maximal de bagage autorisé est de 20 kg par passager en classe économique et de 30 kg en classe affaires. Alors que les taxes d'annulation sont très élevées pour les billets achetés localement, elle n'ont pas cours pour les vols intérieurs ou internationaux achetés en dehors du pays.

Les compagnies aériennes proposent des formules intéressantes. La carte **Discover India** est valable 21 jours sur presque tout le subcontinent : le nombre de vols est illimité mais on ne peut pas s'arrêter deux fois dans la même ville. La formule **Tour India**, valable 14 jours, comprend 6 coupons de vol. Une carte « jeunes », **Youth Fare India**, propose une réduction de 25 % aux étudiants et aux voyageurs âgés de 12 à 30 ans. Les groupes (à partir de 10 personnes) peuvent bénéficier de réductions allant jusqu'à 50 %. Le paiement doit se faire en devises ou par carte de crédit. S'informer dans une agence de voyages ou dans un bureau d'Air India.

Le gouvernement indien a autorisé la création de « taxis aériens », en réalité des lignes privées, dans tous les aéroports de l'Inde. Ces dernières n'en sont encore qu'à leurs débuts, et seules quelques-unes fonctionnent actuellement, comme ModiLuft (partenaire de la Lufthansa), East West, Jagson et Jet Airways. Comme elles s'adressent aux voyageurs les plus aisés, les prix sont de 30 % plus élevés que ceux d'Indian Airlines. L'aéroport domestique se trouve à 9 km de l'aéroport international, soit à 16 km du centre-ville : les deux sont reliés par un service de bus.

**ModiLuft**
Delhi
*tél. (011) 548 13 51* et *643 06 80*
**East West**
Delhi
*tél. (011) 329 51 21* et *372 15 10*
Jaipur
*tél. (141) 551 001* et *516 809*
**Jagson**
Delhi
*tél. (011) 329 51 26* et *372 16 93*

**• Jaipur**

L'aéroport de Jaipur est à Sanganer, à 16 km au sud de la ville, à laquelle il est relié par des bus et des taxis. Il y a au minimum un vol quotidien pour Delhi, Bombay, Agra, Udaipur, Jodhpur et parfois Jaisalmer.
**Indian Airlines**
*Mundhara Bhavan, Ajmer Road*
*tél. (141) 514 500* et *550 222*
De nombreuses compagnies aériennes internationales ont des agences à l'aéroport et en ville, notamment :
**Air India**
*Mirza Ismaïl Road*
*tél. (141) 3311 225* et *545 2050.*

**• Agra**

L'aéroport d'Agra est sur la base militaire à environ 7 km du centre-ville (taxis). Il y a au minimum un vol quotidien pour Delhi, Jaipur, Khajurao et Bénarès.
**Indian Airlines**
*Hotel Clarks Shiraz, Taj Road 54*
*tél. (562) 360 153*

En train

La compagnie ferroviaire indienne est la seconde du monde et le plus grand employeur de civils, avec 1 618 000 employés. Elle transporte chaque jour près de 11 millions de passagers dans plus de 7 000 gares, sur un réseau de 62 000 km. La plupart des locomotives sont à vapeur. Les voyages en train sont dans l'ensemble sûrs et confortables, mais parfois déroutants. Les wagons sans air conditionné peuvent être poussiéreux et inconfortables, notamment en été. Il est préférable de voyager en première classe, climatisée ou non, en couchettes ou en wagon-lit. Il est fortement recommandé de réserver.

Les trains sont assez lents. Si on est pressé, il vaut mieux voyager en express. Les prix sont généralement peu élevés. La carte **Indrail Pass**, valable de 7 à 90 jours, que l'on peut payer en devises, est d'un bon rapport qualité-prix si on veut faire un tour de l'Inde assez étendu. La carte exempte son possesseur des frais de réservation, des taxes de trains-couchettes, des suppléments sur les trains express et du prix des repas. On peut l'acheter soit dans les grandes agences de voyages, soit au Railway Central Reservation Office de Delhi (*tél. 34 4877*, *34 5080* et *34 5181)*, ainsi que dans les gares de Jaipur et d'Agra et dans les aéroports.

Avant de partir, il faut vérifier de quelle gare part le train et prévoir une heure pour trouver son siège ou sa couchette. Des listes des passagers avec les compartiments et les numéros de sièges ou de couchettes sont affichées sur les quais et devant chaque compartiment une heure avant le départ. Le chef de gare et le conducteur sont toujours prêts à aider les étrangers.

On peut commander des repas au *Coach Attendant* et dans certains trains, le prix du billet comprend les repas. Il est possible aussi d'acheter des plats chauds, du thé, du café et des boissons fraîches. Les grandes gares sont équipées de toilettes.

Le « **Palace on Wheels** », un train formé de wagons qui ont appartenu à des maharadjahs, permet de voyager dans le triangle Delhi-Agra-Jaipur, ainsi que dans d'autres parties du Rajasthan, d'une manière très luxueuse. Ce train part de Delhi tous les mercredis pour un circuit de 4 à 8 jours passant par Jaipur, Chittorgarh, Udaipur, Jaisalmer, Jodhpur, Bharatpur, Fatehpur Sikri et Agra avant de revenir à Delhi. Des visites guidées et des journées de shopping sont organisées pendant la journée. Le prix inclut la pension complète, les excursions, visites et droits d'entrée.

Pour les informations et les réservations, contacter :

**RTDC**
*Chanderlok Building, Janpath 36, New Delhi*
*tél. (011) 381 884*

Un nouveau train de luxe, « **The Royal Orient** », au départ de Delhi, parcourt en une semaine une partie du Rajasthan et du Gujarat, en passant par Chittorgarh, Udaipur, Palitana, Bhavnagar, Somnath, Ahmadabad et Jaipur.

**• Delhi**

Delhi possède deux gares principales, **Delhi Station** dans Old Delhi et **New Delhi Station** à New Delhi. Cette dernière est à proximité de Connaught Place et on peut facilement s'y rendre en bus. Le bus 6 relie les deux gares. Pour les voyageurs qui logent dans le sud de la ville, la gare de **Nizamuddin**, moins peuplée, peut s'avérer plus pratique. Néanmoins, tous les trains ne s'y arrêtent pas.

**• Jaipur**

Jaipur est reliée à Delhi par trois grands trains. Il faut compter de 6 à 8 heures de voyage. L'**Ahmadabad Mail**, un train de nuit, part de Delhi à 22 h et arrive à Jaipur à 4 h 30. Le **Pink City Express** quitte Delhi à 6 h et y retourne en fin d'après-midi. Le **Mandore Express**, un train de nuit, part de Delhi à 18 h 10. Certains trains continuent vers Alwar et Bharatpur. Le **Chetak Express** (train de nuit) relie Jaipur à Udaipur.

**• Agra**

Agra possède trois gares : **Agra Cantonment**, **Agra Fort** et **Raja-ki-Mandi**. Comme cette ville est sur la ligne Bombay-Delhi, de nombreux trains s'y arrêtent. Le trajet Delhi-Agra dure 2 ou 3 heures selon les trains. Le **Shatabdi Express**, qui part de Delhi à 6 h 15, est le plus rapide : il retourne à Delhi à 20 h 15. Le **Taj Express**, un train de luxe, quitte Delhi à 7 h et repart d'Agra à 18 h 35. Enfin, l'**Agra-Jaipur Express** fait le trajet de nuit d'Agra à Jaipur en 5 heures et continue vers Jodhpur.

### PAR LA ROUTE

**• En bus**

L'Inde possède un réseau routier étendu. La qualité des routes est variable, mais le triangle Delhi-Jaipur-Agra est doté d'un bon réseau. Les bus varient du tacot trépidant et bruyant au confortable autocar à air conditionné. Depuis peu, on y installe des écrans vidéo où l'on projette des films populaires. L'**Interstate Bus Terminal** (ISBT) est la gare routière de Delhi :
*Qudsia Marg, près de Kashmiri Gate, Old Delhi*
*tél. (011) 251 90 83*

Agra est à 198 km de Delhi par la route. Les bus DeLuxe font le trajet en 4 heures, et Agra-Jaipur en 6 heures, ce qui est plus rapide que le voyage en train. Des circuits en bus DeLuxe sont organisés par l'Indian Tourist Development Corporation et l'Uttar Pradesh State Transport Corporation. Cette dernière fait la liaison avec le **Taj Express** pour un circuit d'une journée.

Les prix des bus à air conditionné comprennent les repas, le guide et les tickets d'entrée. Les circuits incluent le fort d'Agra, Fatehpur Sikri et le Taj Mahal. La plupart des bus partent de la gare routière d'Idgah.

Des services réguliers relient Jaipur à Delhi et Agra. Les bus de luxe de **Rajasthan State Transport** (bureaux sur Connaught Place) font le trajet en 5 heures.

**• En taxi**

Des taxis à air conditionné circulent également entre les villes. Pour aller d'une ville à l'autre, on doit payer un supplément de 2 à 3 roupies par km en plaine et de 100 roupies par nuit. Les circuits organisés par les agences de voyages et les hôtels comprennent les guides et l'hôtel.

**• En voiture**

On peut louer des voitures avec chauffeur dans les grandes agences de location et la plupart des hôtels. C'est de loin la solution la plus agréable pour visiter le Rajasthan. Le véhicule le plus fréquent est l'Ambassador, version indienne de la Morris des années 50, très confortable. On trouve aussi de plus en plus de Maruti, mini-van japonais assemblé en Inde.

Depuis peu, il est possible de louer des voitures sans chauffeur. Attention : les routes secondaires sont souvent mauvaises, notamment pendant et immédiatement après les moussons ; d'autre part, il est impossible de rouler très vite (40 km/h en moyenne) car les routes sont encombrées de véhicules divers et parfois d'animaux. Il faut aussi rappeler qu'en Inde, on conduit à gauche. Enfin, à moins de connaître déjà l'Inde, on risque de se trouver confronté à un problème de langue. Une assurance au tiers est indispensable : on peut la prendre dans une compagnie indienne ou une compagnie à l'étranger qui possède un représentant en Inde. Si on souhaite obtenir des informations plus détaillées sur les conditions des routes et les formalités, s'adresser à :

**Automobile Association of Upper India**
*Lilaram Building, 14F, Connaught Circus*
*New Delhi 110001*
*tél. (011) 331 4071* et *331 2323, 4* et *5*

CIRCUITS ORGANISÉS SUR PLACE

Les organismes gouvernementaux (ITDC et offices de tourisme des différents États) ainsi que les agences de voyages organisent des visites de villes et des circuits plus étendus, englobant plusieurs sites. Les bureaux des offices de tourisme sont fermés le samedi après-midi et le dimanche.

• **Delhi**

La DTDC propose des visites de New Delhi le matin et de Old Delhi l'après-midi, dans des bus sans air conditionné.

Le circuit **Delhi by Evening**, qui fonctionne le lundi, le mercredi, le vendredi et le dimanche, comprend une cérémonie au temple de Birla et un circuit passant devant Rashtrapati Bhavan, le palais présidentiel et le Parlement, India Gate et Purana Qila (Old Fort).

Il vaut la peine d'assister au spectacle **son et lumière** (en anglais) organisé dans le Fort-Rouge. La visite dure de 6 h à 22 h.

L'ITDC organise également des visites de Delhi semblables à celles de la DTDC, mais dans des bus avec air conditionné.

**Delhi Tourism Development Corporation** (DTDC)
*N 36 Bombay Life Building, Connaught Place*
*tél. 331 3637, 4229* et *5322.*
**Government of India Tourist Office**
*Janpath, 88, New Delhi*
*tél. (011) 332 01 09* et *332 008*
Bureaux également à New Delhi Railway Station, Indira Gandhi International Airport et Domestic Airport (ouv. tous les jours de 7 h à 21 h

La **Karachi Taxi Company** organise des visites guidées de Old Delhi et de New Delhi ainsi qu'une visite nocturne, qui se font dans des conditions très confortables. Des bus à air conditionné viennent prendre les visiteurs à leur hôtel. Le prix est environ le double de celui des autres agences.

**Karachi Taxi Company**
*Janpath, 36*
*tél. 35 2389*

Si l'on veut louer un guide, il est recommandé de s'adresser à l'ITDC.

Le RTDC (office de tourisme du Rajasthan) organise au départ de Delhi de nombreux circuits comprenant Jaipur, Sariska, Bharatpur, Deeg, Chittorgarh, Udaipur, Ranakpur, Ajmer, Pushkar, Bikaner, Jaisalmer, Jodhpur, Mandawa et le mont Abu.

**RTDC**
*Janpath, 36, Chandralok Building, New Delhi*
*tél. (011) 332 23 32*

Quelques agences de voyages

**Tushita Travels**
*Hemkunt House, 505, Rajendra Place*
*tél. (11) 573 02 56*
**Tripsout Travel**
*72/7 Tolstoy Lane, Janpath, 72*
*tél. (11) 332 26 54*
**Student Travel Information**
*Imperial Hotel, Janpath*
*tél. (11) 332 47 88*
**Travel House**
*102 AVG Bhavan, M3 Block, Connaught Pl.*
*tél. (11) 332 96 09*

• **Jaipur**

L'office de tourisme et les agences de voyages proposent des guides professionnels et une visite d'une demi-journée (de 9 h à 18 h) comprenant Hawa Mahal, le City Palace, le musée, l'observatoire, le fort et le palais d'Amber, le Musée central, le fort de Nahargarh, le jardin de Sisodia Rani, le musée des Poupées et Galta. On peut aussi se rendre à la réserve de Sariska pour la journée.

**ITDC**
*State Hotel, M. I. Road*
*tél. (0141) 372 200*
**RTDC**
*Swagatam Tourist Bungalow, M. I. Road*
*tél. (0141) 70 016 et 60 586*
**Tushita Travels**
*Narain Niwas Palace Hotel*
*tél. (0141) 533 448*

On peut aussi faire des visites en taxi ou en minibus. Réservations au :

**Tourist Information Bureau**
*Railway Station Platform 1*
*tél. (0141) 69 714*

**• Agra**

Agra est une ville assez étendue : il faut donc prendre des taxis pour se rendre aux différents sites ou louer un rickshaw pour la journée. Il est possible également, si l'on emprunte le Taj Express ou le Shatabdi, d'acheter à bord des billets pour une excursion d'une journée incluant les visites guidées du Taj Mahal, du Fort-Rouge et de Fatehpur Sikri.

Attention : les caméras de 16 et de 35 mm sont absolument interdites à l'intérieur des monuments. En revanche, on a le droit d'utiliser des caméras de 8 mm sans pied. On doit demander la permission de filmer en écrivant à : Director General, Archaeological Survey of India, *Janpath, New Delhi.*

Des visites guidées d'Agra, Fatehpur Sikri et Sikandra en bus DeLuxe sont organisées également par le Government Tourist Office (*Clarks Hotel, Taj Road, tél. 750 34*) et par l'ITDC.

Pour louer un guide, s'adresser à :

**India Tourist Office** (ITDC)
*The Mall, 191*
*tél. (0562) 36 33 77*

Si on séjourne plusieurs jours à Agra, de nombreuses excursions dans les environs sont possibles. On peut se rendre en bus (1 h 30) à **Mathura**, la ville natale du dieu Krishna, à 54 km d'Agra. Attention : le temple de Dwarkadesh est fermé de 10 h 30 à 16 h et le musée d'Archéologie est fermé le lundi. Des rickshaws conduisent de Mathura à **Vrindavan**.

Dayalbagh, à 8 km d'Agra, est le quartier général de la secte religieuse Radhasoami. L'édifice le plus intéressant est le *samadhi*, un bâtiment de deux étages en marbre de couleurs variées, avec des panneaux incrustés de pierres précieuses et de nacre. Le cimetière européen est à 5 km d'Agra, sur la route de Dayalbagh. C'est probablement le plus ancien cimetière protestant d'Inde ; sa première tombe date de 1611.

Les passionnés de zoologie et d'ornithologie visiteront le **Keoladeo Ghana Bird Sanctuary** de Bharatpur, à 54 km d'Agra. C'est la réserve d'oiseaux aquatiques la plus spectaculaire d'Asie et elle accueille des oiseaux migrateurs venus de Sibérie et d'Europe du Nord. D'Agra, un service de bus régulier mène à 4 km de la réserve. La meilleure saison pour observer les oiseaux est entre octobre et janvier. Il faut se présenter au gardien pour avoir l'autorisation d'entrer dans la réserve.

A 56 km d'Agra, le **Van Wihar Wildlife Sanctuary** est une réserve de tigres, de sambars, d'ours proctiles et autres animaux. La meilleure saison pour la visiter est entre novembre et janvier.

## POUR MIEUX CONNAÎTRE DELHI, JAIPUR ET AGRA

### Gouvernement et économie

L'Union indienne regroupe 26 États et de 7 territoires avec, à sa tête, le président de la république. Mais le pouvoir effectif, de type parlementaire, repose sur le premier ministre, chef de la majorité. Les ministres sont responsables devant l'Assemblée du peuple, élue directement, et le Conseil des États, élu indirectement. Chaque État bénéficie d'une assez grande autonomie politique et législative et élit son premier ministre. La constitution répartit les pouvoirs entre le gouvernement central et les autorités fédérales.

Il y a en Inde de très nombreux partis politiques : les principaux sont le Parti du Congrès (centriste), qui reste légèrement majoritaire, le Janata Dal (centre droite), le BJP, parti nationaliste hindou, les deux partis communistes et un nouveau parti, le BSP, qui représente les hors-castes et les « castes arriérées ». Les élections ont lieu tous les 5 ans mais il est possible de devancer cette échéance. Depuis son indépendance, l'Inde a été gouvernée par la « dynastie des Gandhi » (Nehru, sa fille et son petit-fils) : l'assassinat des deux derniers a provisoirement mis fin à cet état de choses.

Depuis 1991, le premier ministre, Narasimha Rao, partisan d'une économie libérale, a réussi à gérer les crises traversées par le pays : la montée des intégrismes, les problèmes de l'Assam, du Pendjab et du Cachemire, ainsi que les scandales financiers qui avaient affaibli le Parti du Congrès. La population indienne a déjà prouvé à maintes reprises son attachement profond à la démocratie et à l'unité.

Pourvue d'une importante main-d'œuvre qualifiée et d'infrastructures de communications adaptées, l'Inde a accompli des progrès énormes depuis son indépendance. Malgré la prédominance de l'agriculture dans l'économie nationale, la part de l'industrie a considérablement augmenté, plaçant l'Inde parmi les 15 premières nations industrielles du monde. Si elle parvient à développer ou à maintenir son taux de croissance actuel (5-6 %), elle pourrait rejoindre les rangs des pays nouvellement industrialisés en l'an 2000. Cependant, le revenu annuel par habitant est encore très peu élevé (300 USD).

### Population

En 1995, l'Inde compte 900 millions d'habitants. Malgré les tentatives de contrôle des naissances, la population continue à s'accroître de 17 millions chaque année et atteindra sans doute le milliard au début du siècle prochain. La classe moyenne, qu'on estime à 180 millions, est actuellement en pleine expansion et elle a tendance à faire changer les structures traditionnelles du pays. Mais on ne peut oublier que 350 à 400 millions d'Indiens vivent en état de pauvreté extrême.

### Coutumes

Lorsqu'on visite des temples, des mosquées et des *gurudwara* (temples sikhs), il faut se déchausser devant l'entrée. Dans certains endroits, on procure aux visiteurs des chaussons à un prix symbolique et le port de chaussettes est admis. On évitera d'apporter tout objet en cuir à intérieur des temples jaïns, car cela peut être considéré comme une offense. Dans de nombreux lieux de culte, il est interdit de prendre des photographies sans autorisation préalable. Les visiteurs sont généralement bienvenus dans les temples et même parfois autorisés à assister aux cérémonies religieuses. Il faut porter des vêtements convenables et proscrire les jupes courtes, les shorts et les décolletés. Il est d'usage de verser une petite contribution au temple dans un tronc prévu à cet effet.

Le *namaste*, le salut traditionnel avec les mains jointes, est apprécié, bien que certains hommes, en particulier dans les villes, aient l'habitude de serrer la main. La plupart des femmes indiennes hésitent à serrer la main à un homme et sont souvent surprises de l'informalité des relations entre les hommes et les femmes occidentaux. Dans l'ensemble, les Indiens font preuve d'une grande tolérance vis-à-vis des étrangers et ne s'offusquent pas de leur ignorance des usages indiens. Si on est invité dans une famille où l'on mange avec les doigts, il faut cependant faire attention à n'utiliser que la main droite, la main gauche étant considérée comme impure.

Même si on est quelquefois agacé par la lenteur des services, il faut faire preuve de patience car toutes les situations finissent par s'arranger : il suffit de sourire pour que les Indiens, eux-mêmes pleins d'humour, s'ingénient alors à aider celui qui est en difficulté.

## ART ET SPECTACLES

### Musées et galeries d'art

#### • Delhi

Delhi possède d'excellents musées et des galeries d'art qui encouragent de nombreux jeunes talents. Ces musées et galeries organisent constamment des expositions temporaires. Les journaux et les hebdomadaires de Delhi (gratuits dans de nombreux hôtels) donnent les dernières informations à ce sujet.

**Principaux musées et galeries :**

**Musée national**
*Janpath 11, tél. 301 9538*
La collection de ce musée couvre toutes les régions de l'Inde et toutes les périodes depuis la grande civilisation de l'Indus. On peut y assister gratuitement à des cours d'estimation artistique.
Ouv. de 10 h à 17 h sauf lundi.
**Musée national d'Art moderne**
*Jaipur House, tél. 38 4560*
Ce musée possède une collection exhaustive d'art indien contemporain. Certaines salles sont consacrées à de grands artistes indiens tels que Rabindranath Tagore et Amrita Shergill. Le musée organise également des expositions temporaires sur les meilleures œuvres d'art étrangères venues du monde entier.
Ouv. de 10 h à 17 h sauf lundi.
**Musée Nehru**
*Teen Murti House, Teen Murti Marg*
*tél. 37 5333*

Teen Murti House était la résidence officielle de Jawaharlal Nehru. On a conservé les pièces telles qu'elles étaient restées à sa mort.
Ouv. de 10 h à 17 h sauf lundi.

**Birla House**
*Tees January Road*
Tranformée en musée, la maison où Gandhi a été assassiné est un lieu de souvenir émouvant, fréquenté par une foule silencieuse et fervente.

**Musée de l'Artisanat**
*Pragati Maidan*
Un résumé de la très riche culture artisanale de l'Inde.
Ouv. de 10 h à 18 h sauf lundi.

**Musée du Rail**
*Chanakyapuri, tél. 60 1816* et *26*
Des locomotives d'avant 1914 et de nombreux vieux carrosses et wagons-lits sont exposés sur un terrain de 4 ha.
Ouv. de 9 h 30 à 17 h 30 sauf lundi.

**Musée d'Archéologie du Fort-Rouge**
*Fort Rouge, tél. 26 7961.*
Le musée du Fort-Rouge possède une petite collection d'armes anciennes, de costumes, de peintures, de documents et de sceaux de la période moghole. Spectacle son et lumière certains soirs.
Ouv. de 9 h à 17 h sauf mercredi.

**Triveni Art Heritage**
*Triveni, Tansen Marg (près de Bengali Market)*
Cette galerie d'art organise régulièrement des expositions d'œuvres étrangères. Le sous-sol abrite un centre culturel important.

**Shridharani Gallery**
*Triveni, Tansen Marg*
Expositions variées, de l'art moderne aux spectacles en passant par l'ameublement.

**Dhuminal Art Gallery**
*Connaught Place, 8A*
Une collection excellente et très variée, vendue à des prix raisonnables.

**Garhi Village**
*Kalka Devi Road, East of Kailash*
Charmant ensemble d'ateliers d'artistes dans un quartier paisible au sud de Delhi. On peut acheter des peintures, des lithographies, des sculptures et des poteries.

**Hauz Khas Village**
Plusieurs galeries d'art dans un cadre très romantique.

### • Jaipur

**Musée Albert Hall**
*Ram Niwas Gardens*
On peut y admirer les objets les plus divers, des statues en argile en position de *yogi*, des tapis et des miniatures, des instruments de musique populaires et des objets d'art du Rajasthan.
Ouv. de 10 h à 17 h, sauf vendredi et jours fériés.

**City Palace Museum**
Le musée du palais de Jaipur possède une collection de costumes royaux, de textiles, de tapis, d'armures, de miniatures peintes et autres objets.
Ouv. de 9 h 30 à 16 h 45, sauf jours fériés.

**Palais d'Amber**
Ouv. de 9 h à 16 h 30, sauf jours fériés.

### • Agra

**Taj Mahal**
Ouv. du lever du soleil à 22 h (minuit les jours de pleine lune).
Le musée du Taj Mahal possède une collection de vestiges de la période moghole et retrace l'histoire du monument.
Ouv. de 10 h à 17 h sauf vendredi.
Les autres monuments (Fort Rouge, mausolée d'Itimad-ud-Daulah, tombeau d'Akbar à Sikandra et Fatehpur Sikri) sont ouverts du lever au coucher du soleil.

## THÉÂTRE, MUSIQUE ET DANSE

### • Delhi

La capitale de l'Inde est la ville la plus vivante sur le plan culturel. Pour les amateurs de musique et de danse indienne classiques, des spectacles et des festivals ont lieu toute l'année. Pour se renseigner sur les dates, consulter les journaux et les hebdomadaires culturels de Delhi. De nombreux hôtels organisent des spectacles pour leur clientèle.

L'Indian Council for Cultural Relation (ICCR) propose un programme hebdomadaire. Invitations gratuites à :

**ICCR**
*Azad Bhavan*
*tél. 331 9309* et *331 7367.*

### • Jaipur

En dehors de ses festivals, Jaipur est célèbre pour la danse de **kathak**. On peut voir des spectacles au théâtre **Rabindra Rangmanch**, dans les jardins de Ram Niwas. De nombreuses troupes s'y produisent.

Le théâtre du Rajasthan est un composé informel de musique et de jeu, la première étant prédominante. Beaucoup d'Indiens préfèrent cependant le théâtre de rue et les spectacles de marionnettes qui se déroulent en plein air et peuvent durer de nombreuses heures.

### Cinéma

Un **Festival national du cinéma** a lieu chaque année à Delhi, généralement vers mars ou avril. On peut y voir les meilleurs films indiens en version sous-titrée en anglais. Les cinéphiles ne doivent pas manquer cet événement. Le festival se déroule dans l'auditorium du fort de Siri et les billets s'achètent sur place.

Si on passe quelques jours à Jaipur, il faut essayer d'assister à une séance de cinéma au **Raj Mandir**, une des salles les plus étonnantes de l'Inde.

### Vie nocturne

#### • Delhi

Les hôtels de luxe de Delhi ont tous des bars ouverts de midi à une heure avancée dans la soirée. Les restaurants ne servent que de la bière. Il existe quelques discothèques où l'on peut écouter de la bonne musique occidentale :

**Number One**
*Taj Mahal Hotel* (ouv. à partir de 22 h)
**Ghungroo**
*Maurya Sheraton Hotel* (ouv. de 22 h à 3 h)
**Annabel's**
*Holiday Inn* (ouv. à partir de 22 h)
**My Kind of Place**
*Taj Palace Hotel* (ouv. de 20 h à 2 h)
**CJ's**
*Le Méridien* (ouv. à partir de 21 h)

#### • Jaipur

Les hôtels de luxe de Jaipur ont des bars ouverts de midi à 23 h au plus tard. Jaipur n'est pas renommée pour sa vie nocturne. Pourtant, on peut prendre un verre au **Polo Bar** de l'hôtel Rambagh, dans un cadre romantique.

#### • Agra

A l'exception des animations des grands hôtels, la vie nocturne d'Agra est à peu près inexistante. Les bars des hôtels de luxe sont ouverts jusqu'à 23 h environ. Certains jours sont sans alcool, lorsque les magasins qui en vendent sont fermés.

## SHOPPING

#### • Delhi

Delhi est le paradis du shopping. On y trouve une abondance de produits venant de toute l'Inde. Variés, vivants, déroutants et toujours passionnants, les bazars du vieux Delhi sont la quintessence de l'Orient. Il faut prévoir au moins une journée pour les explorer. Le marchandage est de règle. Parmi les bazars les plus renommés, on peut mentionner **Chandni Chowk** et ses magnifiques objets en argent, **Maliwara**, le royaume des bijoux et des pierres précieuses, **Dariba Kalan** pour ses saris et ses bijoux, **Chauri Bazaar**, le marché aux épices et aux fruits secs.

Pour les achats de dernière minute, le **Central Cottage Industries Emporium**, sur Janpath, est l'endroit idéal. On peut y acheter des produits artisanaux à des prix raisonnables. Au rez-de-chaussée, on trouve du linge, des tissus, des tapis, des bijoux d'argent, des fourrures, des souvenirs et des objets d'art de tous les États. Le magasin propose en particulier de bonnes reproduction de miniatures. Le rayon antiquités offre un choix intéressant, des portes en bois sculpté et des coffres dotaux, aux minuscules lampes de prière et aux boîtes à dragées. A l'étage supérieur, consacré au prêt-à-porter, les vêtements pour enfants sont d'excellente qualité, sans compter un choix impressionnant de pièces en soie et en coton. Avec un peu de chance, on peut trouver de beaux châles, notamment des *pashmina* et des *shatush* en pure laine du Cachemire, chers mais authentiques, et des saris. Le marchandage n'y est pas pratiqué car les prix sont fixés par le gouvernement. Le magasin accepte les devises étrangères et les cartes de crédit (fermé le dimanche).

Sur Baba Kharak Singh Marg, la chaîne des **State Emporia** se spécialise dans les produits des différents États de l'Inde. Ces magasins donnent un aperçu fascinant des diverses cultures de l'Inde : **Gurjari** (vêtements couleur ocre du Gujarat), **Utkalika** (Orissa), **Lepakshi** (étoffes tissées main et tissus *kalamkari* de l'Andhra Pradesh), **Zoon** (articles en papier mâché, couvertures brodées, tapisseries sur canevas, tapis et châles du Cachemire),

**Himachal** (châles en laine), **Ambapali** (soie et peintures du Bihar), **Kairali** et **Cauvery** (bois de santal du Kerala et du Karnataka), enfin les *emporia* de l'Assam, du Manipur et du Tripura (vannerie, nattes et stores en roseau fin et en bambou).

**Janpath** est bordée de boutiques qui vendent de tout, des vêtements aux antiquités. Il faut être prêt à marchander. C'est un endroit bon marché pour les vêtements en coton, les articles en cuir, notamment les sandales *kohalpuri*, l'argent et les bijoux fantaisie. Des marchands du Rajasthan vendent à même le trottoir de très beaux produits artisanaux : housses de coussin, tentures, jupes et vestes aux couleurs vives.

A l'extrémité sud de Janpath s'étend le **marché tibétain**. Il faut se méfier des prétendues antiquités, qui sont en général fabriquées quelques jours auparavant dans une arrière-cour de Delhi et vieillies artificiellement. Quoi qu'il en soit, ne pas oublier qu'il est interdit d'exporter d'Inde des produits datant de plus de cent ans.

Enfin, tous les grands hôtels proposent dans leurs boutiques des objets de qualité, notamment la boutique de cachemire, à l'hôtel **Méridien**.

**Quelques adresses :**

**Fabindia**
*Greater Kailash Part I*
Vêtements en coton, sacs, tissus d'ameublement, linge et tapis, le tout à des prix modérés.
**Shantushi** (en face de l'hôtel Ashok)
Centre de magasins et de boutiques vendant tissus, linge de maison, produits artisanaux et prêt-à-porter.
**Yashwant Place** (*Chanakyapuri*)
Fourrures, peaux et articles en cuir.
**Khadi Gramodyog Bhavan**
*24 Regal Building*
Tissus et vêtements de coton dont Gandhi a favorisé la diffusion.
**People Tree**
*8 Regal Building*
Beaux tee-shirts peints à la main.
**Once Upon a Time** (*face au Qubt Minar*)
Vêtements de qualité fabriqués dans des tissus indiens.

Depuis quelques années, **Hauz Khas** est le quartier « branché » de Delhi (voir p. 142). Ses boutiques sophistiquées sont disséminées dans un authentique village. On peut y admirer toute la gamme de la haute couture indienne, des saris traditionnels aux tailleurs ornés de sequins, dans les boutiques des plus grands stylistes indiens, ainsi que des poteries, des meubles et des tissus. Le site unique du village, au milieu de monuments du XIIIe siècle et à côté du vaste Deer Park, mérite le détour.

**● Jaipur**

Le Rajasthan est depuis toujours célèbre pour ses artisans : tailleurs de pierre, émailleurs, orfèvres, teinturiers et imprimeurs sur tissus. Les tissus, remarquablement variés, sont teints selon la technique du nouage, imprimés au tampon sur bois, peints ou brodés et ornés de minuscules miroirs. Les bijoux en laque et en filigrane sont également une spécialité locale. Le **Rajasthan Government Handicrafts Emporium**, sur M. I. Road, est l'endroit idéal pour acheter tous ces produits.

Les *pichwai*, tissus peints que l'on tend traditionnellement derrière les autels des dieux, sont un produit spécifique du Rajasthan. Jaipur se spécialise en particulier dans les tissus ornés de miroirs, les tentures, les housses de coussins et le cuivre gravé.

Une promenade dans les bazars de Jaipur compte parmi les grands souvenirs de voyage. **Johari Bazar** est le lieu idéal pour trouver des bijoux en os, en laque, en verre et en argent. Les deux places **Badi Chaupar** et **Chhoti Chaupar** sont les centres commerçants de la ville. On peut y acheter les célèbres couvre-lits piqués du Rajasthan, des aliments épicés (*namkeen*), des parfums (*ittar*) et des statues de divinités indiennes.

**Quelques adresses :**

**Art Age Ltd.**
*Bhawani Singh Road, 2*
Peintures, art jaïn et sculptures sur bois.
**Anokhi**
*Tilak Marg, 2*
Belles créations en tissus du Rajasthan.
**Galerie Mona Lisa**
*Hawa Mahal Road*
Grand choix de miniatures.
**Gem Palace**
*M. I. Road*
Pierres précieuses de qualité.
**Paradise Gems**
*Gangori Bazar*
Pierres précieuses. Au 1er étage, miniatures de **Picasso Arts**.
**Khadi Ghar**
*M. I. Road*
Papiers artisanaux.

**Kripal Singh**
*Sivja Marg, Bani Park*
Poteries bleues de Jaipur.
**Allah Buksh**
*M. I. Road*
Objets de laque.
**Bharamal Rajmal Surana**
*Lal Katra*
Bijoux.

Ne pas oublier qu'il est interdit d'exporter d'Inde des objets en ivoire et des produits fabriqués à partir d'animaux sauvages.

**• Agra**

Agra est renommée pour certaines formes uniques d'artisanat, telles que les incrustations de pierres semi-précieuses dans le marbre, une tradition remontant à l'époque moghole. On peut y acheter toutes sortes d'objets en marbre incrusté, des boîtes miniatures aux dessus de table, ou simplement regarder les artisans travailler dans les bazars.

Agra est également connue pour ses carpettes en coton (*dhurrie*) d'excellente qualité et aux prix raisonnables, dont les dessins reproduisent des motifs traditionnels.

C'est aussi l'un des grands centres de l'Inde du Nord pour les articles en cuir. Les chaussures, sacs à main et porte-monnaie fabriqués localement sont exportés dans le monde entier.

Les autres spécialités comprennent le travail du cuivre, les sculptures sur ivoire et sur bois et les accessoires en velours. Parmi ces derniers, les broderies au fil d'or ou d'argent sur le velours noir sont spécifiques de cette région. Ces broderies ornent des sacs légers d'été. Agrémentées de pierres semi-précieuses, elles font de beaux sacs du soir.

Les magasins d'État ont des prix fixes et un label de qualité. Parmi ces magasins : le **Government Handicrafts Emporium**, dans le complexe du Taj, et l'**Indian Handicrafts Centre**, en face de Circuit House, près du Taj Mahal.

Pour la couleur locale et les achats bon marché, rien ne vaut une flânerie dans le **Sadar Bazaar** et le **Kinara Bazaar**. Faire attention cependant à l'éloquence des arnaqueurs et se préparer à marchander. **Partabpur** est un bon endroit pour acheter des bijoux.

**Quelques adresses :**

**Subash**
*Gwalior Road, 18*
Objets de marbre.
**Mangalik**
*Taj Road*
Couvertures et tapis de coton.
**Ganesh Lall**
*Mahatma Gandhi Road*
Bijoux et velours brodés.

## SPORTS

**• Delhi**

Delhi possède de très bons parcours de golf à proximité de monuments anciens, sur Zakir Hussain Marg, dans les environs d'India Gate. Les parcours sont ouverts de 6 h à 15 h. Pour plus de renseignements, s'adresser au **Golf Club** (*tél. 69 9236*).

Les cours d'équitation à Delhi sont relativement bon marché : **Club équestre de Delhi**, *Safdarjang Road* (*tél. 37 1891*).

Le **club de deltaplane**, près de l'aéroport de Safdarjang, propose des séances de vol à prix modéré. Pour piloter un deltaplane, on doit se procurer une autorisation auprès du **Civil Aviation Department** (*tél. 61 1298*).

Tous les grands hôtels sont équipés de piscines, gratuites pour les résidents et dans certains cas accessibles aux visiteurs moyennant une somme symbolique. Certains clubs possèdent des piscines, mais il faut être accompagné d'un membre pour y avoir accès.

Delhi est le théâtre de nombreuses rencontres sportives nationales et internationales. Les sports favoris des Indiens sont le cricket, le hockey, le football, le tennis, le polo et les courses de chevaux. Les matches de cricket sont nombreux et les places prises d'assaut, c'est pourquoi il est conseillé de réserver assez longtemps à l'avance. Les journaux indiens ont une rubrique d'information sur les rencontres sportives. Delhi est également la ville du polo, la saison se situant en février et en octobre-novembre. Pour plus de détails, s'adresser à :

**Delhi Polo Club**
*President's Estate, Rashtrapati Bhavan*
*tél. 301 5604.*

**• Jaipur**

Le polo est également le sport favori de Jaipur. Cinq matches ont lieu en mars au **Rajasthan Polo Club**. Les terrains de polo sont voisins de l'hôtel Rambagh Palace. A Jaipur, ce sport ne se pratique pas seulement à cheval : on y joue avec des éléphants, des chameaux et même des motos !

### • Agra

A Agra, un terrain de golf de 18 trous a été aménagé sur le campus de Circuit House. L'**Agra Club** propose à ses membres des activités de badminton, de tennis, de squash et de billard.

Le Mughal Sheraton, le Clark's Shiraz, le Holiday Inn et le Laurie's sont équipés de piscines, payantes pour les visiteurs. Le **lac de Keitham**, à 23 km d'Agra, est peuplé d'espèces variées de poissons dans un cadre de forêt idyllique. On peut obtenir un permis de pêche en téléphonant à l'**Executive Engineer**, Agra (*tél. 722 15*).

## OÙ SE RESTAURER

### LA GASTRONOMIE INDIENNE

La découverte de la nourriture indienne à Delhi, Jaipur, Agra ou dans n'importe quelle région de l'Inde est une véritable aventure gastronomique. Il n'existe rien de comparable à la cuisine indienne dans un autre pays du monde, à l'exception peut-être du Pakistan et du Bangladesh. Le terme même de cuisine indienne est équivoque, car les cuisines provinciales peuvent être très différentes les unes des autres.

La **cuisine moghole** est encore très répandue dans le nord de l'Inde. On peut goûter à une cuisine de qualité dans les trois villes. Parmi les plats les plus délicieux figurent le *biryani*, du riz cuit avec des herbes, des épices, des noix, des raisins, de la noix de coco et de la crème, avec ou sans morceaux de viande ; le *shami* ou les *seekh kebab*, brochettes de viande cuites de manière variée ; le *raan-i-mirza*, pattes d'agneau cuites dans le lait caillé, la cardamome et le cumin ; le *murg massalam*, poulet farci au gingembre, aux pistaches, aux œufs et aux noix de cajou. On accompagne ces plats de diverses sortes de pain toutes délicieuses qui ont l'allure de galettes souples, comme le *naan* et le *paratha*.

On peut également découvrir dans les trois villes les cuisines du Pendjab occidental, du Cachemire et du Nord-Ouest. Bien que la plupart soient des plats de viande, les végétariens trouveront également leur bonheur. Au fil des siècles, les Indiens ont développé jusqu'à la perfection l'art de cuire le *paneer* (fromage blanc), les patates (*aloo*), les épinards (*saag*), le piment (*simla mirch*) et les pois (*mattar*), ainsi que toute une série de curries de légumes.

La nourriture de l'Inde du Sud diffère complètement de celle du Nord : elle est plus végétarienne et beaucoup plus légère. Il vaut sans doute mieux l'essayer à Delhi plutôt qu'à Agra ou Jaipur. Le plat le plus populaire est le *dosa*, grande crêpe de riz que l'on peut manger avec des pommes de terre et que l'on sert généralement avec du *sambhar*, sorte de soupe aux lentilles et au tamarin, et du chutney de noix de coco. Pour les boissons, on goûtera au café fraîchement moulu et à d'autres boissons traditionnelles telles que le *rasam* épicé ou le *lhassi*.

On peut terminer agréablement un repas indien par l'un des nombreux desserts locaux. Parmi les plus renommés figurent le *rabri*, lait épais, crémeux et sucré, le *kulfi*, glace moghole, et le *gajar*, semoule de carotte. Enfin, tout Indien finit un repas par un thé au lait et aux épices (*Indian tea*).

### QUELQUES ADRESSES

Il y a, dans tous les grands hôtels, des restaurants de spécialités et des buffets souvent excellents, à des prix raisonnables mais supérieurs à ceux des restaurants ordinaires : tout dépend de l'ambiance que l'on recherche. Attention : à Delhi surtout, la plupart des restaurants sont fermés le dimanche. Il faut compter entre 40 et 100 FF pour un repas. Des taxes gouvernementales s'ajoutent au prix des plats (de 12 à 20 %). Dans la liste qui suit, les étoiles indiquent un niveau de prix.

### • Delhi

**Cuisine moghole**

*****Bukhrara**
*Maurya Sheraton Hotel, Diplomatic Enclave*
*tél. 301 0101*
****The Dhaba**
*Claridges Hotel, Aurangzeb Road, 12*
*tél. 301 02 11*
***The Tandoor**
*President Hotel, Asaf Ali Road, 4123 B*
*tél. 277 836*
***Chor Bizarre**
*Broadway Hotel*
*tél. 327 38 21*

***Karim's**
*Nizamuddin Basti, Nizamuddin West*
*tél. 469 98 300*
*Jama Masjid, 16*
*tél. 326 49 81*

### Cuisine d'Inde du Nord

*****Delhi Ka Aangan**
*Hyatt Regency Hotel, Bhikaji Cama Place*
*tél. 688 12 34*
*****Dum Pukht**
*Maurya Sheraton Hotel, Diplomatic Enclave*
*tél. 301 01 01*
*****Haveli**
*Taj Mahal Hotel*
*tél. 301 61 62*
****Palki**
*K Block Connaught Circus, 15*
****Corbett's**
*Claridges Hotel, Aurangzeb Road, 12*
*tél. 301 02 11*
****Gaylord**
*16 Regal Building, Connaught Place*
****Village Bistro**
*Hauz Khas Village, 12*
*tél. 685 38 57*
****Mohalla**
*Hauz Khas Village*
*tél. 696 39 05*
****Naivedyam**
*Hauz Khas Village*
*tél. 696 04 26*
****Tandoori Nights**
*Hauz Khas Village*
*tél. 641 04 80*
****The Top of the Village**
*Hauz Khas Village*
*tél. 685 22 26*
****Copper Chimney**
*Pamposh Enclave*
*tél. 641 39 99*
***Nathu's Sweets**
*Bengali Market, 23*
*** Embassy**
*D Block, Connaught Place*
***Chicken Inn**
*Pandara Road, India Gate*
***Delhi Darbar Restaurant**
*I Block, Connaught Circus*

### Cuisine d'Inde du Sud

***Coconut Grove**
*Ashok Yatri Niwas, Ashok Road*
***Dasaprakash**
*Ambassador Hotel, Sujan Singh Park*
***Sagar**
*Defence Colony Market 18*
***Sono Rupa**
*Janpath, 46*

### Cuisine chinoise et thai

*****House of Ming**
*Taj Mahal Hotel, Mansingh Road, New Delhi*
*tél. 301 61 62*
*****Tai Pam**
*Oberoi Hotel, Dr. Z. H. Marg, New Delhi*
*tél. 436 30 30*
*****Baan Thai**
*Oberoi Hotel*
*tél. 436 30 30*
*****Tea House of the August Moon**
*Taj Intercontinental, Diplomatic Enclave*
*tél. 301 04 04*
****Dukes Place**
*Hauz Khas Village*
*tél. 686 49 09*
****Sukho Thai**
*Hauz Khas Village, 24*
*tél. 685 34 86*

### Cuisine occidentale

*****Orient Express**
*Taj Intercontinental Hotel*
*tél. 301 04 04*
*****La Rochelle**
*Oberoi Hotel*
*tél. 436 30 30*
*****Casa Medici**
*Taj Mahal Hotel*
*tél. 301 61 62*
****Captain's Cabin**
*Taj Mahal Hotel*
*tél. 301 61 62*
****Basil & Thyme**
*Shantushi Shopping Centre*
*tél. 688 71 79*
****La Brasserie**
*Meridien Hotel*
*tél. 371 0101*
****The Grill Room**
*Holiday Inn Crown Hotel*
*tél. 332 01 01*
****El Arab**
*13 Regal Building, Connaught Place*
***Nirula's Salad Bar**
*L Block, Connaught Place*
*tél. 332 2419*
***Metropolitan Hotel**
*1634 Main Bazaar, Pahar Ganj*
*tél. 753 57 66*

• **Jaipur**

*****Savarna Mahal**
*Rambagh Palace Hotel, Bhawani Singh Road*
*tél. 751 41*
****Shivar**
*Mansingh Hotel, Sansar Chandra Road*
*tél. 787 71*
****Jai Mahal Hotel**
*Jacob Road, Civil Lines*
*tél. 371 616*
****Samode Haveli**
*Gangapole*
*tél. 540 370*
***LMB Hotel**
*Johari Bazaar*
*tél. 565 844*

On trouve également plusieurs restaurants sur Mirza Ismaïl Road, parmi lesquels **Niro's**, **Handi** et **Rainbow**, qui servent une excellente cuisine moghole et du nord de l'Inde, le **Golden Dragon**, un restaurant chinois, et **Chanakya**, un très bon restaurant végétarien.

• **Agra**

*****Bagh-e-Bahar**
*Mughal Sheraton Hotel, Tajganj*
*tél. 361 701*
*****Mughal Room**
*Clark's Shiraz, Taj Road, 54*
*tél. 361 421*
****The Coffee Shop**
*Taj View Hotel, Tajganj*
*tél. 361 171*
****Kwality Restaurant**
*Taj Road, 2*
****Zorba the Buddha**
*Sadar Bazaar*
***Only Restaurant**
*Taj Road, 45*
***Priya**
*Fatehabad Road*
***Sonam**
*Taj Road, 51*

## OÙ LOGER

• **Delhi**

La capitale de l'Inde est aussi l'un des grands centres touristiques du pays : on y trouve un grand choix d'hôtels allant des cinq-étoiles aux hôtels moyens ou bon marché, ainsi que de nombreux appartements et chambres chez l'habitant, dans tous les quartiers résidentiels (de 60 à 1 000 FF). Des taxes s'ajoutent parfois au prix des chambres (environ 10 %).

QUELQUES ADRESSES

**Hôtels de luxe**

**Oberoi Intercontinental**
*Dr. Zakir Husain Marg, New Delhi*
*tél. (011) 436 30 30*
**Taj Mahal**
*Mansingh Road, New Delhi*
*tél. (011) 301 61 62*
**Taj Palace Intercontinental**
*Diplomatic Enclave, New Delhi*
*tél. (011) 301 04 04*
**Maurya Sheraton**
*Diplomatic Enclave, New Delhi*
*tél. (011) 301 01 01*
**Holiday Inn Crown Plaza**
*Barakhamba Avenue, Connaught Place*
*tél. (011) 332 01 01*
**Hyatt Regency**
*Bhikaji Cama Place, Ring Road, New Delhi*
*tél. (011) 688 12 34*
**Le Méridien**
*Windsor Place, Janpath, New Delhi*
*tél. (011) 371 01 01*

**Moyen et économique**

**Ambassador Hotel**
*Sujan Singh Park, New Delhi*
*tél. (011) 463 26 00*
**Diplomat**
*Sardar Patel Marg, 9, New Delhi*
*tél. (011) 301 02 04*
**Jukaso Inn**
*L1 Connaught Circus, New Delhi*
*tél. (011) 332 49 77*
**Lodhi Hotel**
*Lala Lajpat Rai Marg, New Delhi*
*tél. (011) 436 24 22*
**YMCA International Guest House**
*Parliament Street*
*tél. (011) 311 561*
**Nirula's**
*L Block, Connaught Circus, New Delhi*
*tél. (011) 332 24 19*
**Claridge's Hotel**
*Aurangzeb Road 12, New Delhi*
*tél. (011) 301 02 11*
**Imperial Hotel**
*Janpath, New Delhi*
*tél. (011) 332 53 32 et 371 53 71*

**Best Western Surya**
*Friends Colony, New Delhi*
*tél. (011) 683 50 70*
**Vasant Continental**
*Vasant Vihar, New Delhi*
*tél. (011) 678 800*
**YMCA Tourist Hostel**
*Jai Singh Road, New Delhi*
*tél. (011) 311 915*

**• Jaipur**

Jaipur est une ville beaucoup plus petite que Delhi, mais presque aussi importante sur le plan touristique. Elle offre moins d'hôtels, mais un choix très large en termes de prix. Parmi les logements à prix modéré, on trouve des demeures de maharadjahs, souvent d'anciens palais d'été, transformées en petits hôtels. Il faut savoir que certaines n'offrent qu'un petit nombre de chambres (indiqué entre parenthèses) et sont parfois à quelques kilomètres du centre, mais l'accueil y est toujours très raffiné et un séjour dans l'un de ces petits palais est un souvenir inoubliable. Certaines ont été rachetées par la chaîne Taj mais la majorité des propriétaires se sont groupés en association : si on fait une visite plus complète du Rajasthan, s'adresser à :

**Heritage Hotels Association**
*Sardar Patel Marg, 9, Jaipur*
*tél. (141) 382 214*

**Hôtels de luxe**

**Rambagh Palace**
*Bhawani Singh Road*
*tél. (141) 381 919*
**Jai Mahal Palace**
*Jacob Road, Civil Lines*
*tél. (141) 371 616*

**Moyen et économique**

**Clark's Amer**
*Jawarlal Nehru Marg*
*tél. (141) 550 616*
**Jaipur Ashok**
*Jai Singh Circle, Bani Park*
*tél. (141) 375 171, 375 121*
**Rajmahal Palace** (11 ch.)
*Sardar Patel Marg*
*tél. (141) 381 676* et *757 625*
**Achrol Lodge** (6 ch.)
*Hari Bhavan, Jacob Road, Civil Lines*
*tél. (141) 382 154*
**Bissau Palace** (30 ch.)
*Outside Chandpole Gate*
*tél. (141) 374 191* et *317 628*
**Khetri House**
*Chanpole Gate*
*tél. (141) 691 83*
**LMB**
*Johari Bazaar*
*tél. (141) 565 844*
**Mandawa House** (18 ch.)
*Sansar Chandra Road*
*tél. (141) 653 98*
**Meru Palace**
*Sawai Ram Singh Road*
*tél. (141) 371 111*
**Narain Niwas** (28 ch.)
*Kanota Bagh, Narain Singh Road (8 km)*
*tél. (141) 563 448* et *561 291*
**Samode Haveli** (21 ch.)
*Gangapole*
*tél. (141) 540 370* et *542 407*
**Teej Tourist Bungalow**
*Collectorate Road, Bani Park*
*tél. (141) 742 06*

**Environs de Jaipur**

**Bharatpur** (160 km)

**Chandramahal Haveli**
*Vill. Pehersar, Nadlai (à 23 km de Bharatpur)*
*tél. (05644) 32 47*

**Ramgarh** (40 km)

**Ramgarh Lodge** (11 ch.)
*Jamuva Ramgarh*
*tél. (4262) 217*

**Ranthambore National Park** (182 km)

**Sawai Madhopur Lodge** (22 ch.)
*tél. (07462) 20 541*

**Réserve de Sariska** (108 km)

**Sariska Palace** (36 ch.)
*A 36 km d'Alwar*
*tél. (14652) 42 47*

**Samode** (42 km)

**Samode Palace** (34 ch.)
*tél. (01423) 41 14* et *(141) 542 407*
**Samode Bagh** (50 tentes de luxe)
*Gram Fatehpura, Bansa*
*tél. (1423) 41 13*

**• Agra**

Pour le logement, Agra ressemble beaucoup à Jaipur. La plupart des hôtels, de prix variés, sont sur Fatehabad Road. L'État d'Uttar Pradesh prélève des taxes de 12 à 25 %.

**Hôtels de luxe**

**Taj View**
*Taj Ganj, Fatehabad Road*
*tél. (562) 361 171-8*
**Clarks Shiraz**
*Taj Road, 54*
*tél. (562) 361 421-7* et *361 429*
**Mughal Sheraton**
*Fatehabad Road*
*tél. (562) 361 701*
**Mumtaz**
*Fatehabad Road, 401*
*tél. (562) 361 771-6*

**Moyen et économique**

**Amar**
*Fatehabad Road, 401*
*tél. (562) 360 695-9*
**Grand Hotel**
*Station Road, 137, Agra Cantonment*
*tél. (562) 364 014* et *311 320*
**Mayur Tourist Complex**
*Fatehabad Road*
*tél. (562) 360 310*
**Sheela**
*Taj East Gate*
*tél. (562) 361 794*

## ADRESSES UTILES

AMBASSADES ET CONSULATS À DELHI

**• France**
*2-50 E Shantipath, Chanakyapuri*
*tél. (011) 604 004*
Alliance française
*M5 South Extension part 2, Block D13*
*tél. (011) 644 0128*

**• Belgique**
*50 N Shantipath, Chanakyapuri*
*tél. (011) 608 295*

**• Suisse**
*Nyaya Marg, Chanakyapuri*
*tél. (011) 604 227*

**• Canada**
*7-8 Chantipath, Chanakyapuri*
*tél. (011) 687 65 00*

## BIBLIOGRAPHIE

**Bromfield L.**, *La Mousson*, Livre de Poche, Paris, 1980
**Cerf M.**, *L'Antivoyage*, Gallimard, Paris, 1979
**Clément C.**, *Gandhi, athlète de la liberté*, Gallimard, coll. Découvertes, Paris, 1991
**David-Neel A.**, *L'Inde où j'ai vécu*, Plon, Paris, 1950
**Desai A.**, *Un héritage exorbitant*, Stock, Paris, 1992
**Dumont L.**, *La Civilisation indienne et nous*, Armand Colin, coll. U Prisme, Paris, 1975
**Duras M.**, *Le Vice-Consul*, Gallimard, Paris, 1977
**Farrell J. G.**, *Le Siège de Krishnapur*, Fayard, Paris, 1990
**Fishok T.**, *Les Indiens : la vie de tous les jours dans la république de l'Inde*, Belfond, Paris, 1985
**Forster E. M.**, *La Route des Indes*, Christian Bourgois, coll. 10/18, Paris, 1982
**Frain I.**, *Le Nabab*, J. C. Lattès, Paris, 1982; *Devi*, Livre de Poche, Paris, 1994
**Frédéric L.**, *Dictionnaire de la civilisation indienne*, Robert Laffont, coll. Bouquins, Paris, 1987
**Gosh A.**, *Les Feux du Bengale*, Le Seuil, coll. Points, Paris, 1992
**Hambly G.**, *Cités de l'Inde moghole*, Albin Michel, Paris, 1968
**Hesse H.**, *Siddharta*, Livre de Poche, Paris, 1975
**Irving J.**, *Un enfant de la balle*, Le Seuil, Paris, 1995
**Jhabvala R. P.**, *Chaleur et poussière*, J'ai Lu, Paris, 1975
**Kipling R.**, *Kim*, Gallimard, Paris, 1978 ; *Simples Contes des collines*, J'ai lu, Paris, 1988
**Kureishi H.**, *Le Bouddha de banlieue*, Christian Bourgois, coll. 10/18, Paris, 1993
**Lapierre D.**, *Cette nuit, la liberté*, Livre de Poche, Paris, 1975
**Mehta G.**, *La Maharani*, Livre de Poche, Paris, 1990
**Michaux H.**, *Un barbare en Asie*, Gallimard, Paris, 1945
**Naipaul V. S.**, *L'Inde brisée*, Christian Bourgois, coll. 10/18, Paris, 1977 ; *L'Inde : un million de révoltes*, Plon, Paris, 1992

**Narayan R. K.**, *Dans une chambre obscure*, Christian Bourgois, coll. 10/18, Paris, 1992
**Renou L., Filliozat J.**, *L'Inde classique*, Maisonneuve, Paris, 1985
**Rushdie S.**, *Les Enfants de minuit*, Stock, Paris, 1980
**Scott P.**, *Quelques jours avant la nuit,* Lebaud-Félin, Paris, 1990
**Seth V.**, *Un garçon convenable*, Grasset, Paris, 1995
**Singh V.**, *Jaya Ganga*, Ramsay, Paris, 1985
**Tabuchi A.**, *Nocturne indien*, Christian Bourgois, coll. 10/18, Paris, 1987
**Tagore R.**, *La Maison et le Monde*, Payot, Paris, 1991
**Tharoor S.**, *Le Grand Roman indien*, Le Seuil, Paris, 1993
**Viramma, Racine J. L. et J.**, *Une vie paria*, Plon, coll. Terre Humaine, Paris, 1995

### • Documentation et librairies du voyage

**Centre de relations culturel franco-indien**
*50, rue Vaneau, 75007 Paris*
*tél. (1) 45 48 04 64*
**Association France-Union indienne**
*15, rue de Vaugirard, 75006 Paris*
*tél. (1) 42 34 25 91*
**Centre Mandapa**
*6, rue Wurst, 75013 Paris*
*tél. (1) 45 89 01 60*
**Centre Shivananda**
*123, boulevard de Sébastopol, 75003 Paris*
*tél. (1) 40 26 77 49*
**Soleil d'or**
*156, rue Raymond-Losserand, 75014 Paris*
*tél. (1) 45 43 50 12*
**La Route des Indes**
*7, rue d'Argenteuil, 75001 Paris*
*tél. (1) 42 60 60 90*
**Librairie de l'Inde**
*20, rue Descartes, 75005 Paris*
*tél. (1) 43 25 83 38*
**Kailash**
*6, rue des Grands-Degrés, 75005 Paris*
*tél. (1) 43 29 11 00*
**Itinéraires**
*60, rue Saint-Honoré, 75002 Paris*
*tél. (1) 43 36 42 63*
**L'Harmattan**
*5, rue de l'École-Polytechnique, 75005 Paris*
*tél. (1) 44 07 26 05*
**Ulysse**
*26, rue Saint-Louis-en-l'Ile, 75004 Paris*
*tél. (1) 43 25 17 35*

# CRÉDITS PHOTOGRAPHIQUES

| | |
|---|---|
| *Illustration de couverture : le Taj Mahal* | **© Joe Viesti/ASK Images** |
| *201* | **Ravindralal Anthonis** |
| *252-253* | **Apa Photo Agency** |
| *92, 131* | **Arun Anand/Image Vault** |
| *1, 73, 210, 233* | **Aditya Arya** |
| *22-23, 44-45, 46-47, 79, 123, 124, 152-153, 163, 167, 176, 177, 183 d, 187, 189, 190-191, 194, 196, 206-207, 215, 216, 217, 218, 219, 228, 232, 238, 241, 244, 246, 247, 249, 264* | **David Beatty** |
| *234-235* | **Uzra Bilgrami** |
| *161* | **A. Binavkia/Resource Foto** |
| *87, 90, 98, 107 d, 121, 127, 140, 141, 143, 144, 145, 175, 179* | **Meera Chatterjee** |
| *33, 154, 155* | **Asok Kumar Das** |
| *115 g* | **Delhi War Cemetery** |
| *146* | **Gertrud & Helmut Denzau** |
| *84, 130* | **Amitabh Dubey** |
| *214, 221* | **Marie D'Souza** |
| *42-43, 59, 61, 72 g, 76, 78, 86, 142, 150-151, 178, 180, 197* | **Fotomedia** |
| *54-55, 125, 170-171, 198* | **Ashim Ghosh** |
| *256, 261* | **Nirmal Ghosh/Fotomedia** |
| *94-95, 100-101, 212* | **Dallas & John Heaton** |
| *188* | **Hans Höfer** |
| *63 d, 138* | **Simon Hughes/APA Photo Agency** |
| *66-67, 193, 195* | **Ravi Kaimal** |
| *2, 69, 106 d, 160, 168, 172, 225, 239 g* | **Rupinder Khullar** |
| *56-57* | **Jean Kugler** |
| *26 d, 68, 99, 104 d, 165, 263* | **Craig Lovell/APA Photo Agency** |
| *139* | **Antonio Martinelli** |
| *173* | **Nihal Mathur/Fotomedia** |
| *39, 52-53, 72 d, 110, 116-117, 204-205* | **David Messent** |
| *254, 258, 259* | **Shankar Narayan** |
| *26 g, 162, 169, 182 d, 184* | **Tripti Pandey** |
| *118, 137, 245* | **Avinash Pasricha** |
| *140, 164, 166, 200* | **Aditya Patankar** |
| *29, 34 d, 260* | **Christine Pemberton/Fotomedia** |
| *134, 223, 239 d, 240, 248, 262* | **K. T. Ravindran** |
| *37 d* | **Ajay Rohilla/Fotomedia** |
| *81, 202-203, 224* | **Kamal Sahai** |
| *105, 122, 242, 243* | **Hemen C. Sanghvi** |
| *25, 27, 28, 30-31, 34 g, 36, 41, 103, 104 g, 128 g& d, 129, 130, 132-133, 158-159, 174, 181, 183 g, 211, 220, 226, 227 g & d, 229* | **Shalini Saran** |
| *32, 38 g & d, 89, 250, 251* | **Geeti Sen** |
| *82, 109* | **Pankaj Shah/Resource Foto** |
| *50, 60, 62, 63 g, 74 d, 77, 80, 83, 85, 88, 91, 93* | **Satish Sharma** |
| *14-15, 16-17, 18-19, 74 g, 107 g, 112, 114, 115 d, 120, 149* | **Toby Sinclair** |
| *185* | **N. P. Singh/Fotomedia** |
| *24, 37 g, 192, 222* | **Amar Talwar/Fotomedia** |
| *64, 75,* | **Taj Group of Hotels/ Taj Mahal Hotel** |
| *236 (plan)* | **Yasmeen Tayebbhai** |
| *103* | **Adina Tovy/APA Photo Agency** |
| *96, 108* | **Franck Udo/Resource Foto** |
| *106 g, 182 g* | **Joanna Van Gruisen** |
| *230* | **Adam Woolfitt** |
| *Cartes* | **TT Maps & Publications** |
| *Avec la collaboration de* | **V. Barl .** |

# INDEX